DICCIONARIO DE NOMBRES FEMENINOS

Compilación:
Graciela Hernández Ávila
Olivia Ortega Orozco
Carlos Zaldívar Turrent
Valeria Cinta Dávila

DICCIONARIO DE NOMBRES FEMENINOS

Luis Lesur

EDITORIAL TRILLAS

México, Argentina, España, Colombia, Puerto Rico, Venezuela ®

Catalogación en la fuente

Lesur, Luis
Diccionario de nombres femeninos. -- México : Trillas, 2007.
285 p. : il. ; 23 cm.
ISBN 978-968-24-7906-1

1. Nombres personales - Diccionarios. 2. Mujeres - Nombres. I. t.

D- 929.44082'L173d LC-CS2305'L4.3

División Administrativa,
Av. Río Churubusco 385,
Col. Pedro María Anaya, C.P. 03340,
México, D. F.
Tel. 56 88 42 33, FAX 56 04 13 64

División Comercial,
Calzada de la Viga 1132,
C.P. 09439 México, D. F.,
Tel. 56 33 09 95,
FAX 56 33 08 70

www.trillas.com.mx

Miembro de la Cámara Nacional de la Industria Editorial, Reg. núm. 158

Primera edición, abril 2007
ISBN 978-968-24-7906-1

Impreso en México
Printed in Mexico

Introdución

El nombre propio es algo que nos identifica y distingue de los demás, que nos acompaña durante toda la vida como parte de nuestra identidad. Aparece en las actas de nacimiento y en las de defunción. A la pregunta de, ¿quién es usted?, se contesta con el nombre; toda la vida recurriremos a él. Sin embargo, no somos nosotros quienes lo determinamos, sino nuestros padres.

El presente diccionario, con más de 4000 nombres femeninos, está destinado precisamente a los padres que buscan un nombre de pila, una identificación para su nueva hija, recién nacida o por nacer.

La tradición de poner a los hijos el nombre que les corresponda según el santoral católico ha caído en desuso. La elección del nombre la hacen ahora los padres de acuerdo con su criterio, quienes con frecuencia asignan a sus vástagos el mismo nombre de algún familiar, como la madre, la abuela, la tía, parte en homenaje a ellas y parte para conservar la tradición familiar. Sin embargo, cada vez es más frecuente que los nombres se elijan por influencias fuera del entorno de la familia, y con ello se amplía el abanico de posibilidades. En la actualidad los nombres de pila están sujetos también a ciertas modas. Así, la globalización, otra moda, ha alcanzado también a los nombres de pila, y en su selección influyen muchas veces las costumbres y las tradiciones lingüísticas de otros países.

En razón de lo anterior, en esta compilación de nombres de pila femeninos se han incluido muchos de diversas tradiciones culturales, como la coreana, japonesa, checa, birmana, china, escocesa, filipina, inglesa, rusa y tibetana, además de nombres de origen maya, zapoteca y náhuatl.

En cada nombre se incluyeron cuatro datos: origen, significado, onomástico, si lo tiene, y variantes, si las hay.

En el *origen* del nombre se indica la lengua o familia lingüística principal de la que proviene. La filiación religiosa de los nombres no se incluye, pero los que cuentan con onomástico pertenecen en su mayoría al santoral de la Iglesia Católica, en tanto que una parte importante de los nombres de origen hebreo pertenecen a la tradición judaica, y los originarios del hindi se pueden adjudicar, en parte, al hinduismo.

El *significado,* no siempre preciso, ayuda a entender las connotaciones del nombre, las evocaciones que sugiere y los atributos que se le asocian.

El *onomástico* se refiere a la fecha en que se celebra ese nombre, generalmente de acuerdo con el santoral católico.

Las *variantes* se refieren tanto a modalidades, diminutivos y formas familiares del mismo nombre en nuestro idioma, como a su equivalente y modalidades en otras lenguas cercanas.

Los nombres aparecen agrupados en el índice alfabético al final de este volumen, según su origen lingüístico, ya sean latinos, griegos, hebreos, alemanes, suecos, etcétera.

A

ABAL

Origen: Maya.
Significado: Ciruela.
Onomástico: No tiene.

ABDA

Origen: Hebreo.
Significado: Feminización de *Abba*, que significa padre.
Onomástico: 16 de mayo.

ABIGAIL

Origen: Hebreo.
Significado: *ab*, padre, y *guilah*, alegría, alegría del padre.
Onomástico: 1 y 6 de noviembre.
Variantes: Italiano: **ABGAILLE.**

ABIL

Origen: Maya.
Significado: Nieta.
Onomástico: No tiene.

ABILIA

Origen: Hebreo.
Significado: Hábil.
Onomástico: 22 de febrero y 23 de julio.

ABIRA

Origen: Hebreo.
Significado: Muy recta.
Onomástico: No tiene.
Variantes: **ABBIRA, ABERA, ABHIRA, ABIR.**

ABRA

Origen: Hebreo.
Significado: Madre de todas las naciones.
Onomástico: No tiene.

ABREA

Origen: Hebreo.
Significado: Dudoso, algunos piensan que es una forma popular de hebrea y otros que es una variante femenina de Abraham.
Onomástico: 12 de diciembre.

ABRIL

Origen: Latino.
Significado: Deriva de *aperire*, que significa abrir. También puede provenir de *aparas*, siguiente; o sea, siguiente al primer mes, ya que para los romanos, éste era el segundo mes del año.
Onomástico: 30 de enero.

ACACIA

Origen: Griego.
Significado: Tomado del nombre de un árbol, proveniente a su vez del griego *ake*, que significa espina.
Onomástico: 28 de Julio.
Variantes: **ACASSIA, AKACIA, CASIA, CACIA.**

ACACITLI

Origen: Náhuatl.
Significado: Liebre de dos aguas.
Onomástico: No tiene.

ACINDINA

Origen: Griego.
Significado: Sin peligro, segura.
Onomástico: 20 de abril.

ADA

Origen: Hebreo y alemán.
Significado: De *Adah*, alegre, feliz, que irradia alegría. Del germánico *add*, noble o forma corta de Adelaida.

Onomástico: 4 de diciembre.
Variantes: **Adda, Adaya, Auda.**

ADABELLA
Origen: Latino.
Significado: Compuesto de Ada y Bella.
Onomástico: No tiene.

ADAH
Origen: Hebreo.
Significado: Ornamento.
Onomástico: No tiene.
Variantes: **Addah, Ada.**

ADALGISA
Origen: Alemán.
Significado: La noble rehén.
Onomástico: No tiene.

ADALIA
Origen: Persa.
Significado: Noble. Seguidora del dios fuego.
Onomástico: No tiene.
Variantes: **Adal, Adala, Adalea, Adeleah, Adalene, Adali, Adalya.**

ADALSINDA
Origen: Alemán.
Significado: Formado por *athal*, noble, y *swind*, fuerza; o sea, fuerte y noble.
Onomástico: 30 de junio.

ADALUZ
Origen: Latino.
Significado: Compuesto de Ada y Luz.
Onomástico: No tiene.

ADAMA
Origen: Fenicio y hebreo.
Significado: Fenicio: Mujer humanista. Hebreo: Tierra. Mujer de la tierra roja. Forma femenina de Adam.
Onomástico: No tiene.

ADANA
Origen: Nigeriano.
Significado: Hija del padre.
Onomástico: No tiene.
Variantes: **Adanya.**

ADARA
Origen: Griego o árabe.
Significado: Griego: Bella. Árabe: Virgen. También nombre de una estrella de la constelación del Can Mayor.
Onomástico: No tiene.
Variantes: **Adair, Adaira, Adar, Adarah, Adarra, Adra.**

ADDISON
Origen: Inglés.
Significado: Hija de Adam.
Onomástico: No tiene.
Variantes: **Addis, Addisson, Adison.**

ADELA
Origen: Alemán.
Significado: Deriva de *adel*, noble. Forma corta de Adelaida.
Onomástico: 14 de julio, 5 de septiembre y 24 de diciembre.
Variantes: **Adele, Adéle, Adel, Adelae, Adelia, Adella, Adeli.**

ADELAIDA
Origen: Alemán.
Significado: Equivalente de Alicia, deriva del germánico *adeiheid*, de noble casta. Noble y serena.
Onomástico: 16 de diciembre.
Variantes: **Delaira. Adelaide. Adelheid. Adelaid.**

ADELARDA
Origen: Alemán.
Significado: *Adelhard*, que a su vez deriva de *athal*, estirpe noble, y *hard*, audaz.
Onomástico: 2 de enero.
Variantes: **Abelarda.**

ADELFA
Origen: Griego.
Significado: Amistad fraterna.
Onomástico: No tiene.

ADELIA
Origen: Alemán y griego.
Significado: Es una variante de Adela y significa, por tanto, noble. Griego: Oscura, oculta, invisible.
Onomástico: 8 de septiembre y 24 de diciembre.
Variantes: **Adel, Adelina, Alina** (contracción de Adelina).

ADELINA
Origen: Alemán.
Significado: Deriva de *adel*, noble.

Variante de Adela.
Onomástico: 20 de octubre.
Variantes: **Adele, Delina.**

ADELMA
Origen: Alemán.
Significado: Protectora del necesitado.
Onomástico: No tiene.
Variantes: **Lesmes.**

ADELVINA
Origen: Alemán.
Significado: Noble por la victoria. Nunca pide nada; que no está dispuesta a dar.
Onomástico: 25 de enero.

ADENA
Origen: Hebreo.
Significado: Frágil y dependiente; delicada.
Onomástico: No tiene.
Variantes: **Adina.**

ADIA
Origen: Swahili.
Significado: Regalo.
Onomástico: No tiene.

ADILIA
Origen: Alemán.
Significado: Deriva de *adel*, noble. Variante de Adela.
Onomástico: 30 de junio.

ADINA
Origen: Hebreo.
Significado: Noble, adornada, delicada, esbelta.
Onomástico: No tiene.
Variantes: **Adeana, Adiana, Adinah, Adinna, Adyna.**

ADIRA
Origen: Hebreo.
Significado: Fuerte.
Onomástico: No tiene.
Variantes: **Adhira, Adirah, Adriana.**

ADONIA
Origen: Español.
Significado: Bella, femenino de Adonis.
Onomástico: No tiene.
Variantes: **Adonica, Adonis, Adonna, Adónica, Adonya.**

ADORA
Origen: Latino.
Significado: Amada.
Onomástico: No tiene.
Variantes: **Adoria.**

ADORACIÓN
Origen: Latino.
Significado: Nombre evocador de la festividad de Epifanía. De *ad*, respecto a, y *oro*, oración, plegaria. Acción de venerar a los Reyes Magos.
Onomástico: 6 de enero.
Variantes: Catalán: **Adoració.** Vasco: **Agurtzane, Gurtza.** Gallego: **Doración.** **Asturiano: Adosinda.**

ADRENILDA
Origen: Alemán.
Significado: Madre del guerrero.
Onomástico: 4 de diciembre.

ADRIANA
Origen: Latino.
Significado: Procede del gentilicio latino para los habitantes de la ciudad de Adria, que recibió su nombre del mar Adriático. Adria deriva del latín *aler*, negro, y por ello se considera que Adrián significa oscuro.
Onomástico: 1 de marzo y 26 de agosto.
Variantes: Catalán: **Adriá.** Vasco: **Adiran.** Inglés y Alemán: **Adrián.** Francés: **Adrien.**

ADRINA
Origen: Inglés.
Significado: Forma corta de Adriana.
Onomástico: No tiene.

AFI
Origen: Africano.
Significado: Nacida en viernes.
Onomástico: No tiene.
Variantes: **Affi, Afia, Efi, Efia.**

AFRA
Origen: Latino y árabe.
Significado: De *afer*, *afra*, africano. La que vino de África. En árabe, color de la tierra.
Onomástico: 5 de agosto.

Variantes: Vasco: **APAR.** Inglés: **APHRA.**

ÁFRICA

Origen: Griego y latino.
Significado: Nombre que los romanos dieron al continente africano; tiene su origen en el griego *aprica*, expuesto al Sol.
Onomástico: 5 de mayo.

AFRODITA

Origen: Griego.
Significado: Nombre de la diosa Afrodita, que a su vez deriva de *aphros*, espuma.
Onomástico: No tiene.

ÁGAPE

Origen: Latino.
Significado: Deriva de *Agapius*, amor, aunque es utilizado también como banquete. De igual manera hace referencia al sacramento de la Eucaristía.
Onomástico: 15 de febrero, 3 de abril y 28 de diciembre.

AGAR

Origen: Hebreo.
Significado: La que se fugó. La Agar bíblica fue la concubina de Abraham y se vio obligada a huir al desierto.
Onomástico: No tiene.

ÁGATA

Origen: Griego.
Significado: Deriva del adjetivo *agathós*, bueno. Hace clara alusión a la piedra preciosa y a la flor del mismo nombre. La sublime, la virtuosa.
Onomástico: 5 de febrero.
Variantes: Vasco: **AGATE.** Inglés, francés y alemán: **AGATHE.**

AGGIE

Origen: Inglés.
Significado: Variante de Inés.
Onomástico: No tiene.

AGLAÉ

Origen: Griego.
Significado: De *Aglaia*, resplandor, belleza. Variante de Aglaya. La esplendorosa. Bella, resplandeciente. En la mitología, una de las tres gracias.
Onomástico: 14 de agosto.

AGLAYA

Origen: Griego.
Significado: En la mitología, esposa de Helios y madre de las Gracias.
Onomástico: No tiene.
Variantes: Catalán: **EGLÉ.** Francés: **EGLÉ.** Italiano: **EGLE.**

AGNES

Origen: Griego.
Significado: La que es casta y pura.
Onomástico: No tiene.

AGRIPINA

Origen: Griego.
Significado: Deriva del adjetivo *agathós*, bueno. Hace clara alusión a la piedra preciosa y a la flor del mismo nombre. De la familia de Agripa. Señor del campo.
Onomástico: 23 de junio.
Variantes: Inglés e italiano: **AGRIPPINA.** Francés: **AGRIPPINE.**

ÁGUEDA

Origen: Griego.
Significado: Deriva del adjetivo *agathós*, bueno. Hace clara alusión a la piedra preciosa y a la flor del mismo nombre. De muchas virtudes. Nombre de la virgen siciliana que vivió en el siglo III y fue martirizada en Catania.
Onomástico: 5 de febrero.

AGUSTINA

Origen: Latino.
Significado: Deriva de *Augustus*, consagrado por los augures, más tarde majestuoso, venerable. La que merece veneración.
Onomástico: 28 de agosto.
Variantes: Vasco: **AUSTINA, AUSTIÑE, AUSTIZA, AUXTINA.** Gallego: **AGOSTIÑA.** Alemán y francés: **AUGUSTINE.** Italiano: **AGOSTINA.**

AHUIC

Origen: Náhuatl.
Significado: Diosa del agua.
Onomástico: No tiene.

AÍDA
Origen: Árabe.
Significado: Visitante.
Onomástico: 2 de febrero.
Variantes: **Aidah, Aidan, Aide, Aidee.**

AIDÉ
Origen: Griego.
Significado: Mujer recatada.
Onomástico: No tiene.
Variantes: **Aideé, Aide, Haide, Haideé.**

AIKO
Origen: Japonés.
Significado: La más amada.
Onomástico: No tiene.

AILANI
Origen: Hawaiano.
Significado: Jefa.
Onomástico: No tiene.
Variantes: **Aelani. Ailana.**

AILI
Origen: Escocés.
Significado: Una forma de decir Alicia o Helena.
Onomástico: No tiene.
Variantes: **Aila, Ailee, Ailey, Ailie, Aily.**

AINA
Origen: Hebreo.
Significado: Es una variante de Ana, que deriva del hebreo *Hannah*, gracia, compasión.
Onomástico: 26 de junio.

AINARA
Origen: Vasco.
Significado: Nombre que le dan en vasco a la golondrina.
Onomástico: No tiene.
Variantes: **Enara.**

AINHOA
Origen: Vasco.
Significado: Advocación de la virgen del mismo nombre.
Onomástico: 15 de agosto.

AINOA
Origen: Vasco.
Significado: La de tierra fértil.
Onomástico: No tiene.
Variantes: **Ainhoa.**

AISHA
Origen: Árabe.
Significado: Mujer.
Variantes: **Aaisha, Aaishah, Aisa, Aiysha, Aysa.**

AITANA
Origen: Vasco.
Significado: Deriva de *Amtzane*, Gloria.
Onomástico: 25 de marzo; Domingo de Resurrección.

AIXA
Origen: Árabe.
Significado: Deriva del hebreo *ixa*, mujer.
Onomástico: No tiene.
Variantes: **Aisha.**

AKI
Origen: Japonés.
Significado: Nacida en otoño.
Onomástico: No tiene.
Variantes: **Akeeye.**

AKIKO
Origen: Japonés.
Significado: Luz brillante.
Onomástico: No tiene.

AKINA
Origen: Japonés.
Significado: Flor de primavera.
Onomástico: No tiene.

ALAIA
Origen: Vasco.
Significado: Alegre, de buen humor.
Onomástico: No tiene.

ALAMEDA
Origen: Español.
Significado: Árbol popular.
Onomástico: No tiene.

ALANA
Origen: Celta e irlandés.
Significado: Proviene de *alun*, armonía. Irlandés: Atractiva, pacífica. Forma femenina de Alan.
Onomástico: 14 de agosto y 8 de septiembre.
Variantes: **Alaana, Alaina, Alanah, Alanna, Alanis, Allana.**

ALANI
Origen: Hawaiano.

Significado: Árbol de naranja.
Onomástico: No tiene.
Variantes: **Alaini, Alania, Alanie.**

ALANNA
Origen: Celta.
Significado: Bella y brillante.
Onomástico: No tiene.

ALANZA
Origen: Español.
Significado: Noble y entusiasta. Femenino de Alfonso.
Onomástico: 14 de julio y 8 de septiembre.

ALBA
Origen: Latino.
Significado: Deriva de *albus*, blanco. Se considera sinónimo de Aurora y Elena.
Onomástico: 15 de agosto.
Variantes: **Alborada.**

ALBANA
Origen: Latino.
Significado: Perteneciente a la casa de los Alba (familia de la nobleza española).
Onomástico: No tiene.

ALBERTA
Origen: Alemán.
Significado: Compuesto por *add*, noble, y *bertha*. Resplandeciente: significa resplandece por su nobleza.
Onomástico: 23 de abril y 7 de agosto.
Variantes: **Berta.**

ALBERTINA
Origen: Alemán.
Significado: Brillante, ilustre.
Onomástico: No tiene.

ALBINA
Origen: Latino.
Significado: De *Albinas*, que proviene de *albas*, blanco. De tez muy blanca.
Onomástico: 16 de diciembre.
Variantes: Vasco: **Albiñe.** Francés y alemán: **Albine.**

ALCIRA
Origen: Alemán.
Significado: De la nobleza.
Onomástico: No tiene.

ALDA
Origen: Alemán.
Significado: Deriva de *aid*, noble, valeroso. Bellísima, experimentada.
Onomástico: 10 de enero.
Variantes: Francés: **Aude.**

ALDANA
Origen: Español.
Significado: Compuesto de Alda y Ana.
Onomástico: No tiene.

ALEGRA
Origen: Latino.
Significado: Del latín vulgar *alecer*, *aiker*, vivaz, alegre. La llena de ardor. Lord Byron dio ese nombre a su hija.
Onomástico: 8 de septiembre.
Variantes: Catalán: **Alegría.** Vasco: **Alaitasuna.** Italiano: **Allegra.**

ALEGRÍA
Origen: Español.
Significado: Alegre, contenta.
Onomástico: No tiene.
Variantes: **Alegra, Allegria.**

ALEJANDRA
Origen: Griego.
Significado: Deriva de *Aléxandros*, quiere decir protector de hombres.
Onomástico: 18 de mayo.
Variantes: Catalán: **Alexandra.** Vasco: **Alesandere.** Asturiano: **Alandrina, (Xandra).** Inglés: **Alexandra.** Francés, alemán e italiano: **Alessandra.** **Aleixa, Aleksa, Alexssa, Alexxa, Alyxa.**

ALENA
Origen: Ruso.
Significado: Forma de Helena.
Onomástico: No tiene.
Variantes: **Alenah, Alene, Alyne.**

ALETHIA
Origen: Griego.
Significado: En la mitología, la verdad, hija del tiempo, madre de la justicia y de la virtud.
Onomástico: No tiene.
Variantes: **Alesia, Alessia.**

ALEXIA
Origen: Griego.
Significado: Deriva de *Alexios*, vencedor, defensor.
Onomástico: 9 de enero.

ALEYDA
Origen: Griego.
Significado: Nombre equivalente al de Atenea, vencedor, defensor.
Onomástico: 12 de junio.

ALFA
Origen: Griego.
Significado: Significa el principio de todo.
Onomástico: No tiene.

ALFONSA
Origen: Alemán.
Significado: Compuesto por *hathus*, lucha, *all*, todo, y *funs*, preparado. Significa guerrero totalmente preparado para la lucha.
Onomástico: 28 de julio.
Variantes: Vasco: **ALBONTSE.**

ALFONSINA
Origen: Alemán.
Significado: Compuesto por *hathus*, lucha, *all*, todo, y *fans*, preparado. Significa guerrero totalmente preparado para la lucha.
Onomástico: 1 de agosto.
Variantes: Francés: **ALPHONSINE.**

ALFREDA
Origen: Alemán.
Significado: Deriva de *adel-fridu*, noble pacificador.
Onomástico: 26 de agosto y 28 de octubre.
Variantes: Vasco: **ALPERDE.**

ALHARILLA
Origen: Árabe.
Significado: Nombre de advocación mariana. Nuestra Señora de Alharilla. Se venera en un santuario situado a cuatro kilómetros del pueblo andaluz de Porcuna (Jaén).
Onomástico: 15 de agosto.

ALI
Origen: Griego.
Significado: Forma familiar de Alicia.
Onomástico: No tiene.
Variantes: **ALLI, ALLY, ALLEA, ALY.**

ALIA
Origen: Hebreo.
Significado: Ascendente.
Onomástico: No tiene.
Variantes: **ALIAH, ALIYA, ALYA.**

ALICIA
Origen: Griego o alemán.
Significado: No está claro su origen. Puede tratarse de un nombre de origen griego que significa honesta, que siempre dice la verdad, del griego *alethos*, sincero, o de una forma del germánico Adalheids (Adelaida). La que defiende y protege. Femenino de Alejo.
Onomástico: 28 de junio y 16 de diciembre.
Variantes: Vasco: **AHZE.** Gallego: **ALÍS.** Asturiano: **LICIA.** Alemán: **ELISE.** Inglés, francés e italiano: **ALICE, ALISON, ALEKA, ALYSA, ALECIA, ALISE.**

ALIDA
Origen: Griego.
Significado: Nombre que procede de la región de Elis.
Onomástico: No tiene.

ALIKA
Origen: Hawaiano.
Significado: Veraz, la más bella.
Onomástico: No tiene.
Variantes: **ALEKA, ALICA, ALIKAH, ALIKI.**

ALINA
Origen: Árabe.
Significado: Noble. Forma alterna de Adelina o de Alicia.
Onomástico: 19 de junio.
Variantes: Catalán: **ALMA.** Francés: **ALINE.**

ALITZEL
Origen: Maya.
Significado: Niña sonriente.
Onomástico: No tiene.

ALIVIA
Origen: Latino.
Significado: Alternativa de Olivia.
Onomástico: No tiene.
Variantes: **ALIVAH.**

ALIZABETH
Origen: Hebreo.
Significado: Alternativa de Elizabeth.
Onomástico: No tiene.

ALLISON
Origen: Alemán.
Significado: Deriva de *hlod-wig*, glorioso en la batalla. Es una variante de Luisa.
Onomástico: 21 de junio, 25 de agosto y 10 de octubre.

ALMA
Origen: Latino.
Significado: De *almus*, que alimenta, que nutre, que infunde vida. Bondadosa y gentil, toda espiritualidad.
Onomástico: 1 de noviembre y 15 de agosto.

ALMENDRA
Origen: Latino.
Significado: Fruto y semilla del árbol frutal, originario de Asia.
Onomástico: No tiene.

ALMIRA
Origen: Árabe.
Significado: Aristócrata, princesa, alabada.
Onomástico: No tiene.
Variantes: **Elmira, Mira, Allmira.**

ALMODIS
Origen: Alemán.
Significado: De *Allmods*, muy animosa.
Onomástico: 1 de agosto.

ALMUDENA
Origen: Árabe.
Significado: Conmemoración de la patrona de Madrid, la Virgen de la Almudena. Deriva del árabe *al-mudaina*, pequeña ciudad.
Onomástico: 9 de noviembre.

ALOHA
Origen: Hawaiano.
Significado: Amorosa, de buen corazón, caritativa.
Onomástico: No tiene.
Variantes: **Alohi.**

ALOIA
Origen: Latino.
Significado: Alabanza.
Onomástico: 1 de noviembre.

ALOISA
Origen: Alemán.
Significado: Famosa guerrera.
Onomástico: No tiene.
Variantes: **Aloisia, Aloysia.**

ALOMA
Origen: Latino.
Significado: Forma corta de Paloma.
Onomástico: No tiene.

ALONDRA
Origen: Español.
Significado: Alternativa de Alexandra. Ave de plumaje pardo, habita en las llanuras y zonas de cultivo, praderas y sabanas; emigra en invierno.
Onomástico: No tiene.
Variantes: **Alonda, Allandra.**

ALPHA
Origen: Griego.
Significado: La primogénita.
Onomástico: No tiene.
Variantes: **Alphia.**

ALTAGRACIA
Origen: Español.
Significado: Nombre cristiano de la Virgen de Altagracia, en el santuario de Higüey.
Onomástico: 6 de enero.

ALTAIR
Origen: Árabe.
Significado: De *al-nasi*, *al-tair* águila que vuela.
Onomástico: No tiene.

ALTEA
Origen: Griego.
Significado: De *Althaia*. La que es saludable.
Onomástico: No tiene.

ALUMINE
Origen: Latino.
Significado: Resplandeciente en el fondo, brillante.
Onomástico: No tiene.

ALVA
Origen: Latino.
Significado: Blanca, de piel brillante.
Onomástico: No tiene.
Variantes: **Elva, Alvana, Alvanah.**

ALVERA
Origen: Latino.
Significado: Puede ser el femenino de Álvaro, guardián de todo o un nombre de origen latino de los que se creía que protegían a las mujeres en los partos.
Onomástico: 9 de mayo.

ALVINA
Origen: Inglés.
Significado: Amiga de todos, amiga noble, femenino de Alvin.
Onomástico: No tiene.
Variantes: **Alveena, Alvinea, Alvinna, Alvona, Alvyna.**

AM
Origen: Vietnamita.
Significado: Lunar, femenina.
Onomástico: No tiene.

AMA
Origen: Africano y alemán.
Significado: Nacida en sábado. Alemán: Trabajadora, enérgica.
Onomástico: No tiene.

AMABEL
Origen: Latino.
Significado: Deriva de *amabilis*, amable, simpática amorosa.
Onomástico: 3 de julio.
Variantes: **Bel, Mabel.**

AMACALLI
Origen: Náhuatl.
Significado: Cajita de papel.
Onomástico: No tiene.

AMAD
Origen: Español.
Significado: Mujer amada.
Onomástico: No tiene.
Variantes: **Amadea, Amadi, Amadia, Amadita.**

AMADA
Origen: Latino.
Significado: Amada.
Onomástico: 9 de junio y 13 de septiembre.
Variantes: Vasco: **Maitane, Maitagani, Maite, Maiteder, Maitena.** Latín: **Amadis, Amanda.**

AMAIRANI
Origen: Griego.
Significado: Alternativa de Amara.
Onomástico: No tiene.
Variantes: **Amairany.**

AMALIA
Origen: Griego.
Significado: Deriva de *ainalós*, tierno, suave. La despreocupada.
Onomástico: 10 de julio.
Variantes: Vasco: **Amale.** Asturiano: **Malia.** Inglés y francés: **Amelia, Amélie.** Alemán: **Amalie, Amaia.**

AMANDA
Origen: Latino.
Significado: Proviene del verbo amo, amar. Se trata de *amandus*, que significa que ha de ser amado.
Onomástico: 18 de junio y 18 de noviembre.
Variantes: Vasco: **Amande.**

AMAPOLA
Origen: Árabe.
Significado: Referencia a la flor del mismo nombre.
Onomástico: No tiene.

AMARÁ
Origen: Mauritano.
Significado: Variante de Maura, gentilicio de *Maurus*, moro, de Mauritania. Mujer de piel morena.
Onomástico: 10 de mayo.
Variantes: **Amara.**

AMARANTA
Origen: Latino.
Significado: Nombre de flor que deriva del latín, lengua que a su vez lo tomó del griego *cunaratós*, inmarcesible. La que no decae.
Onomástico: 7 de noviembre.

AMARILIS
Origen: Latino.
Significado: Nombre de la pastora

en los idilios de Teócrito y Eglogas, escritos por el poeta Virgilio.
Onomástico: No tiene.
Variantes: **Amarilia.**

AMATISTA
Origen: Latino.
Significado: Embriagadora. Piedra de cuarzo, de color violeta intenso, teñido por el óxido del manganeso.
Onomástico: No tiene.

AMAYA
Origen: Vasco.
Significado: El principio del fin.
Onomástico: 1 de noviembre.

ÁMBAR
Origen: Árabe.
Significado: Joya. Ámbar. Piedra semipreciosa de color marrón amarillento, formada por la resina de los árboles. Suele contener fósiles de insectos y pequeñas plantas ya extintas.
Onomástico: No tiene.
Variantes: **Amber, Amberia, Ambria, Ember.**

AMBERLY
Origen: Inglés.
Significado: De la familia del ámbar.
Onomástico: No tiene.

AMBROSIA
Origen: Griego.
Significado: Deriva de *an-brotós*, inmortal.
Onomástico: 7 de diciembre.

AMELIA
Origen: Alemán.
Significado: De *Amelberga*, nombre compuesto por *amal*, trabajo, y *berg*, protección. Protectora del trabajo. Enérgica.
Onomástico: 10 de julio y 19 de septiembre.
Variantes: Asturiano: **Melia.** Francés: **Amélie.**

AMÉRICA
Origen: Italiano.
Significado: Forma femenina de Américo que proviene del germánico *Amal*, trabajo y de la partícula *rich* o *rik*, que quiere decir jefe, mando poderoso, por lo que América significa poderosa en el trabajo.
Onomástico: 1 de noviembre.
Variantes: Asturiano: **Mérica, Meri.**

AMI
Origen: Latino.
Significado: Que ama o amor.
Onomástico: No tiene.

AMINA
Origen: Árabe.
Significado: Nombre que significa llena de fe. Así se llamaba la madre del profeta Mahoma.
Onomástico: 1 de noviembre.

AMINTA
Origen: Griego.
Significado: Deriva de *amyntor*, defensor, la protectora.
Onomástico: No tiene.

AMIRA
Origen: Árabe.
Significado: Deriva de *Amir* que significa princesa.
Onomástico: No tiene.
Variantes: **Mira, Amirah.**

AMISSA
Origen: Hebreo.
Significado: Verdad.
Onomástico: No tiene.
Variantes: **Amissah.**

AMITA
Origen: Hebreo.
Significado: Verdad.
Onomástico: No tiene.
Variantes: **Amitha.**

AMLIKA
Origen: Hindi.
Significado: Madre.
Onomástico: No tiene.
Variantes: **Amlikah.**

AMMIA
Origen: Hebreo.
Significado: Deriva de *Ammón*, nombre de un dios egipcio.
Onomástico: 31 de agosto.

AMPARO
Origen: Latino.
Significado: Referencia a la Virgen

del Amparo. Deriva de *manuparare*, tender la mano.
Onomástico: Segundo domingo de mayo.
Variantes: Catalán: **Empar.** Vasco: **Itzal.**

AN
Origen: Chino.
Significado: Pacifista.
Onomástico: No tiene.

ANA
Origen: Hebreo.
Significado: Deriva de *Hannah*, que significa gracia, compasión. Madre de Samuel.
Onomástico: 26 de junio.
Variantes: Catalán: **Anna.** Vasco: **Ane.** Inglés: **Anne, Hannah.** Francés: **Anna, Anne.** Alemán e italiano: **Anna.**

ANABEL
Origen: Escocés.
Significado: Nombre anterior al uso de Anne.
Onomástico: 26 de julio.
Variantes: Catalán: **Annabel, Annabella, Arabella, Mabel.**

ANABELLA
Origen: Italiano.
Significado: Compuesto de Ana y Bella.
Onomástico: No tiene.
Variantes: **Anabel, Anabela.**

ANAHÍ
Origen: Guaraní.
Significado: Alude a la flor de la Ceiba.
Onomástico: No tiene.
Variantes: **Anahid.**

ANAÍS
Origen: Hebreo.
Significado: Es una variante de Ana muy frecuente en Francia.
Onomástico: 26 de julio.

ANALA
Origen: Hindi.
Significado: Bonita, bella.
Onomástico: No tiene.

ANALÍA
Origen: Hebreo.
Significado: Deriva de *Hannah*, gracia, compasión, y *leah*, cansada, lánguida.
Onomástico: 1 y 26 de junio.

ANALISA
Origen: Hebreo.
Significado: Compuesto por Ana y Elisa.
Onomástico: No tiene.

ANASTASIA
Origen: Griego.
Significado: Deriva de *anasuisimos*, el que no muere, el que resucita.
Onomástico: 11 de mayo.
Variantes: Catalán y vasco: **Anastasi.** Asturiano: **Nastasia.** Francés: **Anastase.** Alemán: **Anastasius.**

ANATILDE
Origen: Guaraní.
Significado: Compuesto de Ana y Matilde.
Onomástico: No tiene.

ANATOLIA
Origen: Griego.
Significado: Se forma como toponímico de la región de Anatolia, que significaba Oriente, Levante.
Onomástico: 1 de noviembre.

ANAYANSI
Origen: Inca.
Significado: La llave de la felicidad.
Onomástico: No tiene.

ANDREA
Origen: Griego.
Significado: Proviene de *andros*, que significa hombre.
Onomástico: 11 de mayo.
Variantes: Vasco: **Andere.** Gallego: **Andreia.** Asturiano: **Andresa.** Francés: **Andrée.** Italiano: **Andreina.**

ANDRIA
Origen: Griego.
Significado: Alternativa de Andrea.
Onomástico: No tiene.
Variantes: **Andri, Andriea.**

ANDRÓMACA
Origen: Griego.
Significado: Del nombre mitológico *Andromakos*, que lucha como un hombre.

Onomástico: No tiene.
Variantes: Francés: **Andromaque.**

ANDRÓMEDA
Origen: Griego.
Significado: Nombre de la mitología, que significa justa, prudente.
Onomástico: No tiene.
Variantes: Francés: **Andromede.**

ANEKO
Origen: Japonés.
Significado: Hermana mayor.
Onomástico: No tiene.

ANELA
Origen: Hawaiano.
Significado: Ángel.
Onomástico: No tiene.
Variantes: **Anel, Anelle.**

ANELIDA
Origen: Hebreo.
Significado: Forma compuesta de Ana y Elina.
Onomástico: No tiene.

ANELINA
Origen: Hebreo.
Significado: Forma compuesta de Ana y Elina.
Onomástico: No tiene.

ÁNGEL
Origen: Griego.
Significado: Forma corta de Ángela.
Onomástico: 27 de enero.
Variantes: **Angele, Angell, Angelle, Angil, Anjel.**

ÁNGELA
Origen: Griego.
Significado: *Aggelos*, mensajero. En la tradición cristiana, es el nombre que se le da a los espíritus servidores de Dios.
Onomástico: 27 de enero.
Variantes: Vasco: **Gotrone.** Gallego: **Anxela, Anxos.** Asturiano: **Xela.** Francés: **Angéle.**

ÁNGELES
Origen: Griego.
Significado: Nombre cristiano que conmemora a la Virgen María como Reina de los Ángeles.
Onomástico: 2 de agosto.
Variantes: Catalán: **Angels.** Asturiano: **Anxeles.**

ANGÉLICA
Origen: Griego.
Significado: Deriva de *angelicus*, angelical, que a su vez deriva de *aggelos*, mensajero.
Onomástico: 5 de mayo.
Variantes: Francés: **Angélique.** Alemán: **Angelika.**

ANGELINA
Origen: Griego.
Significado: *Aggelos*, mensajero. En la tradición cristiana, es el nombre que se le da a los espíritus servidores de Dios.
Onomástico: 13 y 14 de julio.
Variantes: Asturiano: **Anxelina, Xelina.**

ANGUSTIAS
Origen: Latino.
Significado: *Angustus*, angosto, estrecho, cerrado.
Onomástico: 15 de septiembre.
Variantes: Vasco: **Atsege, Atsege.**

ANI
Origen: Hawaiano.
Significado: Hermosa.
Onomástico: No tiene.
Variantes: **Aany, Aanye.**

ANIA
Origen: Latino y griego.
Significado: *Atinja*, una gens romana consagrada a la diosa del año, Anna Perenna. Griego: La afligida.
Onomástico: 31 de agosto.
Variantes: Catalán: **Ànnia.** Vasco: **Anixe.**

ANICETA
Origen: Griego.
Significado: Deriva de *Aniketos*, invencible, invicto.
Onomástico: 17 de abril.
Variantes: Asturiano: **Neceta.**

ANIRIA
Origen: Griego.
Significado: La victoriosa.
Onomástico: No tiene.

ANISIA
Origen: Griego.
Significado: Cumplidora.
Onomástico: 30 de diciembre.

ANNA
Origen: Griego.
Significado: Del nombre *Antheia*, uno de los nombres de Hera.
Onomástico: 18 de abril.

ANNETTE
Origen: Francés.
Significado: Alternativa de Ana.
Onomástico: No tiene.
Variantes: **ANET, ANETA, ANETRA, ANETT, ANETTE, ANNETH, ANNETT, ANNETTA.**

ANSELMA
Origen: Alemán.
Significado: Formado por *Ans,* nombre de una divinidad y *helm*, yelmo, protección. Significa protegido por Dios.
Onomástico: 21 de abril.

ANTHEA
Origen: Griego.
Significado: Flor.
Onomástico: No tiene.
Variantes: **ANTHA, ANTE, ANTHIA, THIA.**

ANTÍA
Origen: Griego.
Significado: Derivado del nombre mitológico *Antteja,* uno de los nombres de *Hera*. Significaba que planta cara al adversario.
Onomástico: 18 de abril.

ANTÍGONA
Origen: Griego.
Significado: Derivado de Antiganar, contra la raza.
Onomástico: No tiene.
Variantes: Francés: **ANTIGONE.** Alemán: **ANTIGONI.**

ANTÍOPE
Origen: Griego.
Significado: Nombre de *antiops,* que está enfrente.
Onomástico: No tiene.

ANTOLINA
Origen: Latino.
Significado: *Antoninus,* de la familia de Antonio.
Onomástico: 2 de septiembre.
Variantes: Vasco: **ANDOLIÑE.**

ANTONELLA
Origen: Latino.
Significado: Es la forma femenina de *Antonius,* el cual es de origen etrusco. A veces se dice que proviene del griego *antheios,* que significa florido.
Onomástico: No tiene.

ANTONIA
Origen: Latino.
Significado: Es la forma femenina de *Antonius*. Nombre de la gens romana Antonia. De origen etrusco. A veces se dice que proviene del griego *antheios,* que significa florido.
Onomástico: 29 de abril.
Variantes: Vasco: **ANDONE, ANTXONE.** Gallego: **ANTONIÑA.** Asturiano: **ANTONA.** Francés: **ANTOINETTE.** Alemán: **ANTONIE.**

ANTONIETA
Origen: Latino.
Significado: Es la forma femenina de *Antonius*. Nombre de la gens romana Antonia. De origen etrusco. A veces se dice que proviene del griego *antheios,* que significa florido.
Onomástico: 29 de abril.

ANTONINA
Origen: Latino.
Significado: Deriva de la gens romana Antonia. Parece ser que su origen más remoto viene del etrusco, pero el significado no ha llegado hasta nosotros.
Onomástico: 3 de mayo y 12 de junio.

ANUNCIACIÓN
Origen: Latino.
Significado: Nombre eclesiástico *annuntiato,* anunciar, notificar, referir a alguien.
Onomástico: 25 de marzo.
Variantes: Catalán: **ANUNCIACIÓ.** Vasco: **ANUNTXI, DEIÑE, IRAGARTZE, DEÑE, IRAGARNE, ANUNTXI.** Gallego: **ANUNCIA.**

Asturiano: **Anuncia, Nuncia.** Italiano: **Anunziata.**

ANUNCIATA

Origen: Latino.

Significado: Nombre equivalente a Anunciación y a Encarnación.

Onomástico: 23 de marzo.

ANYA

Origen: Ruso.

Significado: Ana.

Onomástico: No tiene.

Variantes: **Aaniyah, Aniya, Aniyah, Anja.**

APIA

Origen: Latino.

Significado: La piadosa.

Onomástico: No tiene.

APOLINARIA

Origen: Latino.

Significado: Consagrada al dios Apolo.

Onomástico: No tiene.

APOLONIA

Origen: Latino.

Significado: Femenino de Apolonio.

Onomástico: 9 de febrero.

Variantes: Vasco: **Apolone.** Asturiano: **Poloña.**

AQUILINA

Origen: Latino.

Significado: Deriva de *Aquilinus*, como el águila.

Onomástico: 16 de junio.

Variantes: Catalán: **Aquillina.** Vasco: **Aklliie.**

ARABEL

Origen: Latino.

Significado: Altar hermoso.

Onomástico: No tiene.

Variantes: **Arabela, Arebela.**

ARABELLA

Origen: Latino.

Significado: Deriva de *arabilis* que significa dócil para rezar.

Onomástico: 26 de julio.

ARACELI

Origen: Latino.

Significado: Proviene de *ara-caeli*, altar del cielo.

Onomástico: 2 de mayo.

ARANCHA

Origen: Vasco.

Significado: Diminutivo de Aránzazu, que deriva del vasco *ara-ant za-a-zu*, sierra de abundantes picos.

Onomástico: 9 de septiembre.

Variantes: Catalán: **Aràntzazu.** Vasco: **Arantzazu. Arantxa.**

ARÁNZAZU

Origen: Vasco.

Significado: Deriva de *ara-antza-avi*, sierra de abundantes picos.

Onomástico: 9 de septiembre.

Variantes: Catalán: **Arántzazu.** Vasco: **Arantzazu. Arancha, Arantxa.**

ARCADIA

Origen: Griego.

Significado: Ciudad rodeada de fortalezas.

Onomástico: No tiene.

ARCÁNGELA

Origen: Griego.

Significado: Nombre evocador de los que gobiernan a los ángeles.

Onomástico: 29 de enero.

ARCELIA

Origen: Latino.

Significado: Pequeño cofre con tesoros.

Onomástico: No tiene.

ARDEN

Origen: Inglés.

Significado: Valle de Águilas, Lugar romántico o refugio.

Onomástico: No tiene.

Variantes: **Ardeen, Ardeena, Ardena, Ardene, Ardenia, Ardi, Ardin, Ardina, Ardine.**

ARDITH

Origen: Hebreo.

Significado: Campo floreciente.

Onomástico: No tiene.

Variantes: **Ardath, Ardi, Ardice, Ardyth.**

ARELLA

Origen: Hebreo.

Significado: Ángel mensajero.

Onomástico: No tiene.

Variantes: **Arela, Arelle, Orella, Orelle.**

ARES

Origen: Catalán.

Significado: Advocación mariana: Nuestra Señora de Ares. El ara es la piedra consagrada del altar, su plural en catalán, ares, *Mare de Déu de les Ares* (Nuestra Señora de las Aras), que se venera en la comarca del Pallars Sobirà (Cataluña), y en el Puerto de les Ares (Huesca).

Onomástico: 15 de agosto.

ARETUSA

Origen: Griego.

Significado: Según la mitología, una de las compañeras de Artemisa, transformada en fuente.

Onomástico: No tiene.

ARGENTINA

Origen: Latino.

Significado: La que resplandece como la plata.

Onomástico: No tiene.

ARIADNA

Origen: Griego.

Significado: Deriva de *ari-adnos*, indomable.

Onomástico: 17 de septiembre.

Variantes: Catalán: **Ariadna.** Vasco: **Arene.** Gallego: **Ariana.** Asturiano: **Ariana.** Inglés: **Ariadne.** Francés: **Ariane, Arianna, Arianne.** Alemán: **Ariadne.** Italiano: **Arianna.**

ARIANA

Origen: Griego.

Significado: Mujer santa o sagrada.

Onomástico: No tiene.

Variantes: **Ahriana, Ahrianna, Airiana, Aryane, Aryann, Aryanne.**

ARIANE

Origen: Francés.

Significado: Variante de Ariana.

Onomástico: No tiene.

ARICA

Origen: Escandinavo.

Significado: Alternativa de Erica.

Onomástico: No tiene.

Variantes: **Aerica, Aericka, Aeryka, Aricca, Aricka, Arika, Arike, Arikka.**

ARIELA

Origen: Hebreo.

Significado: Femenino de Ariel, león de Dios.

Onomástico: No tiene.

Variantes: **Arielle.**

ARLENE

Origen: Irlandés.

Significado: Comprometida. Femenino de Arlen.

Onomástico: No tiene.

Variantes: **Airlen, Arlana, Arleen, Arleene, Arlen, Arlena, Arlenis, Arleyne, Arliene, Arlina, Arlinda, Arline, Arlis.**

ARLET

Origen: Francés.

Significado: De la ciudad de Arles, Francia.

Onomástico: No tiene.

ARLETTE

Origen: Francés.

Significado: Nombre de origen medieval, posiblemente derivado de la ciudad de Arles.

Onomástico: No tiene.

Variantes: Catalán: **Arlet.**

ARMAN

Origen: Persa.

Significado: Deseo, meta, fo1ma femenina de Arman.

Onomástico: No tiene.

Variantes: **Armanee, Armanii.**

ARMANDA

Origen: Alemán.

Significado: Guerra.

Onomástico: No tiene.

Variantes: **Arminda.**

ARMIDA

Origen: Alemán.

Significado: Contracción de Ermenfrida, al amparo de la fuerza.

Onomástico: No tiene.

Variantes: Catalán: **Armida.**

ARMONÍA

Origen: Latino.

Significado: Armoniosa.

Onomástico: No tiene.

AROA
Origen: Alemán.
Significado: De *ara*, de buena voluntad, buena.
Onomástico: 5 de julio.
Variantes: Catalán: **Ama.**

ARRAKA
Origen: Vasco.
Significado: Advocación mariana. Nuestra Señora de Arraka. Tiene una ermita en Navarra, situada al pie del Barranco de Arrakogoiti, a diez kilómetros de Isaba.
Onomástico: 26 de julio.

ARTEMISA
Origen: Griego.
Significado: Nombre de la diosa griega de la caza.
Onomástico: No tiene.
Variantes: Catalán: **Artemis.**

ARTHA
Origen: Hindi.
Significado: Con riqueza, próspera.
Onomástico: No tiene.
Variantes: **Arthi, Arti, Artie.**

ARTURA
Origen: Celta.
Significado: Femenino de Arturo, guardián de la Osa (por la estrella de ese nombre en la constelación del Boyero, próxima a la Osa Mayor).
Onomástico: No tiene.

ASA
Origen: Japonés.
Significado: Nacida por la mañana.
Onomástico: No tiene.

ASCENSIÓN
Origen: Latino.
Significado: Nombre en honor de la Ascensión de la Virgen.
Onomástico: El día es variable.
Variantes: Catalán: **Ascensió.** Vasco: **Egone.**

ASHA
Origen: Árabe.
Significado: Puede interpretarse como vida.
Onomástico: No tiene.

ASHANTI
Origen: Swahili.
Significado: Nombre de una tribu de África Occidental.
Onomástico: No tiene.

ASHIA
Origen: Árabe.
Significado: Vida.
Onomástico: No tiene.
Variantes: **Asha, Ashya, Ashyah, Ashyia, Ayshia.**

ASHLEY
Origen: Inglés.
Significado: Árbol de fresno en el prado.
Onomástico: No tiene.
Variantes: **Ashlee, Aishlee, Ashala, Áshalei, Ashaley, Ashely, Ashleye, Ashli, Ashile, Ashly, Ashlye.**

ASIA
Origen: Griego e inglés.
Significado: Griego: Resurrección. Inglés: Amanecer.
Onomástico: No tiene.
Variantes: **Ahsia, Aisia, Aisian, Asiah, Asian, Asianae, Asya, Aysia, Ayzia.**

ASPASIA
Origen: Griego.
Significado: Del nombre Aspastos, bienvenidos.
Onomástico: 2 de enero.
Variantes: Catalán: **Aspàsia.**

ASTER
Origen: Griego.
Significado: Nombre que deriva de *aster*, astro, estrella.
Onomástico: 10 de agosto.

ASTRA
Origen: Griego.
Significado: Estrella.
Onomástico: No tiene.
Variantes: **Asta, Astara, Aster, Astraea, Astrea.**

ASTRID
Origen: Alemán.
Significado: Nombre atribuido a una de las valquirias. Significa fiel a los dioses.
Onomástico: 11 de noviembre.

ASUNCIÓN
Origen: Latino.
Significado: Nombre cristiano que conmemora la Asunción de la Virgen María al Cielo.
Onomástico: 15 de agosto.
Variantes: Catalán: **Assumpció, Assumpla.** Vasco: **Jasone, Eragone.** Gallego: **Asunta.** Asturiano: **Asuncia, Asunta.** Francés: **Assomption.** Italiano: **Assunta.**

ASUNTA
Origen: Latino.
Significado: Nombre cristiano que conmemora la Asunción de la Virgen María al Cielo. Variante de Asunción.
Onomástico: 15 de agosto.
Variantes: Catalán: **Assumpció, Assumpta.** Vasco: **Jasone. Eragone.** Gallego: **Asunción, Asunta.** Asturiano: **Asuncia, Asunta.** Francés: **Assomption.** Italiano: **Assunta.**

ATALA
Origen: Griego.
Significado: La juvenil.
Onomástico: No tiene.

ATALANTA
Origen: Griego.
Significado: Del nombre mitológico Arabs, joven, fuerte.
Onomástico: No tiene.

ATALIA
Origen: Griego.
Significado: Del nombre mitológico Atalos, joven, fuerte.
Onomástico: 3 de diciembre.

ATANASIA
Origen: Griego.
Significado: Nombre formado por *arhanatos*, inmortal.
Onomástico: 14 de agosto.
Variantes: Vasco: **Atananase.** Asturiano: **Tanasia.** Francés: **Athanasie.**

ATARA
Origen: Hebreo.
Significado: Corona.
Onomástico: No tiene.
Variantes: **Atarah, Ataree.**

ATENEA
Origen: Griego.
Significado: Evoca la figura de Palas Atenea, virgen y guerrera, protectora de la inteligencia, el razonamiento y el derecho. Diosa protectora de los atenienses.
Onomástico: No tiene.

ATHENA
Origen: Griego.
Significado: Nombre de la diosa de la sabiduría. Significa la sabia.
Onomástico: No tiene.
Variantes: **Atenea, Athene, Atina.**

ATHINA
Origen: Griego.
Significado: Atenas.
Onomástico: No tiene.

ATIRA
Origen: Hebreo.
Significado: Mujer que reza. Plegaria.
Onomástico: No tiene.

AUDA
Origen: Latino.
Significado: Valiente y audaz.
Onomástico: No tiene.

AUDREY
Origen: Alemán.
Significado: Viene de *athal-trut*, de casta noble. Fortaleza noble.
Onomástico: 18 de junio.
Variantes: **Adherí, Audey, Audra, Audray, Audree, Audrie, Audrin, Audry, Audrye.**

AUDRIS
Origen: Alemán.
Significado: Afortunada, con riqueza.
Onomástico: No tiene.
Variantes: **Audrys.**

AUGUSTA
Origen: Latino.
Significado: De *augustus*, consagrado por *tos augures*, majestuoso, venerable.
Onomástico: 7 de octubre.

AULANI
Origen: Hawaiano.
Significado: Mensajera de la realeza.
Onomástico: No tiene.
Variantes: **Lani, Lanie.**

AURA
Origen: Griego y latino.
Significado: Griego: Brisa suave. Latín: Oro.
Onomástico: No tiene.

ÁUREA
Origen: Latino.
Significado: De *auruin*, oro.
Onomástico: 19 de julio.
Variantes: Catalán: **Auria.** Vasco: **Auria.** Gallego: **Aurea, Auria.**

AURELIA
Origen: Latino.
Significado: Nombre de la gens romana Aurelia, que deriva de *aureolus*, de oro.
Onomástico: 25 de septiembre.
Variantes: **Aureliana.**

AURISTELA
Origen: Latino.
Significado: La estrella de oro.
Onomástico: No tiene.

AURORA
Origen: Latino.
Significado: La diosa del alba. Que tiñe el cielo a la salida del Sol.
Onomástico: 15 de septiembre.
Variantes: Vasco: **Goizane, Goizargi.** Francés: **Aurore.**

AUSTIN
Origen: Latino.
Significado: Forma corta de Agustina.
Onomástico: No tiene.
Variantes: **Austen, Austin, Austyn, Austyyn.**

AUXILIADORA
Origen: Latino.
Significado: *Auxilium*, socorro, ayuda, protección. Nombre en conmemoración de María Auxiliadora.
Onomástico: 16 de mayo.

AVA
Origen: Latino.
Significado: Deriva de *avis*, ave.
Onomástico: 5 de febrero.

AVELINA
Origen: Latino.
Significado: De Avelino, nombre de una ciudad italiana en la región de Abella, de donde es originario el nombre de las avellanas.
Onomástico: 31 de mayo y 10 de noviembre.
Variantes: Vasco: **Abeliñe.** Asturiano: **Velina.**

AVIS
Origen: Latino.
Significado: Pájaro.
Onomástico: No tiene.
Variantes: **Avais, Avi, Avia, Aviana, Avianca, Aviance.**

AYESHA
Origen: Swahili.
Significado: Forma persa de *Aisha*, que significa vida y también mujer.
Onomástico: No tiene.

AYONECTILI
Origen: Náhuatl.
Significado: Agua de miel.
Onomástico: No tiene.

AYOPECHTLI
Origen: Náhuatl.
Significado: La que tiene por casa la niebla.
Onomástico: No tiene.

AZALEA
Origen: Latino.
Significado: Flor del desierto.
Onomástico: No tiene.

AZUCENA
Origen: Árabe.
Significado: Nombre de flor que deriva de *as-susana*, el lirio.
Onomástico: 15 de agosto.
Variantes: Catalán: **Assutzena.** Asturiano: **Zucena.**

AZUL
Origen: Árabe.
Significado: Del color del cielo sin nubes.
Onomástico: No tiene.

B

BABETTE
Origen: Alemán y griego.
Significado: Nombre alemán que se forma como diminutivo de Bárbara. Deriva del griego *barbaros*, extranjero.
Onomástico: No tiene.

BAHIANA
Origen: Afro-brasileño.
Significado: Nacida en Bahía.
Onomástico: No tiene.

BAIA
Origen: Gallego.
Significado: Nombre de origen griego, que habla bien.
Onomástico: 1 de noviembre.

BAILEY
Origen: Inglés.
Significado: Alguacil.
Onomástico: No tiene.
Variantes: **BAELEY, BAILEE, BAILLEY, BAILLY, BAILY, BALI, BALLEY, BAYLEE, BAYLEY.**

BAKA
Origen: Hindi.
Significado: Ave.
Onomástico: No tiene.

BAKULA
Origen: Hindi.
Significado: Flor.
Onomástico: No tiene.

BALBINA
Origen: Latino.
Significado: Deriva de *Balbinus*, hijo de Balbo. Balbo, a su vez, proviene de *balbus*, tartamudo.
Onomástico: 31 de marzo.
Variantes: Catalán y gallego: **BALBINA.** Vasco: **BALBIÑE.** Asturiano: **BALBA.** Italiano: **BALBINA.**

BARB
Origen: Latino.
Significado: Forma corta de Bárbara.
Onomástico: No tiene.
Variantes: **BARBA, BARBE.**

BÁRBARA
Origen: Griego.
Significado: Deriva de *barbaras*, extranjero.
Onomástico: 4 de diciembre.
Variantes: Vasco: **BARBARE.** Francés: **BARBE.** Alemán: **BÁRBEHEN.**

BARBIE
Origen: Estadounidense.
Significado: Nombre que se forma como diminutivo de Bárbara; deriva del griego *barbaras*, extranjero.
Onomástico: No tiene.

BARTOLOMEA
Origen: Hebreo.
Significado: Nombre cuya forma primitiva es la de hijo de Ptolomeo, aunque algunos lo han traducido por viejo, abundante en surcos e incluso el que detiene las aguas.
Onomástico: 27 de junio.

BASEMAT
Origen: Hebreo.
Significado: Bálsamo.
Onomástico: No tiene.

BASIA
Origen: Hebreo.

Significado: Hija de Dios.
Onomástico: No tiene.
Variantes: **BASYA, BATHIA, BATIA, BATYA, BITYA, BITHIA.**

BASILA
Origen: Inglés.
Significado: Variante de Basilia.
Onomástico: 17 y 20 de mayo.

BASILIA
Origen: Griego.
Significado: Puede interpretarse como reina.
Onomástico: 29 de agosto.

BASILISA
Origen: Griego.
Significado: Variante de Basilia.
Onomástico: 9 de enero y 22 de marzo.

BATHSHEBA
Origen: Hebreo.
Significado: Hija prometida. Esposa del rey David.
Onomástico: No tiene.

BATILDE
Origen: Escandinavo.
Significado: Procede de los países nórdicos. Guerrera audaz.
Onomástico: 30 de enero.

BAUDILIA
Origen: Alemán.
Significado: Femenino de Baudileo, audaz y valeroso.
Onomástico: No tiene.

BAUTISTA
Origen: Latino.
Significado: Nombre cristiano que hace referencia al sacramento del bautismo.
Onomástico: 30 de mayo.
Variantes: Vasco: **UGUZNE.**

BEATA
Origen: Latino.
Significado: Muy común entre los primeros cristianos, que significa feliz, bienaventurada.
Onomástico: 8 de marzo.

BEATRICE
Origen: Latino.
Significado: Alternativa de Beatriz.
Onomástico: No tiene.

BEATRIZ
Origen: Latino.
Significado: Deriva de *Beatrix*, la que hace feliz, que a su vez proviene del verbo *beo*, hacer feliz.
Onomástico: 19 de enero y 24 de julio.
Variantes: Catalán: **BEATRIU.** Vasco: **BATIRTZE.** Gallego: **BETA.** Inglés: **BEATRIX, BETRICE.** Francés: **BÉATRICE.** Alemán: **BEATRIX.** Italiano: **BEATRICE, BICE.**

BEDELIA
Origen: Irlandés.
Significado: Mujer fuerte.
Onomástico: No tiene.
Variantes: **BEDEELIA, BIDDY, BIDELIA.**

BEGA
Origen: Alemán.
Significado: Posiblemente venga de *Berta*. Ilustre, brillante.
Onomástico: 17 de diciembre.
Variantes: **BEGGA.**

BEGONIA
Origen: Vasco.
Significado: Compuesto por *beg-oin-a*, lugar de la colina dominante. En conmemoración de la Virgen de Begoña, cuyo apelativo hace referencia a su posición geográfica.
Onomástico: 15 de agosto y 11 de octubre.
Variantes: Asturiano: **GEGOÑA.**

BEGOÑA
Origen: Vasco.
Significado: Compuesto por *beg-oin-a*, lugar de la colina dominante. En conmemoración de la Virgen de Begoña, cuyo apelativo hace referencia a su posición geográfica.
Onomástico: 15 de agosto y 11 de octubre.
Variantes: Asturiano: **GEGOÑA.**

BELA
Origen: Gallego.
Significado: Variante de Isabel, procede del hebreo y significa Baal, da la salud.

Onomástico: 8 de julio y 19 de noviembre.
Variantes: Vasco: **Elisa, Elixabet.** Gallego: **Sabel, Sabeta.** Inglés: **Elisabeth, Elizabeth.** Francés: **Isabelle, Elisabeth, Ysabel.** Italiano: **Isabella, Elisabetta, Lisa.** Alemán: **Isabella, Elisabeth.**

BELARMINA
Origen: Alemán.
Significado: Derivado germánico del asirio *habel,* hijo, al que se añade el adjetivo *hard,* fuerte. Significa hija fuerte.
Onomástico: 2 de enero.
Variantes: Asturiano: **Belarnüna, Belarma, Belmira.**

BELÉN
Origen: Hebreo.
Significado: Nombre cristiano de origen hebreo. Conmemora la ciudad donde nació Jesucristo, Betlehem (Belén en castellano), literalmente casa de pan.
Onomástico: 25 de diciembre.
Variantes: Catalán: **Betlem.** Vasco: **Ostatxu.**

BELICIA
Origen: Español.
Significado: Dedicada a Dios.
Onomástico: No tiene.
Variantes: **Beli, Belia, Belica.**

BELINDA
Origen: Alemán y latino.
Significado: Deriva de *bern-lind,* defensa del oso en sentido figurado, defensa del guerrero. Latín: La atractiva.
Onomástico: 25 de diciembre.

BELISA
Origen: Latino.
Significado: La más esbelta.
Onomástico: No tiene.

BELISARIA
Origen: Griego.
Significado: Femenino de Belisario.
Onomástico: No tiene.

BELLA
Origen: Hebreo.
Significado: Baal, da la salud. Es una variante de Isabella.
Onomástico: 8 de julio y 19 de noviembre.
Variantes: Gallego: **Bela.** Alemán: **Isabella.** Italiano: **Elisabetta, Lisa.**

BELVA
Origen: Latino.
Significado: Vista hermosa.
Onomástico: No tiene.
Variantes: **Belvia.**

BENECIA
Origen: Latino.
Significado: Forma corta de Benedicta.
Onomástico: No tiene.
Variantes: **Beneisha, Benicia, Benish, Benisha, Benishia, Bennicia.**

BENEDICTA
Origen: Latino.
Significado: Forma antigua de Henita, que procede de *benedictus,* bendito, a su vez compuesto por *benedico,* hablar bien.
Onomástico: 4 de enero y 9 de agosto.

BENIGNA
Origen: Latino.
Significado: Deriva de *henignus,* benigno.
Onomástico: 13 de febrero y 9 de noviembre.
Variantes: Vasco: **Benifle.** Francés: **Benigne.**

BENILDA
Origen: Alemán.
Significado: La que lucha con osos.
Onomástico: No tiene.
Variantes: **Benilde.**

BENILDE
Origen: Alemán.
Significado: Bandera del guerrero.
Onomástico: 15 de junio.

BENITA
Origen: Latino.
Significado: Procede de *benedictus,* bendito, a su vez compuesto por *bene-dico,* hablar bien.
Onomástico: 29 de junio.
Variantes: Catalán: **Beneta.** Vasco: **Be-**

NITE, DONETSI. Gallego: **BIEITA.** Francés: **BENOITE.** Italiano: **BENEDETTA, BENEDICTA.**

BENJAMINA

Origen: Hebreo.

Significado: Deriva de *hen-ynín*, hijo de mi mano derecha, es decir, hija predilecta. Hace alusión a la hija pequeña.

Onomástico: 31 de marzo.

Variantes: Asturiano: **BENXAMMN, XAMINA.**

BERENGUELA

Origen: Alemán.

Significado: Deriva de *Beringar*, oso listo para el combate.

Onomástico: 2 de octubre.

Variantes: Catalán: **BERENGUERA, BERENGUELA.**

BERENICE

Origen: Griego.

Significado: Proviene de *here-niké*, portadora de la victoria. Nombre muy común entre las reinas y princesas del antiguo Egipto.

Onomástico: 29 de junio y 4 de octubre.

Variantes: Catalán: **BERENIÇ.** Francés: **BÉRÉNICE. BERNICE.**

BERNA

Origen: Alemán.

Significado: Temeraria.

Onomástico: No tiene.

BERNABELA

Origen: Hebreo.

Significado: Femenino de Bernabé, hijo de la profecía.

Onomástico: 11 de junio.

BERNADETTE

Origen: Francés.

Significado: Bernardina.

Onomástico: 16 de abril.

Variantes: **BERA, BERNA, BERNADETT, BERNADETTA, BERNARDA, BERNETA.**

BERNARDA

Origen: Alemán.

Significado: Deriva de *berth-hard*, oso fuerte.

Onomástico: 15 de junio y 20 de agosto.

Variantes: Vasco: **BENATE, BERNATE.** Gallego: **BERNALDA.** Asturiano: **NALDA.** Italiano: **VAINTE: BERNARDINA, BERNA.**

BERNARDINA

Origen: Alemán e inglés.

Significado: Valiente como un oso. Inglés: Femenino de Bernardo.

Onomástico: 20 de mayo y 28 de septiembre.

Variantes: **BERNARDENE, BERNARDETTE, BERNADÍN, BERNADINA, BERNARDINA, BERNARDINE.**

BERONIKE

Origen: Vasco.

Significado: Variante de Verónica.

Onomástico: 13 de enero, 3 de febrero, 11 de julio.

BERTA

Origen: Alemán.

Significado: Nombre que proviene de *berth*, brillante, ilustre.

Onomástico: 15 de mayo, 4 de julio.

Variantes: Inglés: **BERTHA.** Francés: **BERTHA, BERTHE.** Alemán: **BERTHA, BEDE, BERTEL.**

BERTHA

Origen: Alemán.

Significado: Variante de Berta, que proviene de *berth*, brillante, ilustre.

Onomástico: 5 de noviembre.

BERTILDA

Origen: Alemán.

Significado: La que combate. La ilustre.

Onomástico: No tiene.

BERTILIA

Origen: Alemán.

Significado: Variante de Berta, que proviene de *berth*, brillante, ilustre.

Onomástico: 3 de enero.

BERTINA

Origen: Alemán.

Significado: Variante de Berta, que proviene de *berth*, brillante, ilustre.

Onomástico: 2 de mayo y 5 de septiembre.

BERTOARIA

Origen: Alemán.

Significado: Pueblo o ejército brillante, célebre.
Onomástico: 4 de diciembre.

BESSIE
Origen: Inglés.
Significado: Diminutivo de Elizabeth.
Onomástico: No tiene.

BETANIA
Origen: Hebreo.
Significado: Nombre de una aldea de la antigua Palestina. La casa del pobre.
Onomástico: No tiene.

BETIANA
Origen: Latino.
Significado: Natural de Betia. Variante de Isabel.
Onomástico: No tiene.
Variantes: **BETINA, BETTINA.**

BETH
Origen: Hebreo.
Significado: Nombre, de origen arameo, que significa casa de Dios, templo.
Onomástico: No tiene.

BETINA
Origen: Hebreo.
Significado: Nombre que significa *Baal,* da la salud. Variante de Isabel.
Onomástico: 8 de julio y 19 de noviembre.

BETSABÉ
Origen: Hebreo.
Significado: La hija del juramento, esposa de David y madre de Salomón. La séptima hija.
Onomástico: No tiene.
Variantes: **BATHSHEBA.**

BETSY
Origen: Estadounidense.
Significado: De la familia de Elizabeth.
Onomástico: No tiene.
Variantes: **BETSEY, BETSI, BETSEI.**

BETTINA
Origen: Estadounidense.
Significado: Combinación de Beth y Tina.
Onomástico: No tiene.
Variantes: **BETINA, BETINE, BETSI, BETSEI.**

BETTY
Origen: Inglés.
Significado: Nombre hebreo que significa consagrada a Dios. En inglés, es diminutivo de Elizabeth.
Onomástico: No tiene.

BETULA
Origen: Hebreo.
Significado: Muchacha, doncella.
Onomástico: No tiene.

BEVERLY
Origen: Inglés.
Significado: Campo de castores.
Onomástico: No tiene.
Variantes: **BEV, BEVERLEE, BEBERLEY, BEVERLLY, BEVLYNN.**

BIAN
Origen: Vietnamita.
Significado: Escondida, secreta.
Onomástico: No tiene.

BIANCA
Origen: Alemán.
Significado: Deriva de *blank,* blanco. Es una variante de Blanca.
Onomástico: 5 de agosto.

BIBI
Origen: Latino.
Significado: Forma corta de Bibiana. Alternativa de Bebé.
Onomástico: No tiene.

BIBIANA
Origen: Latino.
Significado: De *vividus,* vivo, animado, fogoso.
Onomástico: 2 y 26 de diciembre.
Variantes: Catalán: **VIVIANA.** Vasco: **BIBIÑE.** Inglés: **VIVIEN.** Francés: **VIVIENNE.** Italiano: **VIVIANA.**

BIENVENIDA
Origen: Latino.
Significado: Nombre medieval cuyo origen se encuentra en la expresión latina *bene-venusus,* bienvenido. En un principio se aplicaba a los hijos muy deseados.
Onomástico: 30 de octubre.

BINA
Origen: Hebreo y latino.
Significado: Hebreo: Bailarina, hechicera, Latín: Forma corta de Sabina.
Onomástico: No tiene.

BITILDA
Origen: Alemán.
Significado: Guerrera famosa.
Onomástico: 27 de noviembre.

BLANCA
Origen: Alemán.
Significado: Deriva de *blank,* blanco.
Onomástico: 5 de agosto.
Variantes: Vasco: **Zuna, Zuriñe.** Inglés: **Blanche.** Francés: **Blanche, Bianca.** Alemán: **Blanka.** Italiano: **Bianca.**

BLANCHE
Origen: Francés.
Significado: Blanca.
Onomástico: No tiene.
Variantes: **Blanch, Blancha.**

BLANDA
Origen: Latino.
Significado: Que se gana el cariño, agradable.
Onomástico: 10 de mayo.

BLANDINA
Origen: Latino.
Significado: Deriva de *blanda,* que se gana el cariño, agradable.
Onomástico: 18 de mayo y 2 de junio.

BLASA
Origen: Latino.
Significado: Deriva de *blaesus,* tartamudo, aunque su origen más remoto se encuentra en el griego *blaesus,* zambo.
Onomástico: 3 de febrero.

BLESILA
Origen: Latino.
Significado: Deriva de *blaesus,* tartamudo, aunque su origen más remoto se encuentra en el griego *blaesus,* zambo.
Onomástico: 22 de enero.
Variantes: Asturiano: **Brasa.**

BLINDA
Origen: Estadounidense.
Significado: Forma corta de Belinda.
Onomástico: No tiene.
Variantes: **Blynda.**

BLOSSOM
Origen: Inglés.
Significado: Flor.
Onomástico: No tiene.

BO
Origen: Chino.
Significado: Preciosa.
Onomástico: No tiene.

BONA
Origen: Latino.
Significado: Buena.
Onomástico: No tiene.

BONAJUNTA
Origen: Latino.
Significado: Buena, unida. Se suele interpretar como buena esposa o buena compañía.
Onomástico: 12 febrero y 31 agosto.

BONANOVA
Origen: Latino.
Significado: Nombre en honor de la Virgen de la Bonanova.
Onomástico: El domingo posterior al 8 de septiembre.

BONFILIA
Origen: Italiano.
Significado: Buena hija.
Onomástico: No tiene.

BONIFACIA
Origen: Italiano.
Significado: Benefactora.
Onomástico: No tiene.

BONNIE
Origen: Inglés y escocés.
Significado: Hermosa. Escocés: Bonita.
Onomástico: No tiene.

BRADLEY
Origen: Inglés.
Significado: Prado extenso.
Onomástico: No tiene.
Variantes: **Bradlee, Bradleigh, Bradlie.**

BRADY
Origen: Irlandés.

Significado: Espiritual.
Onomástico: No tiene.
Variantes: **Bradee, Bradey, Bradi, Bradie, Braedie, Braedi, Braidi, Braidie, Braidey, Braydee.**

BRANDA
Origen: Hebreo.
Significado: Bendecida.
Onomástico: No tiene.

BRAULIA
Origen: Alemán.
Significado: Resplandeciente.
Onomástico: No tiene.

BRENDA
Origen: Alemán.
Significado: Femenino de Brand, espada. Nombre muy común en Islandia.
Onomástico: 16 de mayo.

BRIANA
Origen: Irlandés.
Significado: Fuerte, virtuosa, honorable. Femenino de Brian.
Onomástico: No tiene.
Variantes: **Bhrianna, Brana, Brea, Breana, Breann, Breeana, Breiana, Breona, Breyana.**

BRIANNA
Origen: Irlandés.
Significado: Mujer fuerte.
Onomástico: No tiene.

BRIDGET
Origen: Irlandés.
Significado: Mujer fuerte.
Onomástico: No tiene.
Variantes: **Berget, Birgitte, Bride, Bridey, Bridger, Bridgete, Bridgett, Bridgid, Brigida, Brigitte, Bridgitt, Brigita.**

BRÍGIDA
Origen: Celta.
Significado: Procede de la diosa gaélica del fuego, Brighid. Su origen parece remontarse a la voz céltica *brigh*, faena.
Onomástico: 1 de febrero y 8 de octubre.
Variantes: Vasco: **Birxita, Birkide.** Gallego y asturiano: **Bríxida.** Inglés: **Brigitte, Bridget.** Francés y alemán: **Brigitte.**

BRIGITTE
Origen: Francés.
Significado: Variante francesa de Brígida, que procede de la diosa gaélica del fuego Brighid. Su origen parece remontarse a la voz céltica *brigh*. Fuerza.
Onomástico: 1 de febrero y 8 de octubre.
Variantes: Vasco: **Birxita, Birkide.** Gallego: **Brixida.** Inglés: **Brigitte, Bridget.**

BRINA
Origen: Latino.
Significado: Forma corta de Sabrina.
Onomástico: No tiene.
Variantes: **Brin, Brinan, Brinda, Brindi, Brindy, Briney, Brinia, Brin, Brinan, Brinda, Brindi, Brinnan, Briona, Bryn, Bryna.**

BRISA
Origen: Español.
Significado: Amada.
Onomástico: No tiene.
Variantes: **Breezy, Breza, Brisha, Brishia, Brissa, Bryssa.**

BRISDA
Origen: Celta.
Significado: Nombre que procede de la diosa gaélica del fuego, Brighid. Su origen parece remontarse a la voz céltica *brighi*, fuerza.
Onomástico: 1 de febrero y 23 de junio.

BRISEIDA
Origen: Griego.
Significado: De *Briseis*, relativo al nombre de Dionisos.
Onomástico: No tiene.
Variantes: Catalán: **Briseida.**

BRITA
Origen: Inglés.
Significado: Forma corta de Britany.
Onomástico: No tiene.

BRITANY
Origen: Inglés.
Significado: Toponímico de Breta-

ña: *Britany*.
Onomástico: No tiene.

BRITNEY
Origen: Inglés.
Significado: Toponímico de Bretaña: *Britany*.
Onomástico: No tiene.

BRIYANA
Origen: Irlandés.
Significado: Alternativa de Briana.
Onomástico: No tiene.

BROOK
Origen: Inglés.
Significado: Arroyo.
Onomástico: No tiene.
Variantes: **Bhooke, Brookelle, Brookie, Brooks, Brooky.**

BRUNA
Origen: Alemán.
Significado: Procede de *prunja*, coraza, y no de *bruit*, oscuro, como pudiera parecer.
Onomástico: 26 de abril y 6 de octubre.
Variantes: Vasco: **Burne.**

BRUNHILDA
Origen: Alemán.
Significado: Guerrera armada.
Onomástico: No tiene.
Variantes: **Brinhilda, Brinhilde, Bruna, Brunhilde, Brynhilda, Hilda.**

BRUNILDA
Origen: Alemán.
Significado: Procede de *prunja*, coraza y no de *bruit*, oscuro, como pudiera parecer.
Onomástico: 6 de octubre.
Variantes: Francés: **Brunehault, Brunehildc.** Alemán: **Brunhildc, Brunhild.**

BUENAVENTURA
Origen: Español.
Significado: La que desea suerte y alegría a los demás.
Onomástico: No tiene.

BUFFY
Origen: Estadounidense.
Significado: Búfalo.
Onomástico: No tiene.
Variantes: **Bufe, Buffey, Buffie, Buffye.**

BUNNY
Origen: Griego e Inglés.
Significado: De la familia de Berenice. Inglés: Conejito.
Onomástico: No tiene.
Variantes: **Bunni, Bunnie.**

C

CACHET
Origen: Francés.
Significado: Prestigiosa, deseosa.
Onomástico: No tiene.
Variantes: **Cachae, Cache, Cachea, Cachee, Cachée.**

CADENCE
Origen: Latino.
Significado: Melodioso.
Onomástico: No tiene.

CADY
Origen: Inglés.
Significado: Pura.
Onomástico: No tiene.
Variantes: **Cade, Cadee, Cadey, Cadi, Cadie, Cadine, Cadye.**

CAI
Origen: Vietnamita.
Significado: Femenina.
Onomástico: No tiene.
Variantes: **Cae, Cay, Caye.**

CAILIDA
Origen: Español.
Significado: Adorada.
Onomástico: No tiene.
Variantes: **Kailida.**

CAITLIN
Origen: Irlandés.
Significado: Pura.
Onomástico: No tiene.

CALA
Origen: Árabe.
Significado: Castillo, fortaleza.
Onomástico: No tiene.
Variantes: **Kala, Calah, Calan, Call, Callah.**

CALAMANDA
Origen: Catalán.
Significado: Nombre en honor de la santa del mismo nombre, patrona de Calaf, Barcelona. Parece proceder del latín *calamus*, caña.
Onomástico: 5 de febrero.

CALANDIA
Origen: Griego.
Significado: Alondra.
Onomástico: No tiene.

CALANDRA
Origen: Griego.
Significado: Alondra.
Onomástico: No tiene.
Variantes: **Calandrea, Calandria, Caleida, Calendra, Calendre, Kalandra, Kalandria.**

CALEDONIA
Origen: Latino.
Significado: De Escocia.
Onomástico: No tiene.

CALI
Origen: Griego.
Significado: Castillo.
Onomástico: No tiene.
Variantes: **Kali, Calee.**

CALÍOPE
Origen: Griego.
Significado: Deriva de *kalliópe*, formado por *kalds*, bello, y *ops*, voz, o sea, hermosa voz. Una de las nueve musas. Mujer de bella voz.
Onomástico: 8 de junio.
Variantes: Catalán: **Calliope, Callíop.**

Vasco: **KALUPE.** Italiano: **CALLIOPE.**

CALIPSO

Origen: Griego.
Significado: Deriva de Kalypsis, la que distrae. Ninfa de la mitología.
Onomástico: No tiene.

CALIXTA

Origen: Griego.
Significado: Nombre formado por el superlativo de *kalós, kallistos,* que significa bellísimo.
Onomástico: 25 de abril y 2 de septiembre.
Variantes: Catalán: **CALIXTE.** Vasco: **KALIXTE.** Gallego y asturiano: **CALISTA.** Francés: **CALIXTE.**

CALLIE

Origen: Griego y árabe.
Significado: Castillo, de la familia de Cali.
Onomástico: No tiene.
Variantes: **CAL, CALI, CALIE, CALLEE, CALLEY, CALLI, CLLY, CALY.**

CALLISTA

Origen: Griego.
Significado: Nombre formado por el superlativo de *kalós, kállistos,* que significa bellísimo.
Onomástico: No tiene.

CALVINA

Origen: Latino.
Significado: Calva. Femenino de Calvin.
Onomástico: No tiene.
Variantes: **CALVINE, CALVINETTA, CALVINETTE.**

CALYPSO

Origen: Griego.
Significado: Consoladora. Orquídea blanca con marcas amarillas y moradas.
Onomástico: No tiene.
Variantes: **CALY, LYSIE, LYPSY.**

CAM

Origen: Vietnamita.
Significado: Cítrico dulce.
Onomástico: No tiene.
Variantes: **KAM.**

CAMDEN

Origen: Escocés.
Significado: Valle ventoso.
Onomástico: No tiene.
Variantes: **CAMDYN.**

CAMELIA

Origen: Latino.
Significado: *Camellus*, camello.
Onomástico: No tiene.

CAMELLIA

Origen: Italiano.
Significado: Arbusto o árbol de hojas verdes. Alusión a la flor de ese nombre.
Onomástico: No tiene.
Variantes: **CAMALA, CAMALIA, CAMALLIA, CAMELA, CAMELIA, CAMELITA, CAMELLA, CAMELLITA, CAMI, KAMELLIA, KAMELIA.**

CAMEO

Origen: Latino.
Significado: Portarretrato tallado adornado con gemas o conchas.
Onomástico: No tiene.
Variantes: **CAMI, KAMEO.**

CAMERON

Origen: Escocés.
Significado: Nombre cuyo significado original era nariz torcida.
Onomástico: No tiene.
Variantes: **CAMARA, CAMERAN, CAMEREN, CAMIRA, CAMIRAN, CÁMIRON, CAMRYN.**

CAMILA

Origen: Latino o griego.
Significado: Algunos consideran que deriva de Camilos, uno de los dioses de los Cabirios. Pura, inocente, virginal. Otros opinan que proviene del griego *kadmilos*, nacido de justas bodas. También podría tener su origen en el etrusco *casmillus*, ministro, o incluso en el hebreo *kadm-El*, mensajero de Dios. Mujer que pertenece a Dios.
Onomástico: 14 de julio.
Variantes: Catalán: **CAMILLA.** Vasco: **KAMILLE.** Francés: **CAMILLE.** Alemán: **CAMILLA, KAMILLA.**

CAMYLLE

Origen: Francés.

Significado: Alternativa de Camila.
Onomástico: No tiene.
Variantes: **Camyle, Camyll.**

CAMINO
Origen: Latino.
Significado: Nombre cristiano que hace honor a Nuestra Señora del Camino, protectora de los viajeros y de los peregrinos.
Onomástico: 8 y 18 de septiembre.
Variantes: Catalán: **Camí.** Vasco: **Bidane.** Gallego: **Camiflo.**

CANCIANILA
Origen: Latino.
Significado: *Canijo,* canción.
Onomástico: 31 de mayo.
Variantes: Asturiano: **Canciana.**

CANDACE
Origen: Griego.
Significado: Blanco resplandor.
Onomástico: No tiene.
Variantes: **Cace, Canace, Canda, Candas, Candece, Candi, Candiace, Candice, Candyce.**

CANDELA
Origen: Latino.
Significado: Suele emplearse como nombre cristiano en conmemoración de la Virgen de la Candelaria. Proviene de *candela,* cirio, vela.
Onomástico: 2 de febrero.

CANDELARIA
Origen: Latino.
Significado: Suele emplearse como nombre cristiano en conmemoración de la Virgen de la Candelaria. Proviene de *candela,* cirio, vela. La que ilumina.
Onomástico: 2 de febrero.
Variantes: Catalán: **Candelera.** Gallego: **Candeloria.**

CANDENCE
Origen: Latino.
Significado: Ritmo.
Onomástico: No tiene.
Variantes: **Cadena, Cadenza, Kadena.**

CANDI
Origen: Estadounidense.
Significado: Dulce.
Onomástico: No tiene.
Variantes: **Candy.**

CANDICE
Origen: Escocés.
Significado: Nombre y título de las reinas de la antigua Escocia. Significaba brillante, luminosa.
Onomástico: No tiene.

CÁNDIDA
Origen: Latino y griego.
Significado: De *cúndidus,* blanco; mujer pura e inocente. Griego: Incandescente, llena de luz.
Onomástico: 4 de septiembre.
Variantes: Vasco: **Candide.** Inglés: **Candice.** Francés: **Candide.**

CANDRA
Origen: Latino.
Significado: Luminosa.
Onomástico: No tiene.

CANELA
Origen: Latino.
Significado: Exquisita. Nombre de una planta aromática del color de su corteza seca. Mujer exquisita.
Onomástico: No tiene.

CANÓLIC
Origen: Catalán.
Significado: Nombre de la advocación mariana; *Mare de Déu de Canólic,* patrona de Sant Julia de Loria, Andorra.
Onomástico: Último sábado de mayo.

CANTARA
Origen: Árabe.
Significado: Cruce pequeño.
Onomástico: No tiene.
Variantes: **Cantarah.**

CAPITOLINA
Origen: Latino.
Significado: Deriva de un nombre en honor del Capitolio, una de las siete colinas de Roma.
Onomástico: 27 de octubre.

CAPRI
Origen: Italiano.
Significado: Forma corta de Caprice. Isla de la costa oeste de Italia.

Onomástico: No tiene.
Variantes: **Capria, Caprie, Capry.**

CAPRICE
Origen: Italiano.
Significado: Fantasía, antojo, capricho.
Onomástico: No tiene.
Variantes: **Cappi, Caprece, Caprecia, Capresha, Capricia, Capriese, Caprina, Capris, Caprise, Caprisha, Capritta.**

CARA
Origen: Latino.
Significado: Querida.
Onomástico: No tiene.
Variantes: **Caira, Caragh, Carah, Caralee, Caranda, Carey, Carra.**

CAREN
Origen: Griego y latino.
Significado: Variante de Catalina.
Onomástico: No tiene.

CARESSA
Origen: Francés.
Significado: Forma alternativa de Carisa.
Onomástico: No tiene.
Variantes: **Caresa, Carese, Caresse, Carissa, Charessa, Charesse, Karessa.**

CARIDAD
Origen: Latino.
Significado: Deriva de *caritas*, que significa carestía, pasó a designar el amor cristiano por el prójimo. Caridad, amabilidad, amor. Alusión a una de las tres virtudes teologales.
Onomástico: 8 de septiembre.
Variantes: Catalán: **Caritat.** Vasco: **Karitte.** Gallego: **Caridade.** Asturiano: **Caridá.** Inglés; **Charity.** Italiano: **Caritá.**

CARINA
Origen: Griego.
Significado: Proviene de *xrino*, gracioso. Mujer muy amada.
Onomástico: 7 de noviembre.
Variantes: Vasco: **Kariñe.** Francés: **Karine.**

CARITINA
Origen: Griego.
Significado: Mujer con gracia.
Onomástico: No tiene.

CARISA
Origen: Griego.
Significado: Amada.
Onomástico: No tiene.
Variantes: **Carissa, Caressa, Carrissa, Charissa.**

CARLA
Origen: Alemán.
Significado: Deriva de *karl*, viril, dotado de gran inteligencia. Mujer muy fuerte.
Onomástico: 4 de noviembre.
Variantes: Vasco: **Karla.** Gallego; **Carola.** Asturiano: **Carola.** Francés; **Charlotte.** Italiano: **Carola.**

CARLISA
Origen: Estadounidense.
Significado: Combinación de Carla y Lisa.
Onomástico: No tiene.
Variantes: **Carleeza, Carlisa, Carliss, Carlissah, Carlisse, Carlissia, Carlista.**

CARLOTA
Origen: Francés e italiano.
Significado: Proviene de Charlotte, diminutivo francés de Caria. Italiano: Pequeña, femenina.
Onomástico: 17 de julio.
Variantes: **Carlotta, Carlita, Carletta, Charlote, Carla.**

CARMELA
Origen: Hebreo.
Significado: Deriva de *karm-El*. jardín de Dios. El monte Carmelo, situado en el desierto entre Galilea y Samaria, siempre ha tenido una especial importancia religiosa, tanto para los judíos como para los cristianos. Carmen se utiliza en honor de la Virgen del Carmen. Huerto colmado de flores.
Onomástico: 16 de julio.
Variantes: Vasco: **Karmela.**

CARMEN
Origen: Hebreo, árabe y latino.
Significado: Deriva de *karm-El*, jardín de Dios. El monte Carmelo, si-

tuado en el desierto entre Galilea y Samaria, siempre ha tenido una especial importancia religiosa, tanto para los judíos como para los cristianos. Carmen se utiliza en honor de la Virgen del Carmen. Árabe: Viña. Latín: Una canción. Viña del señor.
Onomástico: 16 de julio.
Variantes: Catalán: **CARME.** Vasco: **KARMELE, KARMITIA.** Gallego: **CARME, CARMIÑA.** Asturiano: **CARME.** Italiano: **CARMINE.**

CARMÍN
Origen: Francés.
Significado: Rojo encendido.
Onomástico: No tiene.

CARMINE
Origen: Latino.
Significado: Canción.
Onomástico: No tiene.

CARMIÑA
Origen: Gallego.
Significado: Variante de Carmen.
Onomástico: 16 de julio

CAROL
Origen: Alemán, francés e inglés.
Significado: Granjera. Francés: Canción de alegría. Inglés: Fuerte y femenina, canción o melodía.
Onomástico: No tiene.
Variantes: **CAREL, CARIEL, CARO, CAROLA, CAROLE, CAROLENIA, CAROLINDA, CAROLINE, CAROLL, CARRIE, CARROL, CARROLL, CARYL.**

CAROLA
Origen: Alemán.
Significado: Deriva de *karl,* viril, dotado de gran inteligencia.
Onomástico: 18 de noviembre.

CAROLINA
Origen: Alemán.
Significado: Forma diminutiva femenina de Carlos. Deriva de *karl,* viril, dotado de gran inteligencia.
Onomástico: 4 de noviembre.
Variantes: Inglés y francés: **CAROLINE.** Alemán: **KAROLINE.** Italiano: **CAROLINE.**

CARON
Origen: Galés.
Significado: Amorosa, de buen corazón, caritativa.
Onomástico: No tiene.
Variantes: **CARONNE, CARRON, CARRONE.**

CARRIE
Origen: Inglés.
Significado: Nombre que se forma como diminutivo de Caroline.
Onomástico: No tiene.

CARSON
Origen: Inglés.
Significado: Hija de Carr.
Onomástico: No tiene.
Variantes: **CARSEN, CARSYN.**

CARTER
Origen: Inglés.
Significado: Maneja o dirige una carreta.
Onomástico: No tiene.

CARYSA
Origen: Griego.
Significado: Bella y amable.
Onomástico: No tiene.

CASANDRA
Origen: Griego.
Significado: Deriva de *kasasandra,* protectora de hombres. Hermana de héroes.
Onomástico: 16 de mayo.
Variantes: Catalán: **CASSANDRA.** Francés: **CASSANDRE.**

CASEY
Origen: Griego e irlandés.
Significado: Acacia. Irlandés: Valiente.
Onomástico: No tiene.
Variantes: **CACY, CASCY, CASIE, CASEE, CASEEY, CASY, CAYCE, CAUSEE, CAYSY.**

CASIA
Origen: Latino.
Significado: Del nombre romano Cassius, de *cassi,* yelmo.
Onomástico: No tiene.
Variantes: Italiano: **CASSIA.**

CASILDA
Origen: Árabe o alemán.
Significado: Pese la similitud foneti-

ca con el verbo árabe *kassilda*, cantar, se cree que deriva del germánico *hat lut-hild*, el combativo. Virgen que porta lanza.
Onomástico: 9 de mayo.
Variantes: Vasco: **Kasilde.** Asturiano: **Casildra.** Alemán: **Kasilde.**

CASIMIRA
Origen: Polaco.
Significado: De *kazimurz*, la que impone la paz.
Onomástico: 4 de marzo.
Variantes: Gallego: **Casomira.** Asturiano: **Arximiro, Casornira, Mira.**

CASSIA
Origen: Griego.
Significado: Especie de Cinamón.
Onomástico: No tiene.
Variantes: **Casia, Cass, Casya.**

CASTA
Origen: Griego.
Significado: Manantial de pureza.
Onomástico: No tiene.

CASTALIA
Origen: Griego.
Significado: En la mitología, nombre de una ninfa que fue convertida en fuente por Apolo.
Onomástico: No tiene.

CATALINA
Origen: Griego.
Significado: Aikatharina, pasó al latín como *Katharina*, con el significado de pura, de gran pureza. De estirpe pura.
Onomástico: 29 de abril y 28 de julio.
Variantes: Catalán: **Caterina.** Vasco: **Katarin, Kattalin, Katisa, Katerifie, Katrin.** Gallego: **Catuxa.** Alemán: **Katharina.** Italiano: **Catarina.**

CATERINA
Origen: Italiano.
Significado: Variante de Catalina.
Onomástico: No tiene.

CATRINA
Origen: Griego.
Significado: Variante de Catalina, que del griego *Aikatharina* pasó al latín como *Katharina*, con el significado de pura.
Onomástico: 5 de octubre.

CAYETANA
Origen: Latino.
Significado: Gentilicio para los habitantes de Caieta, la actual Gaeta, un puerto de la Campania. Oriunda de Gaeta, Italia.
Onomástico: 7 de agosto.
Variantes: Asturiano: **Gaitana.**

CAYLA
Origen: Hebreo.
Significado: Corona de laurel.
Onomástico: No tiene.
Variantes: **Caylea, Caylia.**

CECILIA
Origen: Etrusco y latino.
Significado: *Celi*, septiembre. Latín: Aquella que no ve, la que es ciega.
Onomástico: 15 de mayo.
Variantes: Catalán: **Cacília.** Vasco: **Koikille, Xixili.** Gallego: **Cecia, Icia.** Asturiano: **Ceda.** Inglés: **Cecily.** Francés: **Cécile, Céeilie.** Alemán: **Caeeilie.**

CEFERINA
Origen: Latino.
Significado: *Zephyrus*, viento suave del oeste.
Onomástico: 26 de mayo.
Variantes: Vasco: **Keperiñe.** Asturiano: **Cefera.**

CELA
Origen: Latino.
Significado: Procede de *marcesco*, marchitarse, languidecer. Es una variante de Marcelina.
Onomástico: 17 de julio.

CELEDONIA
Origen: Latino.
Significado: Variante del nombre *Cetonia*, golondrina. Bella como la golondrina.
Onomástico: 13 de octubre.

CELENA
Origen: Griego.
Significado: Luna. Diosa de la luna.
Onomástico: No tiene.
Variantes: **Celene.**

CELERINA
Origen: Latino.
Significado: Nombre derivado de *celer* rápida, vivaz.
Onomástico: 3 de febrero.

CELESTE
Origen: Latino.
Significado: *Caelestis* del cielo, que proviene del cielo. Que pertenece al cielo.
Onomástico: 2 y 19 de mayo.
Variantes: Catalán: **Celest.** Asturiano: **Celesta.** Alemán: **Zolestin, Celestina.**

CELESTINA
Origen: Latino.
Significado: *Caelestis*, del cielo, relativo a Júpiter. Que habita en el cielo.
Onomástico: No tiene.
Variantes: Asturiano: **Celesta.** Francés: **Celestine.**

CELIA
Origen: Latino.
Significado: Deriva de la gens romana *Coelia*, que dio nombre a una de las siete colinas de Roma. Que proviene del cielo.
Onomástico: 21 de octubre y 22 de noviembre.
Variantes: Vasco: **Koikille.** Gallego: **Ceda.** Asturiano: **Cilia.**

CELIC
Origen: Náhuatl.
Significado: Ternura.
Onomástico: No tiene.

CELINA
Origen: Latino.
Significado: Deriva de la gens romana *Coeha*, que dio nombre a una de las siete colinas de Roma.
Onomástico: 21 de octubre.

CELINDA
Origen: Griego.
Significado: Siempre de buen ánimo. Mujer que infunde ánimo.
Onomástico: No tiene.

CELMIRA
Origen: Árabe.
Significado: La brillante mujer que irradia luz.
Onomástico: No tiene.
Variantes: **Zelmira.**

CELSA
Origen: Latino.
Significado: *Cetsus*, excelsa. Que vive en lo alto.
Onomástico: 28 de julio.

CENICIENTA
Origen: Francés e inglés.
Significado: Pequeña niña que trabaja con carbón.
Onomástico: No tiene.
Variantes: **Cinderela.**

CENTÉOTL
Origen: Náhuatl.
Significado: Diosa del maíz.
Onomástico: No tiene.

CENTOLA
Origen: Árabe.
Significado: La luz de la sabiduría.
Onomástico: No tiene.

CERES
Origen: Griego.
Significado: Hija de Saturno y de Cibeles, diosa de la agricultura.
Onomástico: No tiene.

CESÁREA
Origen: Latino.
Significado: Procede de *Cognomen* de la familia romana de los Julio César, que deriva de *caesaries*, melena, en alusión a la deslumbrante cabellera de que disfrutaban los antepasados del famoso Julio (aunque éste era calvo desde su juventud). Que fue arrancada del vientre materno.
Onomástico: 26 de agosto.
Variantes: Asturiano: **Cesaria.**

CHABLIS
Origen: Francés.
Significado: Seca, vino blanco. Región de Francia donde las uvas crecen.
Onomástico: No tiene.
Variantes: **Chabeli, Chabelly, Chabely, Chablee, Chabley, Chabli.**

CHAC

Origen: Maya.
Significado: Dios de la lluvia.
Onomástico: No tiene.

CHAI

Origen: Hebreo.
Significado: Vida.
Onomástico: No tiene.
Variantes: **CHAE, CHAELA, CHAELI, CHAELLA, CHAENA, CAHIA.**

CHAKRA

Origen: Sánscrito.
Significado: Círculo de energía.
Onomástico: No tiene.
Variantes: **CHAKA, CHAKARA, CHAKARIA, CHAKENA, CHAKINA, CHAKIRA, CHAKRIA, CHAKRIYA, CHAKYRA.**

CHALINA

Origen: Español.
Significado: Rosa.
Onomástico: No tiene.
Variantes: **CHALINE, CHALINI.**

CHANA

Origen: Camboyano.
Significado: Árbol de aroma dulce.
Onomástico: No tiene.

CHANDA

Origen: Sánscrito.
Significado: Gran diosa.
Onomástico: No tiene.
Variantes: **CHANDEE, CHANDEY, CHANDI, CHANDIE, CHANDIN.**

CHANDLER

Origen: Hindi.
Significado: Luna.
Onomástico: No tiene.
Variantes: **CHANDLAR, CHANDLIER, CHANDLOR, CHANDLYR.**

CHANDRA

Origen: Sánscrito.
Significado: Luna. Nombre de la diosa hindú.
Onomástico: No tiene.
Variantes: **SHAKTI. CHANDRAY, CHANDRE, CHANDREA, CHANDRELLE, CHANDRIA.**

CHANEL

Origen: Inglés.
Significado: Canal, cauce.
Onomástico: No tiene.

CHANTAL

Origen: Latino y francés.
Significado: Canción o bella música. Gentilicio de Chantal, nombre de una población francesa, que proviene de *Cantal*, piedra, hito. Oriunda de la región del Loire.
Onomástico: 12 de diciembre.
Variantes: **CHANDAL, CHANTALA, CHANTALE, CHANTALL, CHANTEL.**

CHANTILLY

Origen: Francés.
Significado: Cordón o cuerda muy fina.
Onomástico: No tiene.
Variantes: **CHANTIEL, CHANTIELLE, CHANTIL, CHANTILA, CHANTILL, CHANTILLE.**

CHARIS

Origen: Griego.
Significado: Graciosa, amable.
Onomástico: No tiene.
Variantes: **CHARI, CHARICE, CHARIE, CHARISH, CHARISSE.**

CHARISSA

Origen: Griego.
Significado: Gracia.
Onomástico: No tiene.
Variantes: **CHARISSE.**

CHARLIE

Origen: Alemán e inglés.
Significado: Fuerte y femenina. Inglés: Femenino de Charles.
Onomástico: No tiene.
Variantes: **CHARLEE, CHARLEY, CHARYL, SHARLIE.**

CHARLOTTE

Origen: Francés.
Significado: Variante de Carlota.
Onomástico: No tiene.

CHARO

Origen: Español.
Significado: Rosa.
Onomástico: No tiene.

CHAVA

Origen: Hebreo.
Significado: Vida, pájaro. En la *Biblia,* nombre original de Eva.
Onomástico: No tiene.
Variantes: **CHABAH, CHAVAE, CHAVAH,**

Chavalah, Chavarra, Chavarria, Chave, Chavé, Chavette, Chaviva, Chavis, Hava.

CHAVELA
Origen: Español.
Significado: Alternativa de Isabel.
Onomástico: 31 de agosto.
Variantes: **Chavel, Chaveli, Chavell, Chavelle, Chavely, Chevie.**

CHAVI
Origen: Gitano.
Significado: Muchacha.
Onomástico: No tiene.

CHAVON
Origen: Hebreo.
Significado: Juana.
Onomástico: No tiene.
Variantes: **Chavona, Chavonda, Chavonn, Chavonne, Shavon.**

CHAYA
Origen: Hebreo.
Significado: Vida.
Onomástico: No tiene.

CHELSEA
Origen: Inglés.
Significado: Gentilicio de Chelsea, que también puede interpretarse como puerto de mar.
Onomástico: 1 de noviembre.

CHENOA
Origen: Estadounidense.
Significado: Paloma blanca.
Onomástico: No tiene.

CHAER
Origen: Francés.
Significado: Amada, muy querida.
Onomástico: No tiene.
Variantes: **Chere, Cheri, Cherie, Sher.**

CHEROKEE
Origen: Estadounidense.
Significado: Nombre que se forma como gentilicio de una tribu.
Onomástico: No tiene.

CHERRY
Origen: Francés.
Significado: Cereza roja.
Onomástico: No tiene.
Variantes: **Chere, Cherey, Cherida, Cherita, Cherrey, Cherrita, Chery.**

CHERYANNE
Origen: Estadounidense.
Significado: Nombre que se forma como gentilicio de una tribu estadounidense: Cheyenne.
Onomástico: No tiene.

CHIARA
Origen: Italiano.
Significado: Variante de Clara.
Onomástico: No tiene.

CHIKA
Origen: Japonés.
Significado: Cercana y querida.
Onomástico: No tiene.
Variantes: **Chikaka, Chikako, Chiakara, Chikona.**

CHINA
Origen: Chino.
Significado: Porcelana fina.
Onomástico: No tiene.
Variantes: **Shina, Chinah, Chinna, Chyna, Chynna.**

CHIQUITA
Origen: Español.
Significado: Pequeña.
Onomástico: No tiene.

CHIYO
Origen: Japonés.
Significado: Eterna.
Onomástico: No tiene.
Variantes: **Chiya.**

CHLOE
Origen: Griego.
Significado: Tierna como la hierba, la que reverdece.
Onomástico: No tiene.
Variantes: **Cloé.**

CHO
Origen: Coreano.
Significado: Hermosa.
Onomástico: No tiene.
Variantes: **Choe.**

CHRISTINA
Origen: Inglés.
Significado: Variante de Cristina.
Onomástico: No tiene.

CHRISTINE
Origen: Alemán.
Significado: Variante de Cristina.

Onomástico: No tiene.

CHUA CHUA

Origen: Chino.
Significado: Crisantemo.
Onomástico: No tiene.

CHUN

Origen: Birmano.
Significado: Renacimiento de la naturaleza.
Onomástico: No tiene.

CIANA

Origen: Chino e italiano.
Significado: Forma alternativa de China. Italiano: Juana.
Onomástico: No tiene.
Variantes: **Cian, Ciandra, Ciann, Cianna.**

CIARA

Origen: Latino.
Significado: *Clarus*, claro, ilustre, variante de Clara.
Onomástico: 5 de enero.

CIBELES

Origen: Griego.
Significado: Diosa mitológica identificada con la madre de las diosas, fuente de fecundidad. Hija del cielo y de la tierra, esposa de Saturno y madre de Júpiter, Neptuno, Plutón, etcétera.
Onomástico: No tiene.

CICELY

Origen: inglés.
Significado: Variante de Cecuy, y éste del etrusco *cell*, septiembre.
Onomástico: 21 de octubre y 22 de noviembre.

CIELO

Origen: Español.
Significado: Lugar de belleza y felicidad. *Biblia*: Donde residen Dios y los ángeles. Celestial.
Onomástico: No tiene.

CIHUAPILLI

Origen: Náhuatl.
Significado: Que es una gran mujer.
Onomástico: No tiene.

CINDERELLA

Origen: Inglés.
Significado: Equivalente de Cenicienta, la heroína del cuento infantil.
Onomástico: No tiene.

CINDY

Origen: Griego.
Significado: Kyntia, gentilicio de Kynthos, famoso monte de Delos. Variante de Cintia.
Onomástico: No tiene.
Variantes: Catalán: **Cintia.** Francés e inglés: **Cynthia.** Italiano: **Cinzia.**

CINTA

Origen: Latino.
Significado: Este nombre es de advocación mariana. Nuestra Señora de la Cinta (Mare de Déu de la Cinta), patrona de Tortosa (Tarragona).
Onomástico: Primer sábado de septiembre.

CINTHIA

Origen: Griego.
Significado: Luna.
Onomástico: No tiene.
Variantes: **Cynthia, Cinthiya, Cintia.**

CINTIA

Origen: Griego.
Significado: Kyntia, gentilicio de Kyntohos, la famosa montaña mitológica de Delos, donde nacieron Apolo y Artemisa. Unida a Dios.
Onomástico: Primer sábado de septiembre.
Variantes: **Cynthia, Cindy. Cinzia.**

CIRA

Origen: Español.
Significado: Forma corta de Cirila.
Onomástico: No tiene.

CIRCE

Origen: Griego.
Significado: De la mitología, Circe convirtió en cerdos a los compañeros de Ulises. Mujer engañosa. Retuvo a Ulises en su regreso al hogar.
Onomástico: No tiene.

CIRENIA

Origen: Griego.
Significado: Nombre derivado de una ciudad, Kyrenaia. Oriunda de Cierene, Libia.

Onomástico: 1 de noviembre.

CIRIA

Origen: Griego.
Significado: Nombre cristiano de procedencia griega, Kyrios, Señor Dios.
Onomástico: 5 de junio.

CIRÍACA

Origen: Griego.
Significado: Nombre cristiano de procedencia griega, que significa amor a Dios.
Onomástico: 20 de marzo, 19 de mayo y 21 de agosto.

CIRILA

Origen: Griego.
Significado: Kyrios, señor. Señora poderosa.
Onomástico: 5 de julio y 28 de octubre.
Variantes: Vasco: **Kuirile.** Francés: **Cynile.** Inglés: **Cyril.** Italiano: **Cirilla.**

CISA

Origen: Catalán.
Significado: Nombre de advocación mariana. Nuestra Señora de la Cisa (*Mare de Déu de la Cisa*), que se venera en Premia de Dalt, Barcelona. Los marineros de la comarca del Maresme le tienen mucha devoción.
Onomástico: 8 de septiembre.

CITLALLI

Origen: Náhuatl.
Significado: Estrella.
Onomástico: No tiene.

CITLI

Origen: Náhuatl.
Significado: Liebre.
Onomástico: No tiene.

CLARA

Origen: Latino.
Significado: *Clarus*, claro, ilustre. Mujer transparente.
Onomástico: 11 y 17 de agosto.
Variantes: Vasco: **Argia, Argiñe, Garbi, Kalare, Garbi.** Gallego: **Crara.** Alemán: **Klara.** Francés: **Claire.** Inglés: **Clare.** Italiano: **Chiara.**

CLARABELLA

Origen: Latino.
Significado: Brillante y hermosa.
Onomástico: No tiene.
Variantes: **Claribel.**

CLARE

Origen: Inglés.
Significado: Variante de Clara.
Onomástico: No tiene.

CLARIBEL

Origen: Latino.
Significado: Variante de Clarabella.
Onomástico: No tiene.

CLARISA

Origen: Latino.
Significado: *Clarus*, claro, ilustre. Variante de Clara.
Onomástico: 11 y 17 de agosto.
Variantes: **Clarissa.**

CLAUDETTE

Origen: Francés.
Significado: Alternativa de Claudia.
Onomástico: No tiene.

CLAUDIA

Origen: Latino.
Significado: Deriva de la gens romana Claudio, de la familia de Claudio.
Onomástico: 20 de marzo y 18 de mayo.
Variantes: Vasco: **Kaulde.** Asturiano: **Clodia.** Francés: **Claude.** Italiano: **Claudina.**

CLAUDINA

Origen: Latino.
Significado: Deriva de la gens romana Claudio, de la familia de Claudio.
Onomástico: 3 de febrero.
Variantes: Gallego: **Claudia, Clodia.** Francés: **Claudine.**

CLEA

Origen: Griego.
Significado: Alternativa de Cleo o Clio.
Onomástico: No tiene.

CLELIA

Origen: Latino.
Significado: Nombre de la gens ro-

mana *Cloelja*, de Alba. Forma antigua de Celia.
Onomástico: 13 de julio.
Variantes: Catalán: **CLELIA.** Francés: **CLÉLIE, CLÓLIA.**

CLEMENCIA
Origen: Latino.
Significado: *Clemens*, clemente, bueno, indulgente.
Onomástico: 23 de noviembre.
Variantes: Vasco: **KELMENE.**

CLEMENTINA
Origen: Latino.
Significado: *Clemens*, clemente, bueno, indulgente. Misericordiosa.
Onomástico: 23 de noviembre.
Variantes: Vasco: **ONBERA.** Inglés: **CLEMENTINE.** Francés: **CLÉMENTINE.**

CLEO
Origen: Griego.
Significado: Forma corta de Cleopatra.
Onomástico: No tiene.

CLEODORA
Origen: Griego.
Significado: Representa el don de Dios.
Onomástico: No tiene.

CLEOFE
Origen: Griego.
Significado: La que vislumbra la gloria.
Onomástico: No tiene.

CLEONE
Origen: Griego.
Significado: Gloriosa.
Onomástico: No tiene.
Variantes: **CLEONNA, CLIONA.**

CLEOPATRA
Origen: Griego.
Significado: Proviene de *kléos*, gloria, y *páter*, padre, significa gloria del padre. La gloria de su tierra.
Onomástico: 20 de octubre.

CLETA
Origen: Griego.
Significado: Ilustrada.
Onomástico: No tiene.

CLIDIA
Origen: Griego.
Significado: Agitada como el mar.
Onomástico: No tiene.
Variantes: **CLIDE.**

CLIMENE
Origen: Griego.
Significado: Nombre mitológico, mujer de Prometeo y madre de Heleno.
Onomástico: No tiene.

CLIO
Origen: Griego y latino.
Significado: Procede del griego *kleitos*, famoso, que deriva del verbo *kleio*, celebrar. Latín: Una de las nueve musas. Preside la Historia.
Onomástico: No tiene.

CLIVIA
Origen: Alemán.
Significado: Nombre de una antigua ciudad de Alemania.
Onomástico: No tiene.

CLODOVEA
Origen: Alemán.
Significado: Femenino de Clodoveo, ilustre guerrero lleno de sabiduría.
Onomástico: No tiene.
Variantes: **CLOTILDE, CLOVIS.**

CLOE
Origen: Griego.
Significado: Proviene de la palabra *ricé*, hierba verde.
Onomástico: No tiene.

CLOELIA
Origen: Latino.
Significado: Nombre de la gens romana *Cloelja*, de Alba. Forma antigua de Celia.
Onomástico: 13 de julio.

CLORINDA
Origen: Griego y persa.
Significado: Variante de Cloris. Persa: Famosa, conocida.
Onomástico: No tiene.

CLORIS
Origen: Griego.
Significado: Fresca, lozana, vital. Diosa griega de las flores.

Onomástico: No tiene.
Variantes: **Clorinda.**

CLOSINDA
Origen: Alemán.
Significado: Insigne.
Onomástico: 30 de junio.

CLOTILDA
Origen: Alemán.
Significado: Heroína.
Onomástico: No tiene.
Variantes: **Cleotilde.**

CLOTILDE
Origen: Alemán.
Significado: De *hiod-hild*, guerrero glorioso. Hija del caudillo.
Onomástico: 3 de junio.
Variantes: Vasco: **Kotilde.** Alemán: **Kiothilde.**

CLOVIS
Origen: Alemán.
Significado: Variante de Clodovea.
Onomástico: No tiene.

COATLICUE
Origen: Náhuatl.
Significado: Una de las cinco diosas lunares.
Onomástico: No tiene.

COCO
Origen: Español.
Significado: Fruto del coco.
Onomástico: No tiene.
Variantes: **Koko.**

CODI
Origen: Inglés.
Significado: Almohadilla.
Onomástico: No tiene.
Variantes: **Cody, Kodi, Codey, Codia.**

CÓIA
Origen: Catalán.
Significado: Variante de Misericordia, del latín *misericordis*, de *ruiseror*, compadecerse.
Onomástico: 25 de septiembre.

COLBY
Origen: Inglés.
Significado: Pueblo de Carbón.
Onomástico: No tiene.
Variantes: **Cobi, Cobie, Colbi.**

COLEEN
Origen: Celta e irlandés.
Significado: Niña, jovencita. Se pronuncia «*colin*».

COLETA
Origen: Francés.
Significado: Muy curiosa, abreviatura de Nicoleite (Nicolasita), el diminutivo de Nicolle (Nicolasa).
Onomástico: 7 de febrero.

COLOMBA
Origen: Latino.
Significado: Paloma.
Onomástico: No tiene.

COLUMBA
Origen: Latino.
Significado: Variante italiana de Paloma, nombre cristiano en honor de Nuestra Señora de la Paloma.
Onomástico: 15 de agosto y 31 de diciembre.
Variantes: Catalán: **Coloma.** Vasco: **Usoa.** Gallego: **Pomba.** Asturiano: **Colomba.** Inglés: **Colum, Coim.**

CONCEPCIÓN
Origen: Latino.
Significado: Que concibe. Nombre cristiano que conmemora la Inmaculada Concepción de la Virgen María.
Onomástico: 8 de diciembre.
Variantes: Catalán: **Concepció.** Vasco: **Sorkunde, Some, Kontxesi, Kontzeziona.** Asturiano: **Conceición, Concia.** Inglés y francés: **Conception.** Italiano: **Concetta.**

CONCESA
Origen: Latino.
Significado: *Concecio*, concesión. Solía ponerse a una hija largamente esperada.
Onomástico: 8 de abril.

CONCETTA
Origen: Italiano.
Significado: Pura.
Onomástico: No tiene.
Variantes: **Concetinna.**

CONCHITA
Origen: Español.

Significado: Diminutivo de Concepción.
Onomástico: 8 de diciembre.
Variantes: **Chita, Concha, Conciana.**

CONCORDIA
Origen: Latino.
Significado: *Concordia*, armonía, unión. En la mitología, diosa que gobernó la paz después de la guerra.
Onomástico: 13 de agosto.
Variantes: **Con, Cordaye.**

CONNIE
Origen: Inglés.
Significado: Nombre que es el equivalente de Constanza, del latín *conseantia*, firmeza de carácter.
Onomástico: No tiene.

CONSOLACIÓN
Origen: Latino.
Significado: *Consolatio*, consuelo, alentamiento.
Onomástico: 4 de septiembre.
Variantes: Catalán: **Consolació, Consol.** Vasco: **Atseguifie, Pozne.** Asturiano: **Consuelo.**

CONSORCIA
Origen: Latino.
Significado: *Consortium*, consorcio, asociación.
Onomástico: 22 de junio.

CONSTANCIA
Origen: Latino.
Significado: *Constantia*, firmeza de carácter.
Onomástico: 19 de septiembre.
Variantes: Vasco: **Kostanze.** Inglés y francés: **Constance.** Alemán: **Konstanza, Constanze.**

CONSTANSA
Origen: Latino.
Significado: Constante, firme.
Onomástico: 19 de septiembre.
Variantes: **Connie, Constancia, Constanta, Constantia, Constantina, Constanza.**

CONSTANZA
Origen: Latino.
Significado: *Constantia*, firmeza de carácter.
Onomástico: 19 de septiembre.
Variantes: Catalán: **Constança.** Vasco: **Kostanze.** Inglés y francés: **Constance.** Alemán: **Konstanza, Constanze.**

CONSUELO
Origen: Latino.
Significado: Es diminutivo de Consolación, de *consolatio*, consuelo, alentamiento. Refugio de afligidos.
Onomástico: 4 de septiembre.
Variantes: Catalán: **Consolació, Consol.** Vasco: **Atsegifle, Pozkari.**

COPELIA
Origen: Francés.
Significado: Personaje de un cuento de Hoffman.
Onomástico: No tiene.
Variantes: Catalán: **Copèllia.**

CORA
Origen: Griego.
Significado: Korinna, diminutivo de *koré*, doncella, muchacha.
Onomástico: 14 de mayo.

CORAL
Origen: Griego.
Significado: Deriva de *korallion*, coral. Piedra pequeña.
Onomástico: 8 de septiembre.
Variantes: **Corallina.**

CORALIA
Origen: Estadounidense.
Significado: Alternativa de Coral. Doncella.
Onomástico: 13 de agosto.
Variantes: **Coraal, Corral.**

CORAZÓN
Origen: Latino.
Significado: Nombre de advocación mariana. Nuestra Señora del Sagrado Corazón, también llamada Inmaculado Corazón de María.
Onomástico: Sábado después del Domingo de Corpus.

CORBIN
Origen: Latino.
Significado: Cuervo.
Onomástico: No tiene.
Variantes: **Corbi, Corby, Cobyn, Corbynn.**

CORDELIA
Origen: Latino o galés.
Significado: Deriva de *cordis*, cordial, afable. Virtud femenina. Es la hija menor en *El rey Lear*, de Shakespeare. De buen corazón. Galés: Joya del mar.
Onomástico: 22 de octubre.
Variantes: **Codi, Cordilia, Cordilla, Cordulia, Kordelia, Kordula.**

CORINA
Origen: Griego.
Significado: Deriva de Korinna, diminutivo de *kan*, doncella, muchacha.
Onomástico: 14 de mayo.
Variantes: Catalán: **Corma.** Inglés y francés: **Corinne.** Alemán: **Corma.** Italiano: **Corinna.**

CORLISS
Origen: Inglés.
Significado: Alegre, animosa.
Onomástico: No tiene.
Variantes: **Corlisa, Corlise, Corlissa, Corly.**

CORNELIA
Origen: Latino.
Significado: Nombre de la gens romana Cornelia, una de las familias patricias más ilustres de Roma. Parece derivar de *corneus*, córneo. Convoca a la batalla haciendo sonar el cuerno.
Onomástico: 31 de marzo.
Variantes: Vasco: **Kornel.** Francés: **Cornélie, Comélia.** Alemán: **Kornelie.**

CORONA
Origen: Latino.
Significado: Nombre de origen latino, con el mismo significado que el actual.
Onomástico: 14 de mayo.

CÓSIMA
Origen: Griego.
Significado: De *kosmetes*, pulido, adornado.
Onomástico: 26 de septiembre.

COURTNEY
Origen: Griego.
Significado: Nombre inglés que puede interpretarse como cortesana.
Onomástico: No tiene.

COVADONGA
Origen: Latino.
Significado: Nombre cristiano en honor de la Virgen de Covadonga, patrona de Asturias. Hace referencia al lugar donde se venera la imagen de esta virgen, una cueva situada en los Picos de Europa que recibió el nombre de *cova-donna*, cueva de la señora.
Onomástico: 8 de septiembre.
Variantes: Asturiano: **Cuadonga.**

COYOLI
Origen: Náhuatl.
Significado: Cascabel.
Onomástico: No tiene.

COYOLXAUHQUI
Origen: Náhuatl.
Significado: Diosa de la Luna.
Onomástico: No tiene.

CREIXELL
Origen: Latino y catalán.
Significado: Procede de *crassiellus*, diminutivo de Crasis, grueso, gordo. Nombre de una población catalana, cerca de Figueres. Es también advocación mariana, *Mare de Déu de Creixeli* (Nuestra Señora de Creixell).
Onomástico: 8 de septiembre.

CRESCENCIA
Origen: Latino.
Significado: Que crece.
Onomástico: 5 de abril y 15 de junio.

CRESCENCIANA
Origen: Latino.
Significado: Que crece.
Onomástico: 5 de mayo.

CRESSIDA
Origen: Griego.
Significado: Oro.
Onomástico: No tiene.

CREUSA
Origen: Griego.
Significado: Así se llamaba la esposa de Eneas.

Onomástico: No tiene.

CRIMILDA

Origen: Alemán.

Significado: La que combate con el yelmo.

Onomástico: No tiene.

CRISANTA

Origen: Griego.

Significado: Derivado de *risós*, oro, y de *anthos*, flor. Flor de oro, aunque la traducción más correcta sería flor de hojas amarillas.

Onomástico: 25 de octubre.

Variantes: Asturiano: **Cresanta.**

CRISBELL

Origen: Estadounidense.

Significado: Combinación de Crista y Bell.

Onomástico: No tiene.

Variantes: **Crisbel, Cristabel.**

CRISPINA

Origen: Latino.

Significado: *Crispus*, nombre de una familia romana. Puede que en su origen significara de pelo rizado.

Onomástico: 19 de noviembre.

Variantes: Vasco: **Kispiñc.**

CRÍSPULA

Origen: Latino.

Significado: *Crispus*, nombre de una familia romana.

Onomástico: 10 de junio.

Variantes: Asturiano: **Créspula.**

CRISTA

Origen: Alemán e italiano.

Significado: Forma corta de Cristiana y Cristina.

Onomástico: No tiene.

CRISTAL

Origen: Latino.

Significado: Variante de Cristina, y éste deriva del griego *Christós*, el ungido.

Onomástico: No tiene.

CRISTEL

Origen: Latino.

Significado: Variante de Cristina.

Onomástico: No tiene.

CRISTETA

Origen: Griego.

Significado: Diminutivo femenino de Cristo, que deriva de *Christós*, el ungido.

Onomástico: 31 agosto y 27 octubre.

CRISTI

Origen: Inglés.

Significado: Alternativa de Cristina.

Onomástico: No tiene.

Variantes: **Cristey, Cristie, Crysti, Kristy.**

CRISTIANA

Origen: Griego.

Significado: Que pertenece a la religión de Jesucristo.

Onomástico: 15 de diciembre.

Variantes: Vasco: **Kistaina.** Asturiano: **Crista.** Francés y alemán: **Christiane.**

CRISTINA

Origen: Griego.

Significado: *Christós* el ungido. Mujer de pensamiento claro.

Onomástico: 24 de julio.

Variantes: Vasco: **Kistine.** Inglés: **Christina, Christine.** Alemán: **Christa.** Italiano: **Crista, Cristiana.**

CRUZ

Origen: Griego.

Significado: Nombre cristiano que hace alusión a la crucifixión de Cristo. El nombre completo suele ser María de la Cruz.

Onomástico: 5 de noviembre.

Variantes: Vasco: **Gurutze, Gurutzi, Guruzne.**

CUAUHTLI

Origen: Náhuatl.

Significado: Agua.

Onomástico: No tiene.

CUNEGUNDA

Origen: Alemán.

Significado: Audaz y famosa.

Onomástico: 3 de marzo.

CUNIBERGA

Origen: Alemán.

Significado: Famosa por su prudencia.

Onomástico: 26 de agosto.

CURRAN

Origen: Irlandés.
Significado: Heroína.
Onomástico: No tiene.
Variantes: **Cura, Curin, Curina, Currina.**

CUSTODIA

Origen: Latino.
Significado: Podría traducirse como ángel guardián.
Onomástico: 1 de marzo.

CUTBURGA

Origen: Alemán.
Significado: Protección del sabio.
Onomástico: 31 de agosto.

CYBIL

Origen: Latino.
Significado: La que augura o presagia el futuro.
Onomástico: No tiene.

CYNTHIA

Origen: Inglés.
Significado: Variante de Cintia.
Onomástico: No tiene.

CYRENE

Origen: Griego.
Significado: Ninfa que el dios Apolo llevó a Libia.
Onomástico: No tiene.

D

DABRIA
Origen: Latino.
Significado: Nombre de un ángel.
Onomástico: No tiene.

DACIA
Origen: Latino.
Significado: Se forma como gentilicio latino de la *Dacia*, oriundo o natural de *Dacia*.
Onomástico: 14 y 27 de enero.

DAE
Origen: Inglés.
Significado: Día.
Onomástico: No tiene.
Variantes: **DAI.**

DAFNA
Origen: Griego.
Significado: Nombre de una ninfa de la mitología, coronada de laureles.
Onomástico: No tiene.

DAFNE
Origen: Griego.
Significado: Nombre de una ninfa de la mitología, de la que se enamoró Apolo.
Onomástico: No tiene.
Variantes: **DAPHNE.**

DAFNY
Origen: Escandinavo.
Significado: Variante de Dafne.
Onomástico: No tiene.
Variantes: **DAFANY, DAFFANY, DAFFIE, DAFFY, DAFNA, DAFNEY, DAFNEI.**

DAGMA
Origen: Alemán.
Significado: La habitante del valle.
Onomástico: No tiene.

DAGMAR
Origen: Escandinavo.
Significado: Alegría, gloria del día.
Onomástico: No tiene.

DAGMARA
Origen: Alemán.
Significado: Gloriosa.
Onomástico: No tiene.
Variantes: **DAGMAR.**

DAGNY
Origen: Escandinavo.
Significado: Día.
Onomástico: No tiene.
Variantes: **DAGNA, DAGNNANA, DAGNE.**

DAGOMAR
Origen: Danés.
Significado: Claridad, más ilustre, brillante.
Onomástico: No tiene.

DAHLIA
Origen: Escandinavo.
Significado: Valle.
Onomástico: No tiene.
Variantes: **DALIAH, DAHLIAH, DAHLYA.**

DAHRA
Origen: Hebreo.
Significado: Perla de la sabiduría.
Onomástico: No tiene.

DAI
Origen: Japonés.
Significado: Grandiosa.
Onomástico: No tiene.
Variantes: **DAE, DAY, DAYE.**

DAIANA
Origen: Latino.
Significado: Variante de Diana.
Onomástico: No tiene.
Variantes: **Dayanna.**

DAIRA
Origen: Griego.
Significado: Llena de sabiduría.
Onomástico: No tiene.

DAISY
Origen: Inglés.
Significado: Procede del latín *margarita*, perla, aunque en la actualidad hace alusión al nombre de la flor. Ojos del día.
Onomástico: 23 de febrero.
Variantes: **Daisee, Daisey, Daisi, Daisia, Daisie, Dasey, Dasi, Dasie, Dasy, Daysi, Deisy.**

DAJA
Origen: Francés.
Significado: Antes.
Onomástico: No tiene.
Variantes: **Deja, Dejae, Dajai, Daje, Dahja, Dajia.**

DAKOTA
Origen: Estadounidense.
Significado: Nombre que se forma como gentilicio de una tribu india.
Onomástico: No tiene.
Variantes: **Dakkota, Dakoda, Dakotha, Dakotah, Dakotta, Dekoda, Dekota, Dekotah, Dekotha.**

DALIA
Origen: Escandinavo.
Significado: Proviene de la palabra sueca *Dahi*, que significa valle. Nombre de hermosa flor mexicana.
Onomástico: No tiene.

DALILA
Origen: Hebreo.
Significado: Deriva de *dlikth*, pobreza.
Onomástico: No tiene.

DALINDA
Origen: Escandinavo.
Significado: Variante de Delia.
Onomástico: No tiene.

DALISHA
Origen: Estadounidense.
Significado: Originaria de Dallas.
Onomástico: No tiene.
Variantes: **Dalisa, Dalishea, Dalishia, Dalishya, Dalisia.**

DALLAS
Origen: Irlandés.
Significado: Sabia.
Onomástico: No tiene.
Variantes: **Dalis, Dalise, Dalisha, Dalisse, Dallace, Dallis, Dallus, Dallys, Dalyce, Dalys.**

DALMA
Origen: Latino.
Significado: Variante de Dalmacia.
Onomástico: No tiene.

DALMACIA
Origen: Latino.
Significado: Oriunda de Dalmacia, región occidental de los Balcanes. Femenino de Dalmacio.
Onomástico: No tiene.
Variantes: **Dalma.**

DALMIRA
Origen: Alemán.
Significado: Ilustre por su linaje.
Onomástico: No tiene.

DAMARA
Origen: Griego.
Significado: Niña suave.
Onomástico: No tiene.

DÁMARIS
Origen: Griego.
Significado: Domar, esposa, mujer sumisa.
Onomástico: 4 de octubre.
Variantes: Catalán: **Dáinaris.**

DAMASIA
Origen: Griego.
Significado: La domadora.
Onomástico: No tiene.

DAMIA
Origen: Griego.
Significado: Nombre de una diosa griega.
Onomástico: No tiene.

DAMIANA
Origen: Griego.

Significado: Sumisa, calmada. Femenino de Damián.
Onomástico: No tiene.
Variantes: **Damia, Damiona, Damián, Damon, Daminanna.**

DAMICA
Origen: Francés.
Significado: Amigable.
Onomástico: No tiene.
Variantes: **Dameeka, Damicah, Damicia, Damicka, Damyka.**

DAMITA
Origen: Español.
Significado: Noble mujercita.
Onomástico: No tiene.
Variantes: **Dametia, Dametrah.**

DANA
Origen: Inglés.
Significado: Mujer originaria de Dinamarca. Clara como el día.
Onomástico: No tiene.
Variantes: **Daina, Dainna, Danah, Danan, Danarra, Dane, Danna, Dannya.**

DÁNAE
Origen: Griego.
Significado: Proviene de Daio, nombre de la tierra que es fecundada por la lluvia.
Onomástico: No tiene.

DANALIN
Origen: Estadounidense.
Significado: Combinación de Dana y Lin.
Onomástico: No tiene.

DANELA
Origen: Estadounidense.
Significado: Alternativa de Daniela.
Onomástico: No tiene.
Variantes: **Danayla, Danella, Daniela.**

DANESSA
Origen: Estadounidense.
Significado: Combinación de Daniela y Vanessa.
Onomástico: No tiene.
Variantes: **Danasia, Danesha, Danisa, Danissa.**

DANIA
Origen: Hebreo.
Significado: Daniela.
Onomástico: No tiene.
Variantes: **Daniah, Danja, Dannia, Danya.**

DANIELA
Origen: Hebreo.
Significado: *Dan-i-El*, justicia de Dios.
Onomástico: 8 de agosto y 21 de julio.
Variantes: Catalán: **Daniella.** Vasco: **Danel.** Inglés, francés y alemán: **Danielle.** Italiano: **Daniele.**

DANIELLE
Origen: Hebreo y francés.
Significado: Variante de Daniela.
Onomástico: No tiene.
Variantes: **Daniah, Danja, Dannia, Danya.**

DANIKA
Origen: Eslavo.
Significado: Estrella de la mañana.
Onomástico: No tiene.

DANISA
Origen: Hebreo.
Significado: Variante de Daniela.
Onomástico: No tiene.

DAPHNE
Origen: Griego.
Significado: Árbol de laurel.
Onomástico: No tiene.
Variantes: **Dafne, Daphny, Daphnny.**

DARA
Origen: Hebreo.
Significado: Compasiva.
Onomástico: No tiene.
Variantes: **Dahra, Daira, Darah, Darisa, Darra.**

DARBY
Origen: Irlandés.
Significado: Libre.
Onomástico: No tiene.
Variantes: **Darb, Darbi, Darbie, Darbye.**

DARCI
Origen: Irlandés.
Significado: Oscuridad.
Onomástico: No tiene.

Variantes: **Darcey, Darcie, Darsi.**

DARÍA

Origen: Persa.
Significado: Deriva de *darayavahush*, el que mantiene el bien. Más tarde se latinizó como *Dareus*.
Onomástico: 25 de octubre.
Variantes: Catalán: **Dana**. Francés y alemán: **Dana.**

DARLA

Origen: Inglés.
Significado: Forma corta de Darlen.
Onomástico: No tiene.
Variantes: **Darli, Darlis, Darly.**

DARLANA

Origen: Persa.
Significado: Deriva de *darayavahush*, el que mantiene el bien. Más tarde se latinizó corno *Dareus*.
Onomástico: 25 de octubre.

DARLEN

Origen: Francés.
Significado: Querida.
Onomástico: No tiene.
Variantes: **Darlene, Darla, Darlenia, Darlyn.**

DARNEL

Origen: Inglés.
Significado: Lugar escondido.
Onomástico: No tiene.
Variantes: **Darnell, Darnelle, Darnella, Darnise.**

DARU

Origen: Hindi.
Significado: Árbol de pino.
Onomástico: No tiene.

DARYN

Origen: Griego e irlandés.
Significado: Regalo. Irlandés: Graciosa.
Onomástico: No tiene.
Variantes: **Darin, Daron.**

DASHA

Origen: Ruso y griego.
Significado: Dorotea. Griego: Regalo de Dios.
Onomástico: No tiene.
Variantes: **Daisha, Dashia, Dasiah.**

DASLILKI

Origen: Swahili.
Significado: Nombre de una prenda que se usa en África, como una camisa.
Onomástico: No tiene.

DAVALINDA

Origen: Estadounidense.
Significado: Combinación de Davida y Linda.
Onomástico: No tiene.
Variantes: **Davalynda, Davilinda, Davylinda.**

DAVIDA

Origen: Hebreo.
Significado: Amada. Femenino de David.
Onomástico: No tiene.
Variantes: **Davita, Davetta.**

DAVINA

Origen: Escocés.
Significado: Alternativa de Davida.
Onomástico: No tiene.
Variantes: **Dava, Davinna, Davinah, Devina.**

DAVINIA

Origen: Hebreo.
Significado: Deriva de *dewich*, amado.
Onomástico: 29 de diciembre.

DAYA

Origen: Hebreo.
Significado: Pájaro.
Onomástico: No tiene.

DAYANA

Origen: Latino.
Significado: Contracción de *diviene*, divina.
Onomástico: 10 de junio.

DAYANIRA

Origen: Griego.
Significado: La que despierta grandes pasiones.
Onomástico: No tiene.

DAYANNA

Origen: Latino.
Significado: Variante de Diana.
Onomástico: No tiene.
Variantes: **Dayan.**

DAYNA
Origen: Escandinavo.
Significado: Dana.
Onomástico: No tiene.
Variantes: **Daina, Dainah.**

DEANDRA
Origen: Estadounidense.
Significado: Nombre que se forma con la partícula *dee* y Andrea.
Onomástico: No tiene.

DEANGELA
Origen: Italiano.
Significado: Combinación del prefijo de y Ángela.
Onomástico: No tiene.

DEBBIE
Origen: Hebreo.
Significado: Forma corta de Deborah.
Onomástico: No tiene.
Variantes: **Debbee, Debbey, Debie, Debbi, Debi.**

DÉBORA
Origen: Hebreo.
Significado: Procede de la raíz *dbrh*, abeja.
Onomástico: 21 de septiembre.
Variantes: Gallego: **Déhora.** Asturiano: **Dobra.** Inglés: **Deborah.**

DEBRA
Origen: Hebreo.
Significado: Abeja.
Onomástico: 21 de septiembre.
Variantes: Catalán: **Dèhora.** Gallego: **Débara.** Asturiano: **Dobra.** Inglés: **Deborah.**

DEIDAMIA
Origen: Griego.
Significado: La que es paciente al combatir.
Onomástico: No tiene.

DEIDRA
Origen: Irlandés.
Significado: Penosa.
Onomástico: No tiene.
Variantes: **Deidre, Dedra, Diedra, Didi.**

DEITRA
Origen: Griego.
Significado: Forma corta de Demetria.
Onomástico: No tiene.

DÉJA
Origen: Francés.
Significado: Antes.
Onomástico: No tiene.
Variantes: **Déjah, Dejae.**

DEJANIRA
Origen: Griego.
Significado: Destructora de hombres.
Onomástico: No tiene.
Variantes: Italiano: **Deianira.**

DEKA
Origen: Africano.
Significado: Complaciente.
Onomástico: No tiene.
Variantes: **Dekah.**

DELANA
Origen: Alemán.
Significado: Noble protectora.
Onomástico: No tiene.
Variantes: **Dlana, Dalanna, Dalena, Dalenna, Delina.**

DELFINA
Origen: Griego.
Significado: Nombre femenino del cetáceo.
Onomástico: No tiene.
Variantes: **Delfeena, Delfyna.**

DELIA
Origen: Griego.
Significado: Deriva del sobrenombre de Artemisa, Diana, por haber nacido al igual que su hermano Apolo, en la isla de Delos.
Onomástico: 14 de julio y 22 de octubre.
Variantes: **Adela, Adelaida, Cordelia.** Asturiano: **Dela.** Francés: **Deba.**

DELICIA
Origen: Inglés.
Significado: Deliciosa. El gozo, mujer agradable.
Onomástico: No tiene.
Variantes: **Delsha, Delice, Delishia.**

DELICIAS
Origen: Latino.
Significado: Nombre de advocación mariana que alude a la alegría de la Virgen.
Onomástico: 31 de mayo.

DELMA
Origen: Alemán.
Significado: Variante de Edelmira.
Onomástico: No tiene.

DELMIRA
Origen: Alemán.
Significado: De noble estirpe.
Onomástico: No tiene.

DELTA
Origen: Griego.
Significado: Puerta. Letra del alfabeto griego.
Onomástico: No tiene.
Variantes: **Deltora, Deltra, Delte.**

DEMÉTER
Origen: Griego.
Significado: En la mitología, hermana de Zeus, diosa de la fertilidad y la agricultura.
Onomástico: No tiene.
Variantes: Catalán: **Démeter.**

DEMETRIA
Origen: Griego.
Significado: Procede de Dernérrios. Consagrado a Deméter. Ésta era diosa de la agricultura y de la abundancia en general.
Onomástico: 21 de junio.
Variantes: Vasco: **Demetire.** Asturiano: **Denietria.** Francés: **Démotrie.** Italiano: **Demetria.**

DEMI
Origen: Griego y francés.
Significado: Forma corta de Demetria. Francés: Mitad.
Onomástico: No tiene.
Variantes: **Demiah, Demia, Demmy.**

DENISE
Origen: Griego.
Significado: Dios-Nysa, el dios de Nysa. Nysa era una pequeña localidad egipcia. Variante de Dionisia.
Onomástico: 15 de mayo y 6 de diciembre.
Variantes: Catalán: **Dionisia.** Vasco: **Dunixe.** Asturiano: **Nisia, Misa, Donisia.** Francés, alemán e italiano: **Denise, Denis.**

DEOLINDA
Origen: Griego.
Significado: Variante de Teodolinda.
Onomástico: No tiene:

DEONILDE
Origen: Alemán.
Significado: La que combate.
Onomástico: No tiene.

DERIKA
Origen: Alemán.
Significado: Ejemplo por seguir. Femenino de Derek.
Onomástico: No tiene.
Variantes: **Dereka, Derekia, Derica, Dericka, Derrica, Derrika, Derricka.**

DERORA
Origen: Hebreo.
Significado: Riachos caudalosos.
Onomástico: No tiene.

DERRY
Origen: Irlandés.
Significado: Cabeza roja.
Onomástico: No tiene.
Variantes: **Deri, Derie.**

DERYN
Origen: Galés.
Significado: Pájaro.
Onomástico: No tiene.
Variantes: **Derin, Derien, Deron, Derrin, Derriona.**

DESDÉMONA
Origen: Griego.
Significado: La desdichada, la desposeída. Heroína de Otelo, drama de Shakespeare.
Onomástico: No tiene.

DESIDERIA
Origen: Latino.
Significado: Proviene del adjetivo *desiderius*, deseable.
Onomástico: 11 de febrero y 23 de mayo.

DESIREE
Origen: Latino.
Significado: Proviene del adjetivo *desiderius*, deseable.
Onomástico: 23 de mayo.

DESTA
Origen: Etíope.
Significado: Feliz.
Onomástico: No tiene.
Variantes: **Desti, Destie, Desty.**

DESTINY
Origen: Francés.
Significado: Destino, fe.
Onomástico: No tiene.
Variantes: **Destin, Destinee, Destonie, Destini.**

DEVA
Origen: Hindi.
Significado: Divina. Diosa hindú de la Luna.
Onomástico: No tiene.
Variantes: **Deeva.**

DEVI
Origen: Hindi.
Significado: Diosa. Diosa del poder y la destrucción.
Onomástico: No tiene.

DEVOTA
Origen: Latino.
Significado: Consagrada a Dios.
Onomástico: No tiene.

DEXTRA
Origen: Latino.
Significado: Hábil, muy inteligente.
Onomástico: No tiene.
Variantes: **Dekstra, Dextria.**

DI
Origen: Latino.
Significado: Forma corta de Diana.
Onomástico: No tiene.

DIAMANTE
Origen: Latino.
Significado: Piedra preciosa.
Onomástico: No tiene.
Variantes: **Diamantina, Diamon, Diamonda, Diamonte, Diamontina.**

DIAMANTINA
Origen: Latino.
Significado: Proviene del adjetivo *adalflanhinus*, diamantino, que puede interpretarse como claro, precioso.
Onomástico: 1 de noviembre.
Variantes: Asturiano: **Tina (Manlina).**

DIANA
Origen: Latino.
Significado: Es una contracción de Diviana, divina. En la mitología, diosa de la caza, la Luna y la fertilidad.
Onomástico: 10 de junio.
Variantes: **Daiana, Dayana, Diane, Dianca, Diania, Di, Didi.**

DIANTHA
Origen: Griego.
Significado: Flor divina.
Onomástico: No tiene.
Variantes: **Dianthe.**

DICTINA
Origen: Griego.
Significado: En la mitología, Diclina era la diosa del mar que recibía culto en Creta.
Onomástico: 2 de junio.

DIELLA
Origen: Latino.
Significado: Que adora a Dios.
Onomástico: No tiene.

DIGNA
Origen: Latino.
Significado: Femenino de *Dignus*, merecedor de algo, digno. Adjetivo derivado de *decet*, conviene.
Onomástico: 14 de junio.
Variantes: Vasco: **Dine.**

DILAN
Origen: Irlandés.
Significado: Leal, muy fiel.
Onomástico: No tiene.
Variantes: **Dillan, Dillon, Dillyn.**

DILYS
Origen: Galés.
Significado: Perfecta, honesta.
Onomástico: No tiene.

DIMNA
Origen: Irlandés.
Significado: Conveniente.
Onomástico: 15 de mayo.

DIMPNA
Origen: Irlandés.
Significado: Ciervo pequeño, venadito.
Onomástico: No tiene.

DINA
Origen: Hebreo.
Significado: Nombre femenino de Dan.
Onomástico: 4 de septiembre.
Variantes: Inglés: **DINAH.** Francés: **DINE.**

DINORAH
Origen: Hebreo.
Significado: Nombre que puede tener su origen en el antiguo arameo.
Onomástico: No tiene.

DIOMIRA
Origen: Griego.
Significado: Variante de Teodomira.
Onomástico: No tiene.

DIONISIA
Origen: Griego.
Significado: *Dios-Nysa*, el dios de Nysa. Nysa era una pequeña localidad egipcia.
Onomástico: 15 de mayo, 6 y 12 de diciembre.
Variantes: Vasco: **DIONI, DUNIXE.** Asturiano: **NISIA, NISA.** Francés, alemán e italiano: **DENISE.**

DIONNA
Origen: Griego.
Significado: Divina reina. En la mitología, madre de Afrodita diosa del amor.
Onomástico: No tiene.
Variantes: **DEONA, DEONDRA, DEONIA, DIONA, DIONDRA.**

DIOR
Origen: Francés.
Significado: Oro.
Onomástico: No tiene.
Variantes: **DIORA, DIORE, DIORRA, DIOREE.**

DISA
Origen: Escandinavo.
Significado: De espíritu activo.
Onomástico: No tiene.

DITA
Origen: Español.
Significado: Forma corta de Edith.
Onomástico: No tiene.
Variantes: **DITKA, DITTA.**

DIVINA
Origen: Latino.
Significado: Advocación mariana, Nuestra Señora de la Divina Gracia y Nuestra Señora de la Divina Pastora.
Onomástico: 23 de julio (Nuestra Señora de la Divina Gracia) y sábado de la tercera semana de Pascua (Nuestra Señora de la Divina Pastora).

DIVINIA
Origen: Latino.
Significado: Divina.
Onomástico: No tiene.
Variantes: **DEVINA, DEVINIA, DEVINIE, DEVINNA, DYVIA.**

DIXIE
Origen: Francés e inglés.
Significado: Décima. Inglés: Pared.
Onomástico: No tiene.
Variantes: **DIX, DIXEE, DIXI, DIXY.**

DIYA
Origen: Hindi.
Significado: De personal resplandeciente.
Onomástico: No tiene.

DIZA
Origen: Hebreo.
Significado: Afortunada.
Onomástico: No tiene.
Variantes: **DITZA, DITZAH, DIZAH.**

DOLLY
Origen: Estadounidense.
Significado: Forma corta de dolores.
Onomástico: No tiene.
Variantes: **DOL, DOLL, DOLLEE, DOLLEY, DOLLI.**

DOLORES
Origen: Latino.
Significado: Advocación mariana de la Virgen de los Dolores.
Onomástico: Viernes de Dolores (el anterior a Semana Santa) y 16 de septiembre.

Variantes: Catalán: **Dolors.** Vasco: **Nekane.** Gallego: **Dóres.** Asturiano: **Dolora.** Francés: **Dolorús.** Italiano: **Addolorata.**

DOMÉNICA

Origen: Italiano.
Significado: Relativo al domingo, consagrada a Dios.
Onomástico: No tiene.

DOMINGA

Origen: Latino.
Significado: De *dominicus*, nacida en domingo o consagrada a Dios.
Onomástico: 6 de julio.
Variantes: Vasco: **Txorneka.**

DOMINICA

Origen: Latino.
Significado: Nacida en domingo.
Onomástico: 6 de julio.
Variantes: Catalán: **Domínica.** Vasco: **Domikene, Dominixe.** Italiano: **Domenica, Domikene.**

DOMINIQUE

Origen: Francés.
Significado: Variación de Doménica y Dominga. Se pronuncia «Dominic».
Onomástico: No tiene.

DOMITILA

Origen: Latino.
Significado: Deriva de *donius*, casa, con el significado de hogareño.
Onomástico: 12 de mayo.
Variantes: Vasco: **Domitille.**

DOMNINA

Origen: Latino.
Significado: Señor, amo.
Onomástico: 12 de octubre.

DONAJÍ

Origen: Zapoteca.
Significado: Será amada.
Onomástico: No tiene.

DONATA

Origen: Latino.
Significado: Procede de *donatus*, dado, regalado.
Onomástico: 17 de julio y 31 de diciembre.
Variantes: Vasco: **Donate.** Gallego: **Doada, Donina.** Italiano: **Donate, Donatella.**

DONATILA

Origen: Latino.
Significado: Procede de *donatus*, dado, regalado.
Onomástico: 30 de julio.
Variantes: Catalán: **Donatilia.** Vasco: **Donatille.** Italiano: **Donatilla.**

DONINA

Origen: Latino.
Significado: Don de Dios, regalo de Dios.
Onomástico: No tiene.

DONNA

Origen: Italiano.
Significado: Señora.
Onomástico: No tiene.
Variantes: **Dona, Donni, Donia.**

DONOSA

Origen: Latino.
Significado: La que tiene gracia y donaire.
Onomástico: No tiene.

DONVINA

Origen: Alemán.
Significado: Nombre latinizado a partir de una forma germánica que significa vigorosa.
Onomástico: 23 de agosto.

DOÑA

Origen: Italiano.
Significado: Señora, dama.
Onomástico: No tiene.
Variantes: **Donia, Donna.**

DORA

Origen: Griego.
Significado: Deriva de *doron*, don. También puede dársele el significado de bienaventurada, dichosa. Puede ser variante de Auxiliadora, Dorotea y Teodora.
Onomástico: 6 de febrero.
Variantes: Catalán: **Dora.** Asturiano: **Sidora.** Inglés: **Doris.** Francés, alemán e italiano: **Dorina.**

DORALISA

Origen: Estadounidense.

Significado: Compuesto de Dora y Lisa.
Onomástico: No tiene:

DORANA
Origen: Estadounidense.
Significado: Compuesto de Dora y Ana.
Onomástico: No tiene.

DORCAS
Origen: Griego.
Significado: Gacela.
Onomástico: No tiene.

DORELIA
Origen: Estadounidense.
Significado: Compuesto de Dora y Delia.
Onomástico: No tiene.

DORIA
Origen: Griego.
Significado: Originaria de Doris, Grecia.
Onomástico: No tiene.
Variantes: **Dori, Dorin.**

DORINDA
Origen: Español.
Significado: Alternativa de Doria.
Onomástico: No tiene.

DORIS
Origen: Griego.
Significado: Deriva de *doron*, don. También puede dársele el significado de bienaventurada, dichosa. Puede ser variante de Auxiliadora, Dorotea y Teodora.
Onomástico: 5 de junio.

DOROTEA
Origen: Griego.
Significado: Deriva de *doron-theos*, don de Dios.
Onomástico: 6 de febrero y 3 de septiembre.
Variantes: Vasco: **Dorote.** Inglés: **Dorothy, Dorothea.** Francés: **Dorothée.**

DREW
Origen: Griego.
Significado: Mujer con coraje, valiente.
Onomástico: No tiene.
Variantes: **Dru, Drue.**

DRINKA
Origen: Español.
Significado: Alternativa de Alexandra.
Onomástico: No tiene.
Variantes: **Drina.**

DRUSILA
Origen: Latino.
Significado: Descendiente de Drusus el fuerte.
Onomástico: No tiene.
Variantes: **Drusilla, Drucella, Drusi.**

DRUSILLA
Origen: Latino.
Significado: Descendiente de Drusus.
Onomástico: No tiene.

DULCE
Origen: Latino.
Significado: Deriva de *dulcis*, dulce, agradable. El nombre completo suele ser Dulce Nombre de María.
Onomástico: 12 de septiembre.
Variantes: Catalán: **Dolça.** Vasco: **Liztizen, Gozo.** Inglés: **Dulcie.**

DULCINEA
Origen: Español.
Significado: Nombre de un personaje de *El Quijote de La Mancha*, que sugiere relación con dulce.
Onomástico: No tiene.

DUNA
Origen: Alemán.
Significado: Colina.
Onomástico: 24 de octubre.

DUNI
Origen: Ruso.
Significado: Colina.
Onomástico: No tiene.

DUNIA
Origen: Ruso.
Significado: Nombre bastante frecuente en Rusia y en los países árabes, que significa mundo.
Onomástico: 24 de octubre.
Variantes: Catalán: **Dtinia.**

DUSCHA
Origen: Ruso.
Significado: Espíritu divino.
Onomástico: No tiene.

DUSTINA
Origen: Alemán e inglés.
Significado: Peleadora valiente. Inglés: Roca café.
Onomástico: No tiene.
Variantes: **Dusti, Dustin, Dustyn.**

DYAN
Origen: Latino.
Significado: Variante de Diana.
Onomástico: No tiene.

DYLAN
Origen: Galés.
Significado: Mar.
Onomástico: No tiene.

DYLLIS
Origen: Galés.
Significado: Sincera.
Onomástico: No tiene.

DYMPNA
Origen: Irlandés.
Significado: Conveniente.
Onomástico: 15 de mayo.

Nombres compuestos que deben ir precedidos por otro nombre que indique el sexo:

DE DIOS
DE LA CRUZ
DE LA PAZ
DE LOS ÁNGELES
DEL CARMEN
DEL CORAZÓN DE JESÚS
DEL LUJÁN
DEL MILAGRO
DEL PILAR
DEL ROSARIO
DEL SAGRADO CORAZÓN DE JESÚS
DEL VALLE

EARTA

Origen: Inglés.
Significado: Tierra.
Onomástico: No tiene.
Variantes: **EARTHA.**

ÉBANO

Origen: Griego.
Significado: Madera oscura.
Onomástico: No tiene.
Variantes: **EBONY, EBANY, ABONY, EBAN, EBENI.**

EBBA

Origen: Alemán.
Significado: Poderosa.
Onomástico: 24 de agosto.

EBE

Origen: Griego.
Significado: Juvenil como una flor.
Onomástico: No tiene.
Variantes: **HEBE.**

EBER

Origen: Alemán.
Significado: Fuerte, aguerrida.
Onomástico: No tiene.

ECHO

Origen: Griego.
Significado: Eco. En la mitología, una de las ninfas, la cual suspiraba por Narciso.
Onomástico: No tiene.

EDA

Origen: Irlandés o inglés.
Significado: Forma corta de Edana. Mujer luchadora.
Onomástico: No tiene.
Variantes: **EDDA.**

EDANA

Origen: Irlandés.
Significado: Llama o flama ardiente.
Onomástico: No tiene.
Variantes: **EDA, EDAN, EDANNA.**

EDELIA

Origen: Griego.
Significado: De eterna juventud.
Onomástico: No tiene.

EDELMIRA

Origen: Alemán.
Significado: De noble estirpe.
Onomástico: 1 de noviembre.
Variantes: **EDELIA, EDELMA.** Asturiano: **DELMIRA.**

EDELWEISS

Origen: Alemán.
Significado: Deriva de *athal*, noble, y *weiss*, blanco. Nombre de una flor alpina.
Onomástico: No tiene.

EDÉN

Origen: Asirio y hebreo.
Significado: Pradera. Hebreo: Deleite. En la *Biblia*: Paraíso terrenal.
Onomástico: No tiene.
Variantes: **EDE, ELENA, EDENIA, EDIN, EDYN.**

EDGARDA

Origen: Alemán.
Significado: Femenino de Edgardo, el que defiende con lanza sus bienes y su tierra.

Onomástico: No tiene.

EDILIA

Origen: Griego.
Significado: La agradable, la dulce. Que es como una estatua.
Onomástico: No tiene.

EDIT

Origen: Alemán.
Significado: Rica, que tiene posesiones y dominios.
Onomástico: No tiene.

EDITA

Origen: Inglés.
Significado: Deriva de *cad*, riqueza, y *gyth*, lucha, o sea, lucha por la riqueza.
Onomástico: 16 de septiembre.
Variantes: Catalán: **EDITA.** Asturiano: **EITA.** Inglés, francés, alemán e italiano: **EDITH.**

EDITH

Origen: Inglés.
Significado: Nombre que deriva de *cad*, riqueza, y *gyth*, lucha, o sea, lucha por la riqueza. Mujer opulenta y poderosa.
Onomástico: 9 de agosto.

EDNA

Origen: Hebreo y alemán.
Significado: Rejuvenecer. En la *Biblia*, esposa de Enoch. Alemán: Significa gloria, victoria.
Variantes: **ADNA, ADNISHA, EDNAH, EDNITHA, EDYTA.** Catalán, francés, alemán e italiano: **EDDA.**

EDRIA

Origen: Hebreo.
Significado: Poderosa.
Onomástico: No tiene.

EDUARDA

Origen: Alemán.
Significado: Femenino de Eduardo, guardián atento de su feudo.
Onomástico: No tiene.

EDURNE

Origen: Vasco.
Significado: Equivalente de Nieves.
Onomástico: 9 de agosto.

EDUWIGES

Origen: Alemán.
Significado: Derivado de *hrodwiga*, luchadora victoriosa.
Onomástico: 16 de octubre.
Variantes: Vasco: **EDUBIGE.** Gallego: **EDUVIXES.** Inglés: **EDWIG.** Francés: **EDWIGE.** Alemán: **HADWIG.** Italiano: **EDVIGE.**

EDWINA

Origen: Inglés.
Significado: Amiga próspera.
Onomástico: No tiene.

EFFIA

Origen: Africano.
Significado: Nacida en viernes.
Onomástico: No tiene.

EFFIE

Origen: Griego e inglés.
Significado: Proviene de *eu-phemi*, de buena palabra, elocuente, bien hablada. Inglés: Forma corta de Alfreda o Eufemia.
Onomástico: 16 de septiembre.
Variantes: **EFFI, EFFIA, EFFY, EPHIE.**

EGDA

Origen: Griego.
Significado: Escudera.
Onomástico: No tiene.

EGERIA

Origen: Griego.
Significado: Deriva de *egeiro*, excitar, mover.
Onomástico: 18 de agosto.
Variantes: Catalán: **EGÈRIA.**

EGIDIA

Origen: Griego.
Significado: Femenino de Egidio, guerrero con escudo de piel de cabra.
Onomástico: No tiene.

EGIPCÍACA

Origen: Latino.
Significado: Antiguo remedio preparado con mieles y flores.
Onomástico: No tiene.

EGLÉ

Origen: Griego.
Significado: En la mitología, esposa de Helios y madre de las gracias.

Deriva de *aglaya*. Mujer espléndida.
Onomástico: No tiene.

EIDER
Origen: Vasco.
Significado: Variante de *eder*, que significa bella.
Onomástico: No tiene.

EILEEN
Origen: Irlandés.
Significado: Variante de Elena, que deriva del griego *hélene*, antorcha brillante.
Onomástico: 18 de agosto.

EIRA
Origen: Escandinavo.
Significado: Diosa protectora de la salud en la mitología.
Onomástico: No tiene.

EIRENE
Origen: Griego.
Significado: Paz.
Onomástico: No tiene.

EKATERINA
Origen: Ruso.
Significado: Catarina.
Onomástico: No tiene.
Variantes: **EKATERINI.**

ELA
Origen: Polaco y alemán.
Significado: Alternativa de Helena. Alemán: La noble.
Onomástico: No tiene.

ELADIA
Origen: Griego.
Significado: Femenino de Eladio, el que vino de Grecia.
Onomástico: No tiene.

ELAINE
Origen: Francés.
Significado: Variante de Elena.
Onomástico: No tiene.

ELAIS
Origen: Griego.
Significado: Originaria de Elam.
Onomástico: No tiene.

ELAL
Origen: Tehuelche.
Significado: Nombre del héroe mítico *Aónikenk*. Debe acompañarse con otro nombre que indique sexo.
Onomástico: No tiene.

ELANA
Origen: Griego.
Significado: Alternativa de Leonor.
Onomástico: No tiene.
Variantes: **ELAN, ELANEE, ELANEY, ELANI, ELANIA, ELANNA, ELAYNA.**

ELBA
Origen: Alemán.
Significado: Derivado de *alb*, elfo. Formas albeadas de niebla.
Onomástico: 2 de abril.

ELBERTA
Origen: Inglés.
Significado: Alternativa de Alberta.
Onomástico: No tiene.
Variantes: **ELBERTHA, ELBERTHINA, ELBERTHINE, ELBERTINA.**

ELBIA
Origen: Celta.
Significado: Que proviene de la montaña.
Onomástico: No tiene.

ELCIRA
Origen: Alemán.
Significado: De la nobleza.
Onomástico: No tiene.
Variantes: **ALCIRA.**

ELDA
Origen: Alemán.
Significado: La que batalla. Mujer que pelea.
Onomástico: No tiene.
Variantes: **HELDA.**

ELDORA
Origen: Español.
Significado: Oro.
Variantes: **ELDOREE, ELDOREY, ELDORI, ELDORIA, ELDORY.**

ELEA
Origen: Griego.
Significado: Habitante de Elea, antigua ciudad de Italia que fue la cuna de la filosofía griega.
Onomástico: No tiene.

ELEANA
Origen: Hebreo.
Significado: Variante de Eliana.

Onomástico: No tiene.

ELEANORA

Origen: Griego.
Significado: Luz.
Onomástico: No tiene.
Variantes: **Eleonora, Elana, Elabora, Elena, Eleni, Elenor, Elenorah, Elynora.**

ELECTRA

Origen: Griego.
Significado: Deriva de *elektron*, brillante, resplandor. En la mitología, hija de Agamenón. Blanca como el ámbar.
Onomástico: No tiene.
Variantes: Francés: **Electre.** Alemán: **Elektra.** Italiano: **Elettra.**

ELENA

Origen: Griego.
Significado: Deriva de *hélene*, antorcha brillante. Hermosa como el Sol.
Onomástico: 18 de agosto.
Variantes: Catalán: **Elen, Elena, Helena.** Vasco: **Elene.** Gallego: **Helena.** Asturiano: **Lena.** Inglés: **Hellen.** Francés: **Héllène.**

ELEODORA

Origen: Griego.
Significado: Femenino de Eleodoro, como *Elios*-Sol. La que vino del Sol.
Onomástico: No tiene.

ELEONOR

Origen: Galés y hebreo.
Significado: Adaptación del nombre Leonorius, que probablemente sea una derivación de León. Hebreo: El señor es mi luz.
Onomástico: 22 de febrero.
Variantes: **Eleonora, Leonor.** Catalán: **Elionor, Elionora.** Vasco: **Lonore.** Inglés: **Eleanor.** Alemán: **Leonore.**

ELEORA

Origen: Hebreo.
Significado: El Señor es mi luz.
Onomástico: No tiene.
Variantes: **Eliora, Elira, Elora.**

ELEUTERIA

Origen: Griego y latino.
Significado: Tiene su origen en el *eleutherion*, fiesta griega en honor de Zeus Liberador. Latino: Los romanos adoptaron el nombre bajo la forma de Eleutheria, que significa libertad.
Onomástico: 18 de abril y 8 de agosto.

ELEXIS

Origen: Griego.
Significado: Alternativa de Alexis.
Onomástico: No tiene.
Variantes: **Elexas, Elexes, Elexess, Alexia, Elexiah.**

ELFRIDA

Origen: Alemán.
Significado: Mujer de gran paz.
Variantes: **Elfrea, Elfreda, Elfredda, Elfreyda, Elfryda.**

ELGA

Origen: Noruego y alemán.
Significado: Piadosa. Alemán: Alternativa de Helga.
Onomástico: No tiene.
Variantes: **Elgiva.**

ELIA

Origen: Hebreo.
Significado: Procede de Eliyyah, forma simplificada de *El-Yahveh*, mi Dios es Yahvé.
Onomástico: 20 de junio.
Variantes: Francés: **Élie.**

ELIANA

Origen: Hebreo.
Significado: Procede de Eliyyah, forma apocopada de *El-Yahveh*, mi Dios es Yahvé.
Onomástico: 20 de junio.
Variantes: Francés: **Élianne.**

ELIDE

Origen: Griego.
Significado: Gentilicio del valle de Elide, en el Peloponeso. Natural de Elide.
Onomástico: No tiene.
Variantes: **Elida.**

ELIDIA

Origen: Griego.
Significado: Gentilicio de Helis, de

la zona del Peloponeso.
Onomástico: 25 de enero.

ELINA
Origen: Griego.
Significado: Pura. Derivado de Elena. Aurora.
Onomástico: No tiene.
Variantes: **Elin.**

ELINDA
Origen: Alemán.
Significado: Bella lancera.
Onomástico: No tiene.

ELISA
Origen: Hebreo.
Significado: Proviene de *El-yasa,* Dios ha ayudado. Consagrada al Señor.
Onomástico: 5 de diciembre.
Variantes: **Elis.** Vasco: **Elixa. Elixi.** Asturiano: **Lisa.** Inglés: **Eliza.** Francés: **Elise.** Alemán: **Ilse.** Italiano: **Lisa.**

ELÍSABET
Origen: Hebreo.
Significado: Derivado de *El-zabad.* Dios da.
Onomástico: 17 de noviembre.
Variantes: Vasco: **Elisahete.** Inglés y francés: **Elizabeth.** Italiano: **Elisabetta.**

ELISABETH
Origen: Hebreo.
Significado: Consagrada al Señor.
Onomástico: No tiene.
Variantes: **Elizabeth.**

ELISEA
Origen: Hebreo.
Significado: Femenino de Eliseo. Dios es salvación, protege mi salud.
Onomástico: No tiene.

ELISENDA
Origen: Hebreo.
Significado: Proviene de *El-yuca,* Dios ha ayudado. En realidad, es una variante de Elisa.
Onomástico: 8 de febrero.

ELKA
Origen: Polaco.
Significado: Elizabeth.
Onomástico: No tiene.
Variantes: **Ilsa.**

ELKE
Origen: Alemán.
Significado: Equivalente de Adelina y Alicia.
Onomástico: 24 de diciembre.

E

ELLA
Origen: Inglés.
Significado: Hermosa, mujer afortunada.
Onomástico: No tiene.
Variantes: **Elle, Ellah, Ellia.**

ELLEN
Origen: Griego.
Significado: Deriva de Helene, resplandeciente. Forma inglesa de Elena.
Onomástico: 18 de agosto.
Variantes: Catalán: **Elena, Helena.** Vasco: **Ele.** Gallego: **Helena.** Asturiano: **Lena.** Inglés: **Ellen, Helen, Helena.** Francés: **Hèléne.** Italiano: **Elena.**

ELMA
Origen: Turco.
Significado: Fruta dulce.
Onomástico: No tiene.

ELMIRA
Origen: Árabe y español.
Significado: Alternativa de Almira.
Onomástico: No tiene.

ELODIA
Origen: Alemán.
Significado: Melodía. La más opulenta de la región.
Onomástico: No tiene.
Variantes: **Elodie, Elody.**

ELOÍNA
Origen: Español y alemán.
Significado: Es una forma castellana del francés Héloise, que a su vez deriva del alemán Helewides, sano.
Onomástico: 1 de diciembre.

ELOÍSA
Origen: Español y alemán.
Significado: Es una forma castellana del francés Héloise, que a su vez deriva del alemán Helewides, sano.
Onomástico: 1 de diciembre.
Variantes: Vasco: **Eloie.** Inglés: **He-**

LEWISE. Francés: **HÉLOISE.**

ELORA

Origen: Estadounidense.
Significado: Nombre que se forma por la unión de Ella y Nora.
Onomástico: No tiene.

ELPIDIA

Origen: Griego.
Significado: Femenino de Elpidio, el que espera con fe, vive esperanzado.
Onomástico: No tiene.

ELSA

Origen: Hebreo.
Significado: Derivado de *El-robad,* Dios da.
Onomástico: 4 de enero.
Variantes: Vasco: **ELSIE.** Gallego: **ELISA.** Asturiano: **ALSINA.** Francés: **ELSE.** Inglés: **ELSY.**

ELSBETH

Origen: Alemán.
Significado: Alternativa de Elizabeth.
Onomástico: No tiene.
Variantes: **ELSBET, ELZBET, ELZBIETA.**

ELSIRA

Origen: Latino.
Significado: Variante de Alcira.
Onomástico: No tiene.

ELSY

Origen: Inglés.
Significado: Diminutivo de Elsa.
Onomástico: No tiene.

ELVA

Origen: Inglés.
Significado: Duende, encantadora.
Onomástico: No tiene.
Variantes: **ELVIA, ELVIE.**

ELVIA

Origen: Alemán.
Significado: Podría traducirse como la que tiene cabello rubio.
Onomástico: No tiene.

ELVIRA

Origen: Alemán y árabe.
Significado: Deriva de *ethel-wine,* noble guardiana. Árabe: Princesa.
Onomástico: 25 de enero.
Variantes: Vasco: **ELBIR.** Asturiano: **ALVIRA.** Francés: **ELVIRE.**

ELVISA

Origen: Alemán.
Significado: Deriva de *mod-wig,* glorioso en la batalla. Forma femenina de Luis.
Onomástico: 25 de agosto.

ELY

Origen: Hebreo.
Significado: Elevación.
Onomástico: No tiene.

ELYANE

Origen: Hebreo.
Significado: Dios me escucha.
Onomástico: No tiene.

ELYSIA

Origen: Griego.
Significado: Dulce. En la mitología, lugar donde habitan las almas felices.
Onomástico: No tiene.
Variantes: **ELISE, ELISHIA, ELLICIA, ELYCIA, ELYSSA, ILYSIA.**

EMA

Origen: Alemán.
Significado: Poderosa, universal.
Onomástico: No tiene.
Variantes: **EMMA, EMNA.**

EMALIA

Origen: Latino.
Significado: Coqueta.
Onomástico: No tiene.

EMANUELA

Origen: Hebreo.
Significado: Alternativa de Emmanuele.
Onomástico: No tiene.

EMANUELLE

Origen: Hebreo.
Significado: Dios con nosotros.
Onomástico: No tiene.
Variantes: **EMANUAL, EMANUEL, EMANUELA, EMANUELLA.**

EMBER

Origen: Francés e inglés.
Significado: Forma alternativa de Amber. Inglés: Ámbar.
Onomástico: No tiene.

EMELIA
Origen: Alemán.
Significado: Derivado de Amal, trabajo.
Onomástico: 30 de mayo.

EMELINA
Origen: Alemán.
Significado: Hipocorístico de *emelia,* nombre derivado de *amal,* trabajo.
Onomástico: 27 de octubre.

EMERENCIANA
Origen: Griego.
Significado: Nombre derivado de Emerio, que puede interpretarse como dulce, agradable.
Onomástico: 23 de enero.

EMÉRITA
Origen: Latino.
Significado: Deriva de *emérito,* que ha cumplido su servicio.
Onomástico: 22 de septiembre.

EMERY
Origen: Alemán.
Significado: Líder empresarial.
Onomástico: No tiene.
Variantes: **EMERI, EMERGE.**

EMILCE
Origen: Latino.
Significado: Variante de Emilia.
Onomástico: No tiene.

EMILIA
Origen: Latino.
Significado: *Aemilius* que deriva de *Cesnulus,* adversario, era el nombre de una ilustre gens romana. Laboriosa y audaz.
Onomástico: 24 de agosto.
Variantes: Vasco: **EMULE, MILIA.** Asturiano: **MILIO.** Inglés: **EMILY.** Francés: **EMILE.**

EMILIANA
Origen: Latino.
Significado: De *Aemilianus,* de la familia de Emilio.
Onomástico: 30 de junio.
Variantes: Vasco: **EMILINE.** Francés: **EMILIENNE.**

EMILY
Origen: Latino.
Significado: Halagadora.
Onomástico: No tiene.
Variantes: **EM, EMELY, EMILEY, EMILLI, EMMI, EMMY.**

EMMA
Origen: Alemán.
Significado: Forma corta de Emmanuela y de otros nombres con la raíz *ermín.* Su significado sería fuerza.
Onomástico: 2 de enero.
Variantes: **IMNIA.**

EMMANUELA
Origen: Hebreo.
Significado: Procede de *cimnanu-El,* Dios con nosotros.
Onomástico: 1 de enero.
Variantes: Italiano: **EMNIANUELA.**

EMMY
Origen: Alemán.
Significado: Alternativa de Emma.
Onomástico: No tiene.

EMPERATRIZ
Origen: Latino.
Significado: La que es soberana.
Onomástico: No tiene.

ENA
Origen: Irlandés.
Significado: Nombre que es diminutivo de Aithna. La que es prudente en la lucha.
Onomástico: 1 de noviembre.

ENARA
Origen: Vasco.
Significado: Golondrina.
Onomástico: 1 de noviembre.

ENCARNACIÓN
Origen: Latino.
Significado: Conmemora la encarnación del hijo de dios en la Virgen María.
Onomástico: 25 de marzo.
Variantes: Vasco: **GIXANE, GIZANE, MAITE, GIZAKUNDE.** Asturiano: **ENCARNA.**

ENDIKE
Origen: Vasco.
Significado: Variante de Enriqueta.
Onomástico: No tiene.

ENEDINA
Origen: Latino o Griego.
Significado: Gentilicio latino de la ciudad de Venecia, ya que antiguamente se llamaba Henetio; o del griego *enedynos*, que significa complaciente.
Onomástico: 14 de mayo.

ENEIDA
Origen: Griego.
Significado: Merecedora de alabanza. Poema de Virgilio.
Onomástico: No tiene.

ENGRACIA
Origen: Latino.
Significado: Favorecida por Dios.
Onomástico: 13 de febrero y 16 de abril.
Variantes: Vasco: **GEAXI, INGARTZE, XAXI.** Asturiano: **GRACIA.** Inglés: **GRACE.** Francés: **GRACE.** Alemán: **ENGRATIA.** Italiano: **GRAZIA, GRAZIELLA.**

ENID
Origen: Galés.
Significado: Vida, espíritu.
Onomástico: No tiene.

ENIMIA
Origen: Griego.
Significado: Bien vestida.
Onomástico: 6 de octubre.

ENMA
Origen: Hebreo.
Significado: Se forma como diminutivo de Emmanuela, que procede de Emmanuel, Dios con nosotros.
Onomástico: 1 Y 22 de enero.
Variantes: Gallego: **EMMA.**

ENMANUELA
Origen: Hebreo.
Significado: Procede de Emmanuel, Dios con nosotros.
Onomástico: 1 y 22 de enero.
Variantes: Francés: **EMANUELLE.** Italiano: **EMANUELA.**

ENNATA
Origen: Griego.
Significado: Novena.
Onomástico: 13 de noviembre.

ENRICA
Origen: Español.
Significado: Forma corta de Enriqueta.
Onomástico: No tiene.
Variantes: **ENRIELA, ENRRIETA, ENRIKA, ENRIQUA, ENRIQUETTA.**

ENRIQUETA
Origen: Alemán.
Significado: De *heirn-richrn*, dueña de su casa.
Onomástico: 13 de julio.
Variantes: Vasco: **ENDIKE.** Inglés: **HENRIETTA.** Francés y alemán: **HENRIETTE.**

EPIFANÍA
Origen: Latino y griego.
Significado: Nombre que hace alusión a la Epifanía del Señor (que se celebra el día de la Adoración de los Magos). Procede del griego *epiphaneia*, aparición.
Onomástico: 6 de enero.
Variantes: Vasco: **AGERKUNDE, AGERNE, EPIPANI, IRAKUSNE, IRKUSNE.**

ERCILIA
Origen: Griego.
Significado: La refugiada.
Onomástico: No tiene.

EREA
Origen: Gallego.
Significado: Deriva del griego *eirene*, paz.
Onomástico: 20 de octubre.
Variantes: Vasco: **IREÑE.** Catalán, gallego, inglés, francés, alemán e italiano: **IRENE.**

ERENA
Origen: Griego.
Significado: Nombre en honor de la divinidad Heres.
Onomástico: 25 de febrero.

ERÉNDIRA
Origen: Purépecha.
Significado: La que sonríe.
Onomástico: No tiene.

ERENIA
Origen: Griego.
Significado: Nombre en honor de la divinidad Heres.

Onomástico: 25 de febrero.

ÉRICA

Origen: Alemán.

Significado: Procede de *ewa-rich*, regidor eterno.

Onomástico: 18 de mayo.

Variantes: **Enca.** Vasco, gallego, alemán e italiano: **Erika.** Francés: **Ericka.**

ERIN

Origen: Irlandés.

Significado: Paz.

Onomástico: No tiene.

Variantes: **Earin, Earrin, Eran, Eren, Erena, Ereni, Eri, Erina, Erinetta.**

ERLINDA

Origen: Latino.

Significado: Variante de Ermelinda.

Onomástico: No tiene.

ERMA

Origen: Latino.

Significado: Forma corta de Erminia.

Onomástico: No tiene.

Variantes: **Ermelinda, Irma.**

ERMELINDA

Origen: Latino.

Significado: Latinización del nombre alemán *ermenhurga*, ciudad fuerte o protección fuerte.

Onomástico: 29 de octubre.

ERMINIA

Origen: Alemán.

Significado: Procede de *airmans*, grande, fuerte.

Onomástico: 25 de abril.

Variantes: Catalán y gallego: **Herminia.** Vasco: **Ermiñe.** Asturiano: **Herminia, Tjarminia.** Francés: **Hermine.**

ERMITANA

Origen: Griego.

Significado: Deriva de Erenios. Lugar despoblado, evoca a la persona que vive o cuida una ermita. Es advocación mariana. Nuestra Señora Ermitana.

Onomástico: 9 de septiembre.

ERNA

Origen: Inglés.

Significado: Forma corta de Ernestina.

Onomástico: No tiene.

Variantes: **Irma.**

ERNESTA

Origen: Alemán.

Significado: Femenino de Ernesto. Grande, importante. Luchadora decidida a vencer.

Onomástico: No tiene.

Variantes: **Ernestina.**

ERNESTINA

Origen: Alemán.

Significado: Procede del *ernusi*, tenaz, luchador.

Onomástico: 7 de noviembre.

Variantes: Francés: **Ernestine.**

ERUNDINA

Origen: Alemán.

Significado: Diosa.

Onomástico: 23 de julio.

ERVINA

Origen: Alemán.

Significado: Amiga del honor.

Onomástico: No tiene.

ESCOLÁSTICA

Origen: Latino y griego.

Significado: Deriva del nombre *Scholastica*. Griego: *schola*, escuela.

Onomástico: 10 de febrero.

Variantes: Vasco: **Eskolastike.** Alemán: **Scholastika.**

ESMERALDA

Origen: Hebreo, griego y latino.

Significado: Alusión a la piedra preciosa del mismo nombre. Su origen es complicado. Parte del hebreo *maragdos*, brillar, en griego como *smaragdos*. Se incorporó al latino como *smaragdus*, esmeralda.

Onomástico: 8 de agosto.

Variantes: Catalán: **Maragda.** Francés: **Emáraude.** Italiano: **Esmeralda, Smeralda.**

ESPERANZA

Origen: Latino.

Significado: Procede del verbo *spero*, tener confianza en el futuro.

Onomástico: 1 de agosto.

Variantes: Catalán: **Esperança.** Vasco: **Espe, Ltxaro.** Francés: **Espérance.** Italiano: **Speranza.**

ESTEFANÍA
Origen: Griego.
Significado: Deriva de *stephanós*, coronado de laurel, y por extensión, victorioso.
Onomástico: 2 de enero.
Variantes: Vasco: **Estebeni, Isteberni, Itxebeni.** Inglés: **Stephanie, Stefanie.** Francés: **Etiennette, Stephanie.** Alemán: **Stephan, Stefan.** Italiano: **Stefania.**

ESTELA
Origen: Latino.
Significado: Procede de *stella*, estrella.
Onomástico: 15 de agosto y 15 de septiembre.
Variantes: Catalán: **Estrella.** Vasco: **Izarne.** Gallego: **Estrela, Estel.** Asturiano: **Estrella.** Inglés: **Estella, Stella.** Francés, alemán e italiano: **Stella.**

ESTELINDA
Origen: Alemán.
Significado: La que es noble y da protección al pueblo.
Onomástico: No tiene.

ESTER
Origen: Asirio.
Significado: Deriva de la diosa babilónica Istar, vinculada con el planeta Venus.
Onomástico: 8 de diciembre.
Variantes: Inglés: **Esther.** Francés: **Esther, Ester.** Alemán: **Esther.**

ESTERINA
Origen: Griego.
Significado: La que es fuerte y vital.
Onomástico: No tiene.

ESTHER
Origen: Persa.
Significado: Estrella. En la *Biblia*, reina judía.
Onomástico: No tiene.
Variantes: **Estee, Ester, Esthur, Eszter, Eszti.**

ESTÍBALIZ
Origen: Vasco.
Significado: Literalmente que sea de miel.
Onomástico: 12 de septiembre.
Variantes: Vasco: **Estihaliz, Estibalitz, Estibariz, Estiñe, Estitxu.**

ESTILA
Origen: Latino.
Significado: Columna.
Onomástico: 19 de julio.

ESTRADA
Origen: Latino.
Significado: Nombre de la advocación mariana: Nuestra Señora de la Estrada. En la población de Agullana (Girona).
Onomástico: 15 de agosto.

ESTRELLA
Origen: Latino.
Significado: Procede de *stella*, estrella. En el mundo cristiano, este nombre se utiliza en honor de una de las invocaciones a la Virgen que figuran en la letanía del Rosario, Estrella de la Mañana.
Onomástico: 15 de agosto, 8 de septiembre y 8 de diciembre.
Variantes: **Estela.** Catalán: **Estel.** Vasco: **Izar.** Gallego: **Estela, Estrela, Estel.** Inglés, francés, alemán e italiano: **Stella.**

ETANA
Origen: Hebreo.
Significado: Femenino de Etan, fuerte y firme.
Onomástico: No tiene.

ETEL o **ETHEL**
Origen: Alemán.
Significado: Forma reducida de Etelvina.
Onomástico: No tiene.

ETELINDA
Origen: Alemán.
Significado: La noble que protege a su pueblo.
Onomástico: No tiene.

ETELVINA
Origen: Alemán.
Significado: Variante de Adela y significa amiga fiel.
Onomástico: 8 de septiembre y 24 de diciembre.

Variantes: Asturiano: **TELVA, TELVINA, ETEL, ETHEL.**

ETHANA

Origen: Hebreo.
Significado: Fuerte, firme.
Onomástico: No tiene.
Variantes: **ETANA.**

ETHEL

Origen: Alemán.
Significado: Variante de Adela y significa, noble.
Onomástico: 8 de septiembre y 24 de diciembre.
Variantes: **ETHELDA, ETHELIN, ETHELINE, ETHELYN.**

ETIENNE

Origen: Griego.
Significado: Deriva de *stephanós*, coronada de laurel, y por extensión, victoriosa.
Onomástico: 3 de agosto y 26 de diciembre.

ETOILE

Origen: Francés.
Significado: Estrella.
Onomástico: No tiene.

ETTA

Origen: Alemán.
Significado: Pequeña.
Onomástico: No tiene.
Variantes: **ETKE, ITTA.**

EUDORA

Origen: Griego.
Significado: Puede interpretarse como, regalo, premio.
Onomástico: No tiene.

EUDOSIA

Origen: Griego.
Significado: La afamada, de muchos conocimientos.
Onomástico: No tiene.
Variantes: **EUDOXIA.**

EUDOXIA

Origen: Griego.
Significado: Deriva de *eudoxios*, de *eu*, bueno, y *dota*, fama. De buena fama.
Onomástico: 1 de marzo.
Variantes: Vasco: **EUDOSE.** Asturiano: **UDOSIA.** Francés: **EUDOCIE, EUDOXIE.** Italiano: **EUDIXIA, LIUDOSIA.**

EUFEMIA

Origen: Griego.
Significado: De *euphesni*, de buena palabra, elocuente.
Onomástico: 16 de septiembre.
Variantes: Vasco: **EUPEME, PRIMIA.** Gallego y asturiano: **OFEMIA.** Francés: **EUPHÉMIE.** Alemán: **EUPHEMIA.**

EUFRASIA

Origen: Latino.
Significado: Indica la procedencia de la comarca del río Eufrates. También significa gozo en su variante griega.
Onomástico: 13 y 20 de marzo.

EUFROSINA

Origen: Latino.
Significado: Nombre de la mitología que significa pensamiento gozoso.
Onomástico: 1 de enero y 7 de mayo.

EUGENIA

Origen: Griego.
Significado: Deriva de *eu-genos*, bien nacido, de buen origen.
Onomástico: 16 de septiembre y 25 de diciembre.
Variantes: Vasco: **EUKENE.** Gallego: **EUXENIA, EUXEA, UXÍA.** Asturiano: **EUXENIA.** Francés: **EUGENIE.** Alemán: **EUGENIE.**

EULALIA

Origen: Griego.
Significado: Procede de *eu-kilos*, elocuente, bien hablada.
Onomástico: 12 de febrero.
Variantes: Catalán: **LAIA.** Vasco: **EULALE. EULARI,** Gallego: **ALLA, OLALIA, VALLA.** Inglés, francés y alemán: **LULALIE.**

EULOGIA

Origen: Griego.
Significado: Procede de *eu-logos*, buen discurso, buen orador.
Onomástico: 11 de marzo.
Variantes: Gallego: **EULOXIA.** Asturiano: **EULOXA, OLOXA.**

EUMELIA
Origen: Griego.
Significado: La que canta bien.
Onomástico: No tiene.

EUN
Origen: Coreano.
Significado: Plata.
Onomástico: No tiene.

EUNICE
Origen: Griego y hebreo.
Significado: Nombre de una ninfa en la mitología. *Ea-niké,* victoriosa. *Biblia*: La madre de san Timoteo.
Onomástico: No tiene.
Variantes: **Euna, Eunique, Eunise, Euniss.**

EUNOMIA
Origen: Griego.
Significado: Deriva de *co-nomos,* buen nombre, o de *co-gnomos,* buena ley.
Onomástico: 12 de agosto.

EURÍDICE
Origen: Griego.
Significado: Podría ser gran justiciera. En la mitología, esposa de Orfeo.
Onomástico: No tiene.
Variantes: **Eurydice, Eurydyce.**

EUROSIA
Origen: Latino.
Significado: Deriva de *os, oris,* boca.
Onomástico: 25 de junio.

EUSEBIA
Origen: Griego.
Significado: Deriva de *eu-se beia,* de buenos sentimientos.
Onomástico: 16 de marzo y 29 de octubre.
Variantes: Vasco: **Usebi.** Asturiano: **Osebia.**

EUSTACIA
Origen: Griego y latino.
Significado: Productiva. Latino: Estable, calmada. Forma femenina de Eustacio.
Onomástico: No tiene.
Variantes: **Eustasia.**

EUSTAQUIA
Origen: Griego.
Significado: Deriva de *cu-siachys,* espiga buena, por extensión, fecundo.
Onomástico: 20 de enero y 28 de septiembre.
Variantes: Asturiano: **Ustaquia.**

EUTERPE
Origen: Griego.
Significado: Musa de la música en la mitología griega.
Onomástico: No tiene.

EVA
Origen: Hebreo.
Significado: Deriva de *hiyya,* que da vida. En la *Biblia*: La primera mujer que existió creada por Dios.
Onomástico: 19 de diciembre.
Variantes: **Eve, Evie, Evita, Ewa.** Inglés: **Ev, Ewae.** Francés: **Eve.**

EVADNE
Origen: Griego.
Significado: Ninfa del agua.
Onomástico: No tiene.

EVANA
Origen: Latino.
Significado: Compuesto de Eva y Ana.
Onomástico: No tiene.

EVANGELINA
Origen: Griego.
Significado: Procede del *eu-aggelon,* buena nueva. En el mundo cristiano, hace alusión al Evangelio.
Onomástico: 27 de diciembre.
Variantes: Gallego y asturiano: **Evanxelina.** Inglés: **Evangeline.**

EVANIA
Origen: Irlandés y griego.
Significado: Joven guerrera. Griego: Forma femenina de Evan.
Variantes: **Evana, Evanka, Evanna, Evany, Eveania.**

EVARISTA
Origen: Griego.
Significado: Femenino de Evaristo, el excelente.
Onomástico: No tiene.

EVELIA
Origen: Hebreo.
Significado: Luminosa. Variante de Eva.

Onomástico: No tiene.

EVELINA

Origen: Celta.
Significado: Agradable.
Onomástico: 15 de mayo.
Variantes: **Eveina. Evelyn.** Inglés: **Eveline, Evelyn.** Francés: **Eveline, Evelyne.** Alemán: **Evelyn, Evelyne.**

EVELYN

Origen: Inglés.
Significado: Avellana.
Onomástico: No tiene.
Variantes: **Evelin, Evalyn, Evalynn, Ewalina.**

EVERILDA

Origen: Alemán.
Significado: Derivado de Eva con la terminación alemana *hild,* que significa guerrera.
Onomástico: 9 de julio.

EVODIA

Origen: Griego.
Significado: Femenino de Evodio, el que siempre desea buen viaje.
Onomástico: No tiene.

EXAL

Origen: Latino.
Significado: Diminutivo de exaltación.
Onomástico: No tiene.

EXALTACIÓN

Origen: Latino.
Significado: Derivado de *exaltatio.* extraordinario, solemne.
Onomástico: 14 de septiembre.
Variantes: Catalán: **Exaltació.** Vasco: **Gorane, Goratze.**

EXPERIA

Origen: Latino.
Significado: Abundante. Es una.
Onomástico: 26 de julio.
Variantes: **Exuperancia.**

EXUPERANCIA

Origen: Latino.
Significado: Abundante.
Onomástico: 26 de abril.

EYEN

Origen: Swahili.
Significado: Alba.
Onomástico: No tiene.

EZRI

Origen: Hebreo.
Significado: Ayudante.
Onomástico: No tiene.
Variantes: **Ezra, Esria.**

FABIA

Origen: Latino.

Significado: Semilla creciente. Forma femenina de Fabián. La que cultiva habas.

Onomástico: No tiene.

Variantes: **FABIANA, FABIOLA, FABRA, FABRIA.**

FABIANA

Origen: Latino.

Significado: Del gentilicio Fabianas, de la familia de Fabio. La que cultiva habas.

Onomástico: 21 de enero.

Variantes: Catalán: **FABIA.** Vasco: **PABEN.** Asturiano: **FABIA.** Inglés: **FABIAN.** Francés: **FABIENNE.** Italiano: **FABIA, FABIANNA.**

FABIOLA

Origen: Latino.

Significado: Nombre de la gens romana Fabia, que a su vez procede de *faba*, haba. La que cultiva habas.

Onomástico: 21 de marzo.

FABIZAH

Origen: Árabe.

Significado: Victoriosa.

Onomástico: No tiene.

FABRICIA

Origen: Latino.

Significado: Femenino de Fabricio, hijo de artesanos.

Onomástico: No tiene.

FABRICIANA

Origen: Latino.

Significado: Nombre de la gens romana Fabricia, que a su vez deriva de *faber*, artesano.

Onomástico: 22 de agosto.

FACUNDA

Origen: Latino.

Significado: Femenino de Facundo, el orador elocuente. Que habla mucho y muy bien.

Onomástico: No tiene.

FAINA

Origen: Griego.

Significado: La brillante, la famosa.

Onomástico: 18 de mayo.

FAIZAH

Origen: Árabe.

Significado: Victoriosa.

Onomástico: No tiene.

FANCY

Origen: Francés e inglés.

Significado: Comprometida en matrimonio. Inglés: Caprichosa, que le gusta llamar la atención.

Onomástico: No tiene.

Variantes: **FANCI, FANCIA.**

FANNY

Origen: Inglés.

Significado: Bien coronada. Diminutivo de Francisca.

Onomástico: No tiene.

FANTASÍA

Origen: Griego.

Significado: Imaginación.

Onomástico: No tiene.

Variantes: **FANTASY, FANTASYA, FANTAZIA, FIANTASI.**

FANTINE
Origen: Francés.
Significado: Infantil.
Onomástico: No tiene.

FANY
Origen: Griego.
Significado: Deriva de *stephanós*, coronado de laurel, por extensión, victorioso.
Onomástico: 2 de enero.
Variantes: **ESTEFANÍA, FRANCISCA.** Catalán: **ESTEFANIA.** Vasco: **ESTEBENI, ISTEBENI, ITXEBENI.** Gallego: **ESTEFANIA.** Asturiano: **ESTEFANIA.** Inglés: **STEPHANIE, STEFANIE.** Francés: **ETIENNETTE, STEPHIHANIE.** Alemán: **STEPHAN, STEFAN.** Italiano: **STEFANIA.**

FARA
Origen: Árabe, latino y persa.
Significado: Deriva de *faraj*, alegre. Latino: Descendiente de los burgundios, la tribu bárbara que dio nombre a la región de la Borgoña, Francia. Persa: Antigua ciudad mesopotámica.
Onomástico: 7 de diciembre.

FARAH
Origen: Inglés.
Significado: Hermosa, agradable, simpática.
Onomástico: No tiene.
Variantes: **FARRA, FARA, FARRAH, FAYRE.**

FARISA
Origen: Africano.
Significado: La que da felicidad.
Onomástico: No tiene.

FARNERS
Origen: Latino.
Significado: Advocación mariana. *Mare de Déu de Farners* (Nuestra Señora de Farners), que tiene un santuario cerca de Santa Colonia de Earners (Girona).
Onomástico: 15 de agosto.

FÁTIMA
Origen: Árabe y latino.
Significado: Espléndida. Latino: En el mundo cristiano se utiliza en honor de la Virgen de Fátima.
Onomástico: 13 de mayo.

FAUSTA
Origen: Latino.
Significado: Procede de *faustus*, feliz.
Onomástico: 20 de septiembre y 19 de diciembre.

FAUSTINA
Origen: Latino.
Significado: Procede de *faustus*, feliz. Favorecida por la suerte.
Onomástico: 18 de enero.
Variantes: Asturiano: **FAUSTA.**

FAY
Origen: Latino.
Significado: Hada de los duendes.
Onomástico: No tiene.
Variantes: Francés: **FAYE.**

FAYINA
Origen: Ruso.
Significado: Libre.
Onomástico: No tiene.

FAYRUZ
Origen: Árabe.
Significado: Turquesa.
Onomástico: No tiene.

FE
Origen: Latino.
Significado: Deriva de *fides*, fe, confianza, lealtad. La creyente.
Onomástico: 1 de agosto y 6 de octubre.
Variantes: Vasco: **VEDE.**

FEBE
Origen: Latino y griego.
Significado: Del latín *Phoebe*, que deriva del griego *phoibos*, resplandeciente. Que brilla y resplandece.
Onomástico: No tiene.
Variantes: Catalán: **FEBE.**

FEBRONIA
Origen: Latino.
Significado: Sacrificio expiatorio, purificación. De aquí deriva el nombre del mes de febrero, ya que antiguamente los romanos dedicaban este mes a realizar ritos purificatorios.
Onomástico: 14 de febrero y 25 de junio.

FEDERICA
Origen: Alemán.
Significado: Procede de *fridureiks*, rey de la paz. Gobernante para la paz.
Onomástico: 18 de julio.
Variantes: Asturiano: **Federa.**

FEDORA
Origen: Griego.
Significado: Deriva de Theodora, regalo, don de Dios.
Onomástico: No tiene.

FEDRA
Origen: Griego.
Significado: Deriva de *phaidimos*, brillante. Mujer espléndida.
Onomástico: No tiene.
Variantes: Francés: **Phédre.**

FELICIA
Origen: Latino.
Significado: Deriva de *felicitas*, felicidad, suerte.
Onomástico: 5 de febrero y 9 de septiembre.
Variantes: Vasco: **Feleizia.**

FELICIDAD
Origen: Latino.
Significado: Deriva de *felicitas*, felicidad, suerte.
Onomástico: 7 y 26 de marzo.
Variantes: Catalán: **Felicitat.** Vasco: **Zorione.** Gallego: **Felicidade.**

FELÍCITAS
Origen: Latino.
Significado: Deriva de *felicitas*, felicidad, suerte. Variante de Felicia.
Onomástico: 7 de marzo y 23 de noviembre.
Variantes: Gallego: **Felicitas.** Asturiano: **Felicidá.**

FELICITY
Origen: Inglés.
Significado: Alternativa de Felicia.
Onomástico: No tiene.
Variantes: **Felicita, Felicitas, Felisita.**

FELIPA
Origen: Griego.
Significado: De *philos-hippos*, amiga de los caballos.
Onomástico: 26 de febrero y 20 de septiembre.
Variantes: Vasco: **Pilipe.**

FELISA
Origen: Latino.
Significado: Deriva de *felix*, fértil, feliz.
Onomástico: Es muy frecuente en el santoral. Entre otras fechas, 11 y 31 de mayo.
Variantes: Catalán: **Feliça. Felissa.** Vasco: **Pele.** Inglés e italiano: **Felicia.** Francés: **Félicïe.**

FEMI
Origen: Francés y nigeriano.
Significado: Mujer. Nigeriano: Me ama.
Onomástico: No tiene.
Variantes: **Femie, Femmi, Femmie, Femy.**

FERMINA
Origen: Latino.
Significado: De *firmus*, firme, sólido.
Onomástico: 24 de noviembre.
Variantes: Catalán: **Fermina.** Vasco: **Fermina, Premiñe.**

FERNANDA
Origen: Alemán.
Significado: De *frad-nand*, de atrevida inteligencia. Guerrera por la paz.
Onomástico: 30 de mayo.

FIALA
Origen: Checo.
Significado: Flor de violeta.
Onomástico: No tiene.

FIAMMA
Origen: Italiano.
Significado: La que tiene el brillo y el ardor de la llama.
Onomástico: No tiene.

FIDELA
Origen: Latino.
Significado: Femenino de Fidel, el digno de confianza. Fiel.
Onomástico: No tiene.
Variantes: **Fidelia.**

FIDELIA
Origen: Latino.

Significado: De *fides*, fe, confianza, lealtad.
Onomástico: No tiene.

FIDELIDAD
Origen: Latino.
Significado: Muy fiel, verdadera, honesta.
Onomástico: No tiene.
Variantes: **Fidelia, Fidelita.**

FIDENCIA
Origen: Latino.
Significado: Seguridad, confianza.
Onomástico: 27 de septiembre.

FILEMONA
Origen: Griego.
Significado: De *philénron*, amigo.
Onomástico: 8 de marzo.

FILIBERTA
Origen: Alemán.
Significado: De *fili-berth*. muy famoso.
Onomástico: 22 de agosto.

FILIPA
Origen: Italiano.
Significado: Alternativa de Felipa.
Onomástico: No tiene.
Variantes: **Felipa, Filippa, Filippina, Filipina.**

FILIS
Origen: Griego.
Significado: De *phyllis*, hojarasca. Mitología: Princesa de Tracia enamorada de Camas.
Onomástico: No tiene.

FILOMELA
Origen: Griego.
Significado: Amiga del canto.
Onomástico: No tiene.

FILOMENA
Origen: Griego.
Significado: Deriva de *philos-melos*. Amante de la música.
Onomástico: 5 de julio y 11 de agosto.
Variantes: Vasco: **Pillomene.** Inglés: **Philomena.** Francés: **Philoméne.**

FILOTEA
Origen: Griego.
Significado: La que ama a los dioses.
Onomástico: No tiene.

FINA
Origen: Hebreo.
Significado: De *Yosef*, Yahvé multiplique.
Onomástico: 12 de marzo y el 12 de noviembre.

FIONA
Origen: Galés.
Significado: De *fionn*, limpio. De modales delicados.
Onomástico: No tiene.

FIORELLA
Origen: Latino.
Significado: Diminutivo de flor.
Onomástico: No tiene.
Variantes: **Fiore, Fiorel.**

FLAMINIA
Origen: Latino.
Significado: Deriva de la *gens* romana Plominia, de *flamen*, sacerdote. Que pertenece al grupo de sacerdotisas.
Onomástico: 2 de mayo.

FLAVIA
Origen: Latino.
Significado: De *flavus*, amarillo, dorado, rojizo. Nacida con cabello rubio.
Onomástico: 7 de mayo.
Variantes: Vasco: **Palbe.** Francés: **Flavie, Flaviana.**

FLOR
Origen: Latino.
Significado: De Flora, diosa de la primavera y de las flores.
Onomástico: 31 de diciembre.
Variantes: Vasco: **Lore, Lorea. Fiore, Fiorel, Fiorella.**

FLORA
Origen: Latino.
Significado: Diosa de la primavera y de las flores. Que brota lozana.
Onomástico: 24 de noviembre.
Variantes: Vasco: **Lore, Lorca.** Francés: **Flore.**

FLOREAL
Origen: Latino.
Significado: Se llamó así al octavo mes del calendario de la Revolución Francesa.

Onomástico: No tiene.

FLORENCE

Origen: Latino e inglés.

Significado: Deriva de *florens*, floreciente. Variante inglesa de Florencia.

Onomástico: 20 de junio y 10 de noviembre.

Variantes: Catalán: **Floréocia.** Vasco: **Florenixi, Polentxe.** Gallego y asturiano: **Florentina.** Francés e inglés: **Florence.** Italiano: **Fiorenza.**

FLORENCIA

Origen: Latino.

Significado: Deriva de *floreos*, floreciente. Renaciente, próspera. Bella como las flores.

Onomástico: 20 de junio y 10 de noviembre.

Variantes: **Florence, Florendra, Florentia, Florentina, Florina, Floris.** Catalán: **Florencia.** Vasco: **Florentxi, Polentxe.** Gallego e italiano: **Fiorenza.**

FLORENTINA

Origen: Latino.

Significado: De *fiorens*, floreciente, oriunda de Florencia.

Onomástico: 20 de junio y 24 de marzo.

Variantes: Vasco: **Polendiñe.** Inglés y francés: **Florentine.**

FLORES

Origen: Latino.

Significado: Advocación mariana, Nuestra Señora de las Flores. Tiene un santuario en la población de Encinaso.

Onomástico: Domingo de Resurrección y segundo domingo de Pascua.

FLORIA

Origen: Vasco.

Significado: Flor.

Onomástico: No tiene.

Variantes: **Flori, Florria.**

FLORIANA

Origen: Latino.

Significado: Femenino de Florián.

Onomástico: No tiene.

Variantes: **Flora.**

FLORIDA

Origen: Español.

Significado: Nombre cristiano que conmemora la Pascua de Resurrección. Forma española de Florencia.

Onomástico: 12 de junio.

Variantes: **Floridia, Florinda, Florita.**

FLORINDA

Origen: Latino y alemán.

Significado: Deriva del latín *flora* y el adjetivo germánico *lind*. Significa linda flor, o de forma más general. Hermosa primavera. Mujer floreciente.

Onomástico: 1 de mayo

FLORIS

Origen: Inglés.

Significado: Forma corta de Florencia.

Onomástico: No tiene.

Variantes: **Florisa, Florise.**

FLORISEL

Origen: Latino.

Significado: Mujer floreciente.

Onomástico: No tiene.

FOLA

Origen: Africano.

Significado: Honorable.

Onomástico: No tiene.

FONDA

Origen: Latino.

Significado: Fundación.

Onomástico: No tiene.

Variantes: **Fondea, Fonta.**

FONTANA

Origen: Francés.

Significado: Fuente.

Onomástico: No tiene.

Variantes: **Fontaine, Fontanna, Fontane, Fontanne, Fontayne.**

FORTUNA

Origen: Latino.

Significado: De *fors*, azar. En la mitología, nombre de la diosa Fortuna. Situación favorable.

Onomástico: 20 de octubre.

Variantes: Catalán: **Fortuna.**

FORTUNATA

Origen: Latino.

Significado: De *fortunatus,* afortunado, rico. Próspera.

Onomástico: 14 de octubre.

Variantes: Vasco: **Portunate.**

FRAN

Origen: Latino.

Significado: Forma corta de Francés.

Onomástico: No tiene.

Variantes: **Frain, Frann.**

FRANCA

Origen: Alemán.

Significado: Perteneciente a los Francos, pueblo germánico que conquistó y dio nombre a Francia. Mujer libre.

Onomástico: No tiene.

FRANCES

Origen: Latino.

Significado: Libre, mujer originaria de Francia.

Onomástico: No tiene.

Variantes: **Fanny, Fran, Franca, Francena, Francesca, Francesta, Franceta, Francis, Francisca, Frankie, Frannie, Franny.**

FRANCESCA

Origen: Italiano.

Significado: Forma italiana de Frances.

Onomástico: No tiene.

Variantes: **Francéska, Francéssca, Francésta, Franchesca, Francheka, Franchesa.**

FRANCINE

Origen: Francés.

Significado: Variante de Francia.

Onomástico: No tiene.

FRANCIS

Origen: Latino.

Significado: Alternativa de Frances.

Onomástico: No tiene.

Variantes: **Francise, Franncia, Francys.**

FRANCISCA

Origen: Italiano.

Significado: De *francesco,* francés. Surge como nombre propio por primera vez cuando san Francisco de Asís recibe ese apodo por su afición a la lengua francesa.

Onomástico: 9 de marzo.

Variantes: Catalán: **Francesea, Francina.** Vasco: **Frantsesa, Frantxa, Frantziska, Pantxika, Pantxike, Prantxiska.** Asturiano: **Xiea.** Francés: **Françoise.** Inglés: **Frances, Fanny.** Alemán: **Franzisca.**

FRANKIE

Origen: Estadounidense.

Significado: Forma estadounidense de Francisca.

Onomástico: No tiene.

Variantes: **Francka, Francki, Franka, Frankey, Franki, Frankia, Franky, Frankye.**

FRANQUEIRA

Origen: Gallego.

Significado: Lugar abierto.

Onomástico: 1 de noviembre.

FREDEL

Origen: Náhuatl.

Significado: Tú para siempre.

Onomástico: No tiene.

FREDESWINDA

Origen: Alemán.

Significado: Amiga de la paz. Santa nacida en familia de la nobleza, que fundó un monasterio en Oxford, Inglaterra y se recluyó allí hasta su muerte.

Onomástico: No tiene.

FREJA

Origen: Escandinavo.

Significado: Mujer noble. Mitología: Diosa del amor.

Onomástico: No tiene.

Variantes: **Fraya, Freya.**

FREYA

Origen: Alemán.

Significado: Diosa de la fertilidad en la mitología germánica.

Onomástico: No tiene.

Variantes: **Freyja, Freyra.**

FRIDA

Origen: Alemán.

Significado: De *fridu*, paz. Mujer honorable.
Onomástico: No tiene.

FRIEDA
Origen: Escandinavo.
Significado: Paz, alegría.
Onomástico: No tiene.

FRINÉ
Origen: Griego.
Significado: Del nombre *phrynos*, de tez morena.
Onomástico: No tiene.

FRITZI
Origen: Alemán.
Significado: Alternativa de Federica.
Onomástico: No tiene.
Variantes: **FRIEZI, FRITZIE, FRITZINN, FRITZLINE, FRITZY.**

FRUCTUOSA
Origen: Latino.
Significado: La que da frutos. *Fucsia*, arbusto con flores de color rojo oscuro, originario de América Meridional.
Onomástico: No tiene.

FUENCISCLA
Origen: Latino.
Significado: Nombre en honor de la Virgen de la Fuenciscla, patrona de Segovia.
Onomástico: 25 de septiembre.

FUENCISLA
Origen: Latino.
Significado: Nombre en honor de la Virgen de la Fuenciscla, patrona de Segovia. Variante de Fuenciscla.
Onomástico: 25 de septiembre.

FUENSANTA
Origen: Latino.
Significado: Nombre en honor de la Virgen de la Fuensanta, patrona de Murcia.
Onomástico: 29 de marzo y 8 de septiembre.

FULVIA
Origen: Latino.
Significado: La de cabello rojo. Femenino de Fulvio.
Onomástico: No tiene.

FUSCA
Origen: Latino.
Significado: Oscura.
Onomástico: 13 de febrero.

GABINA
Origen: Latino.
Significado: Oriunda de Gabio, antigua ciudad cercana a Roma, donde, según la mitología, fue criado Rómulo. Femenino de Gabino.
Onomástico: No tiene.

GABRIEL
Origen: Francés.
Significado: Alternativa de Gabriela.
Onomástico: No tiene.
Variantes: **GABIELE, GABBRYEL, GABREAL, GABREALE, GABREIL, GABRIAL, GABRYEL.**

GABRIELA
Origen: Hebreo.
Significado: Deriva de *gbr-El,* fuerza de Dios, devota a Dios. Forma femenina de Gabriel. Que tiene la fuerza y el poder de Dios.
Onomástico: 1 de febrero y 29 de septiembre.
Variantes: **GABRIANA, GABRIEL, GABRIELE, GABRIELLA, GABRINA, GABY, GAVRIELA.** Vasco: **GABIRELE.**

GADA
Origen: Hebreo.
Significado: Afortunada, suertuda.
Onomástico: No tiene.
Variantes: **GADAH.**

GADEA
Origen: Latino.
Significado: Se forma como patronímico de Santa Gadea de Burgos.
Onomástico: 1 de noviembre.
Variantes: Vasco: **GADEA.** Asturiano: **AGADÍA, GADA, GADIA.**

GAEA
Origen: Griego.
Significado: Planeta Tierra. En la mitología, diosa griega de la Tierra.
Onomástico: No tiene.
Variantes: **GAIA, GAIEA, GAYA.**

GAETANA
Origen: Italiano.
Significado: Mujer originaria de Gaeta, región del sur de Italia.
Onomástico: No tiene.
Variantes: **GAETAN, GAETANE, GAETANNE.**

GAIA
Origen: Latino.
Significado: Antiguo nombre romano. La Tierra.
Onomástico: No tiene.
Variantes: Francés: **GALA.**

GAIL
Origen: Hebreo e inglés.
Significado: Forma corta de Abigail. Inglés: Alegre, feliz, vivaz.
Onomástico: No tiene.
Variantes: **GAEL, GAELA, GAELLA, GAILE, GALE, GAYLA, GAYLE.**

GAL
Origen: Alemán.
Significado: Gobernante.
Onomástico: No tiene.

GALA
Origen: Latino y noruego.
Significado: Deriva de *gallus,* originario de la Galia. Noruego: Cantante.
Variantes: Catalán: **GALIA.** Vasco: **GALE. GALLA.**

GALATEA
Origen: Griego.
Significado: Deriva de *gala*, leche, lácteo. Blanca como la leche.
Onomástico: 19 de abril.

GALEN
Origen: Griego e irlandés.
Significado: Curandera. Irlandés: Pequeña y vivaz.
Onomástico: No tiene.
Variantes: **Gaelen, Gaellen, Galyn, Geylaine, Gayleen, Gaylen, Gaylene, Gaylyn.**

GALENA
Origen: Griego.
Significado: Calmada.
Onomástico: No tiene.

GALI
Origen: Hebreo.
Significado: Colina, fuente, primavera.
Onomástico: No tiene.
Variantes: **Galice, Galie.**

GALIA
Origen: Latino.
Significado: Deriva de *gallus*, originario de la Galia.
Onomástico: 5 de octubre.
Variantes: Catalán: **Gala.** Vasco **Gale.**

GALINA
Origen: Ruso.
Significado: Alternativa de Helena.
Onomástico: No tiene.
Variantes: **Galenka, Galia, Galiana, Galinka, Galya, Gaylyn.**

GALYA
Origen: Hebreo.
Significado: Recompensa de Dios.
Onomástico: No tiene.

GAMADA
Origen: Africano.
Significado: Contenta, satisfecha.
Onomástico: No tiene.

GANA
Origen: Hebreo.
Significado: Jardín.
Onomástico: No tiene.

GANESA
Origen: Hindi.
Significado: Afortunada. Dios hindú de la magia y la suerte.
Onomástico: No tiene.

GANYA
Origen: Hebreo.
Significado: Jardín del Señor.
Onomástico: No tiene.
Variantes: **Gana, Gani, Gania, Ganice, Ganit.**

GARBIÑE
Origen: Vasco.
Significado: Es el equivalente de Inmaculada.
Onomástico: 8 de diciembre.

GARDENIA
Origen: Alemán.
Significado: Deriva de *gardo*, cercado, por extensión, jardín. Alusión a la flor del mismo nombre.
Onomástico: No tiene.

GARLAND
Origen: Francés.
Significado: Ramo de flores.
Onomástico: No tiene.

GARNET
Origen: Inglés.
Significado: Gema de color rojo oscuro.
Onomástico: No tiene.
Variantes: **Garnetta, Garnette.**

GAROA
Origen: Vasco.
Significado: Helecho.
Onomástico: No tiene.

GARYN
Origen: Inglés.
Significado: Cargada de lanzas. Forma femenina de Gary.
Onomástico: No tiene.
Variantes: **Garan, Garen, Garra, Garryn.**

GASHA
Origen: Ruso.
Significado: Forma corta de Ágatha.
Onomástico: No tiene.
Variantes: **Gashka.**

GATTY
Origen: Inglés.
Significado: Diminutivo de Gertrudis.
Onomástico: No tiene.

GAUDENCIA
Origen: Latino.
Significado: De *gaudiurn*, felicidad.
Onomástico: 30 de agosto.
Variantes: Vasco: **Pozne.**

GAURI
Origen: Latino.
Significado: La de cabello rubio.
Onomástico: No tiene.

GAY
Origen: Francés.
Significado: Feliz.
Onomástico: No tiene.
Variantes: **Gae, Gai, Gaye.**

GAYLE
Origen: Inglés.
Significado: Contenta, feliz.
Onomástico: No tiene.

GAYNOR
Origen: Celta.
Significado: Hija de cabello claro.
Onomástico: No tiene.

GEA
Origen: Griego.
Significado: En mitología, diosa de la Tierra.
Onomástico: No tiene.

GEELA
Origen: Hebreo.
Significado: Alegre.
Onomástico: No tiene.
Variantes: **Gela, Gila.**

GELYA
Origen: Ruso.
Significado: Angelical.
Onomástico: No tiene.

GEMA
Origen: Latino.
Significado: De *gemma*, piedra preciosa, gema. Resplandeciente como piedra preciosa.
Onomástico: 14 de mayo.
Variantes: Gallego y asturiano: **Xema.** Catalán, francés e italiano: **Gemma.**

GEMINI
Origen: Griego.
Significado: Gemela.
Onomástico: No tiene.
Variantes: **Gemima, Gemina, Gemmina.**

GEN
Origen: Japonés.
Significado: Primavera.
Onomástico: No tiene.

GENARA
Origen: Latino.
Significado: Deriva de *ianuarius*, de enero.
Onomástico: 2 de marzo.
Variantes: Asturiano: **Xenara.**

GENCIANA
Origen: Latino.
Significado: Del antiguo nombre Gentiana, nombre de una planta de ese mismo nombre.
Onomástico: 11 de diciembre.
Variantes: Italiano: **Genziana.**

GENEROSA
Origen: Latino.
Significado: De *generosa*, generosa, magnánima. También puede significar de buena casta.
Onomástico: 17 de julio.
Variantes: Gallego: **Xenerosa.** Asturiano: **Xesa.**

GÉNESIS
Origen: Latino.
Significado: Origen, nacimiento.
Onomástico: No tiene.
Variantes: **Genesha, Genesia, Genessis, Genesa, Genicis, Yenesis.**

GENET
Origen: Africano.
Significado: Edén.
Onomástico: No tiene.

GÉNEVA
Origen: Francés.
Significado: Árbol de enebro. Ciudad de Suiza.
Onomástico: No tiene.
Variantes: **Gen, Gena, Geneiva, Geneve, Ginneva, Janeva, Jeneva.**

GENITA
Origen: Estadounidense.

Significado: Alternativa de Juanita.
Onomástico: No tiene.
Variantes: **GEN, GENET, GENETA.**

GENOVEVA
Origen: Inglés y alemán.
Significado: Existen dos teorías sobre este nombre, puede derivar de la voz galesa *gwenhuifar* blanca como la espuma del mar, o del alemán *gen-wifa*, la primera mujer.
Onomástico: 3 de enero.
Variantes: Vasco: **KENUBEP.** Gallego: **XENOVEVA.** Asturiano: **XÉNOVA.** Inglés: **GENEA, GUENEVERE, JENIFER.** Francés: **GENEVIÈVE.** Italiano: **GENOVEFFA.**

GENTIL
Origen: Latino.
Significado: Puede significar de la misma familia, o amable.
Onomástico: 28 de enero.

GEORGETTE
Origen: Francés.
Significado: Forma francesa de Georgina.
Onomástico: No tiene.
Variantes: **GEORGETA, GEORGETTA, GEORJETTA.**

GEORGIA
Origen: Griego.
Significado: Deriva de *georgos*, agricultor.
Onomástico: 15 de febrero.
Variantes: Catalán: **GEÁRGIA.** Italiano: **GIORGIA.**

GEORGINA
Origen: Griego.
Significado: Deriva de *georgos*, agricultor. Forma femenina de Jorge. Que trabaja bien el campo.
Onomástico: 15 de febrero.
Variantes: Catalán: **GEORGINA, JORDINA.** Francés: **GEORGETTE.**

GERALDIN
Origen: Alemán.
Significado: Mujer poderosa portadora de una lanza.
Onomástico: No tiene.
Variantes: **GERALDA, GERALDINA, GERALDYNA, GERI, GERIANNA, GIRALDA.**

GERALDINA
Origen: Alemán.
Significado: La que reina con la lanza. Femenino de Gerardo. La que domina con la lanza.
Onomástico: No tiene.
Variantes: **GERALDINE.**

GERALDINE
Origen: Alemán y francés.
Significado: Deriva de *gair-hard*, noble por la lanza, por extensión, guardián valiente. Forma francesa de Gerarda.
Onomástico: 24 de septiembre.

GERDA
Origen: Noruego y alemán.
Significado: Protectora. Alemán: Familiar de Gertudris. La protegida.
Onomástico: No tiene.
Variantes: **GERTA.**

GERMANA
Origen: Alemán y latino.
Significado: En la lengua germánica, *wehrmann* significaba guerrero. El término fue adoptado por el latín bajo la forma de *germanus*, designando a los habitantes de Germania. Mujer guerrera.
Onomástico: 19 de enero.
Variantes: Vasco: **KERMANA.** Asturiano: **XERMANDA, XERMANA.** Francés: **GERMAINE.**

GERÓNIMA
Origen: Hebreo.
Significado: De nombre sagrado.
Onomástico: No tiene.

GERTRUDIS
Origen: Alemán.
Significado: Deriva de *gair-trud*, la lanza del amado. Por extensión puede significar la fortaleza del amado. Lanza fiel.
Onomástico: 17 de marzo y 16 de noviembre.
Variantes: Vasco: **GERTIRUDI, GERTURDE.** Gallego: **XERTRUDE.** Asturiano: **XERTRUDIS.** Inglés y francés: **GERTRUDE.** Alemán: **GERTRUD, GERTRAND.** Italiano: **GELTRUDE, GERTRUDE.**

GERVASIA
Origen: Alemán.
Significado: Poderosa con la lanza.
Onomástico: No tiene.

GESSICA
Origen: Italiano.
Significado: Alternativa de Jessica.
Onomástico: No tiene.
Variantes: **Gesica, Gesika, Gess, Gessy.**

GEVA
Origen: Hebreo.
Significado: Colina.
Onomástico: No tiene.
Variantes: **Gevah.**

GHADA
Origen: Árabe.
Significado: Joven, tierna.
Onomástico: No tiene.
Variantes: **Gada.**

GHALIYA
Origen: Árabe.
Significado: De olor dulce.
Onomástico: No tiene.

GHITA
Origen: Italiano.
Significado: Aperlada.
Onomástico: No tiene.
Variantes: **Gita.**

GIACINTA
Origen: Italiano.
Significado: Femenino de Jacinto.
Onomástico: No tiene.

GIACOMETTA
Origen: Italiano.
Significado: Variante femenina de Jaime.
Onomástico: No tiene.

GIANCARLA
Origen: Italiano.
Significado: Combinación de Gianna y Carla.
Onomástico: No tiene.

GIANIRA
Origen: Griego.
Significado: Nombre mitológico de una ninfa.
Onomástico: No tiene.

GIANNA
Origen: Italiano.
Significado: Forma corta de Giovanna.
Onomástico: No tiene.
Variantes: **Geona, Geonna, Giana, Gianella, Gianetta, Gianina, Giani-nna, Gianni.**

GIANNINA
Origen: Hebreo.
Significado: Deriva de *yehohanan*, Dios es misericordioso. Diminutivo del nombre italiano Gianna.
Onomástico: 24 de junio.

GIGÍ
Origen: Alemán.
Significado: Diminutivo de Gisela.
Onomástico: No tiene.

GILANA
Origen: Hebreo.
Significado: Felicidad.
Onomástico: No tiene.

GILBERTA
Origen: Alemán.
Significado: La que brilla con su espada en la batalla.
Onomástico: No tiene.

GILDA
Origen: Alemán.
Significado: Deriva de *gild*, valiente. Mujer dispuesta al sacrificio.
Onomástico: 29 de enero.
Variantes: Vasco: **Kermeilde.** Gallego y asturiano: **Xilda.**

GILLIAN
Origen: Latino.
Significado: De la gens romana Julia deriva de *Iulo*, el hijo del héroe troyano Eneas, uno de los primeros fundadores de Roma.
Onomástico: 22 de mayo.

GIMENA
Origen: Hebreo.
Significado: Dios siempre escucha.
Onomástico: No tiene.
Variantes: **Jimena, Ximena.**

GIN
Origen: Japonés.
Significado: Plata.
Onomástico: No tiene.

GINA
Origen: Alemán e italiano.
Significado: Deriva de *hlod-wig*, glorioso en la batalla. Diminutivo del nombre italiano Luigina. Colmada de gracia por Dios.
Onomástico: 25 de agosto.

GINEBRA
Origen: Inglés y alemán.
Significado: Deriva de la voz galesa *gwenhuifar*, blanca como la espuma del mar, o del alemán *genwifa*, la primera mujer. Variante de Genoveva.
Onomástico: 3 de enero.
Variantes: Catalán: **Genoveva.** Vasco: **Kenubep.** Gallego: **Xenoveva.** Inglés: **Genca, Guenevere, Jenifer.** Francés: **Genevieve.** Italiano: **Genoveffa.**

GINES
Origen: Griego.
Significado: La que engendra vida.
Onomástico: No tiene.

GINETTE
Origen: Francés.
Significado: Variante de Juana.
Onomástico: No tiene.

GINGER
Origen: Inglés y latino.
Significado: Nombre que se forma como diminutivo de Virginia. Latín: Flor.
Onomástico: 21 de mayo, 14 de agosto y 15 de diciembre.
Variantes: **Gin, Ginja, Ginjer, Ginny.**

GINIA
Origen: Latino.
Significado: Diminutivo de Virginia.
Onomástico: No tiene.
Variantes: **Gin.**

GINNIE
Origen: Alemán.
Significado: Diminutivo de Griselda.
Onomástico: No tiene.

GIOCONDA
Origen: Italiano.
Significado: Mujer alegre.
Onomástico: No tiene.

GIOVANA
Origen: Italiano.
Significado: Forma italiana de Juana.
Onomástico: No tiene.
Variantes: **Geovana, Geovanna, Giavanna, Giavonna.**

GISA
Origen: Hebreo.
Significado: Piedra tallada.
Onomástico: No tiene.
Variantes: **Gazit, Gissa.**

GISELA
Origen: Alemán.
Significado: Proviene de misil, flecha o fuerte por su sabiduría.
Onomástico: 7 de mayo.
Variantes: Gallego y asturiano: **Xisela.** Francés: **Giselle.** Italiano: **Gisella.**

GISELDA
Origen: Alemán.
Significado: La flecha.
Onomástico: No tiene.

G'SELLE
Origen: Alemán.
Significado: Variante de Gisela.
Onomástico: No tiene.
Variantes: **Ghisele, Gisel, Gisela, Gisele, Giseli, Gisell, Gissell, Gizela, Gysell.**

GITA
Origen: Polaco.
Significado: Forma corta de Margarita.
Onomástico: No tiene.
Variantes: **Gitka, Gitta, Gituska.**

GITANA
Origen: Español.
Significado: Deambulante.
Onomástico: No tiene.

GITTA
Origen: Irlandés.
Significado: Forma corta de Bridget.
Onomástico: No tiene.
Variantes: **Getta.**

GIULIA
Origen: Latino.
Significado: Forma italiana de Julia.
Onomástico: No tiene.

Variantes: **Giuliana.**

GIULIETA

Origen: Latino.

Significado: Forma italiana de Julieta.

Onomástico: No tiene.

GIUNIA

Origen: Latino.

Significado: La nacida en junio.

Onomástico: No tiene.

GLADIS

Origen: Galés.

Significado: Del nombre Gwladys. Variante de Claudia.

Onomástico: 1 de noviembre.

GLAUCA

Origen: Griego.

Significado: Nombre gallego de origen griego, significa verde.

Onomástico: 1 de noviembre.

GLENDA

Origen: Celta.

Significado: Deriva del gaélico *gleann*, valle boscoso.

Onomástico: 1 de noviembre.

GLENNA

Origen: Irlandés.

Significado: Valle estrecho.

Onomástico: No tiene.

Variantes: **Glenda, Glenina, Glenn, Glennia, Glenora, Gleny.**

GLICERA

Origen: Griego.

Significado: Deriva de *glykeran*, la dulce.

Onomástico: 13 de mayo.

GLORIA

Origen: Latino.

Significado: Procede de *gloria*, gloria, hazaña. Nombre cristiano que hace alusión a la Gloria de Dios.

Onomástico: Domingo de Pascua (de Gloria).

Variantes: Vasco: **Aintza, Aintzane.** Inglés: **Glory.** Francés: **Glorie.**

GLOSINDA

Origen: Alemán.

Significado: Nombre cuyo significado no se conoce con seguridad, aunque parece que es gloria dulce.

Onomástico: 25 de julio.

GLUNIA

Origen: Latino.

Significado: De *iunius*, relativo a *juno*, junio o sagrado.

Onomástico: No tiene.

GODIVA

Origen: Inglés.

Significado: Deriva de *Godgifu*, de god, Dios, y *gifu*, regalo, o sea, regalo de Dios.

Onomástico: 1 de noviembre.

GODOLEVA

Origen: Inglés.

Significado: Deriva de *Godgifu*, de god, Dios, y *gifu*, regalo, o sea, regalo de Dios.

Onomástico: 6 de julio.

GOLDA

Origen: Inglés.

Significado: Oro.

Onomástico: No tiene.

Variantes: **Goldarina, Golden, Goldie, Goldina.**

GOMA

Origen: Swahili.

Significado: Baile de alegría.

Onomástico: No tiene.

GORATZE

Origen: Vasco.

Significado: Variante de Exaltación.

Onomástico: No tiene.

GORETTI

Origen: Latino.

Significado: Apellido de la santa italiana María Goretti. En 1902 fue asesinada, cuando tenía sólo 12 años, por defender su virginidad.

Onomástico: 6 de julio.

GRACE

Origen: Latino.

Significado: Alternativa de Graciela.

Onomástico: No tiene.

GRACIA

Origen: Latino.

Significado: Deriva de *gratia*, encanto, influencia, amistad. Hace alusión a las Tres Gracias de la mitología

griega, hijas de Zeus y Afrodita. Mujer de encanto.
Onomástico: 23 de junio.
Variantes: Catalán: **Engrácia.** Vasco: **Atsegiñe, Garlic, Gartzene, Geraxane, Graxi, Lngartze, Pampoxa.** Inglés: **Grace.** Alemán: **Engratia.** Italiano: **Grazia.**

GRACIANA
Origen: Latino.
Significado: Que posee gracia. Agradable.
Onomástico: No tiene.

GRACIELA
Origen: Latino.
Significado: Deriva de *gratia*, encanto, influencia, amistad. Hace alusión a las Tres Gracias de la mitología griega, hijas de Zeus y Afrodita. Tiene la misma raíz que Graziela.
Onomástico: 8 y 12 de diciembre.
Variantes: Catalán: **Gracia, Engràcia.** Vasco: **Atsegine, Gartze, Geaxi, Ingartze.** Inglés: **Grace.** Francés: **Grâce.** Alemán: **Engratia.** Italiano: **Graziella.**

GRAINEE
Origen: Irlandés.
Significado: Amor.
Onomástico: No tiene.
Variantes: **Grania.**

GRANATE
Origen: Inglés.
Significado: Deriva de *garnet*, piedra semi-preciosa de color rojo.
Onomástico: No tiene.

GRANT
Origen: Inglés.
Significado: Grandiosa, dadivosa.
Onomástico: No tiene.

GRATA
Origen: Latino.
Significado: Deriva de *gratia*, encanto, influencia, amistad. Variante de Gracia.
Onomástico: 1 de mayo.

GRAYAS
Origen: Griego.
Significado: Hijas del hombre del mar.
Onomástico: No tiene.

GRAYSON
Origen: Inglés.
Significado: Hija del alguacil.
Onomástico: No tiene.
Variantes: **Graison, Graysin, Grasyn.**

GRAZIELA
Origen: Latino.
Significado: Nombre cristiano en honor de la Virgen. Significa graciosa.
Onomástico: 15 de agosto.
Variantes: Catalán: **Graciosa.** Vasco: **Gaxux, Gaxuxa.** Alemán e italiano: **Graziella.**

GRECIA
Origen: Latino.
Significado: Alternativa de Graciela. País europeo.
Onomástico: No tiene.

GREGORIA
Origen: Griego.
Significado: Deriva de *gregoriura*, vigilante.
Onomástico: 25 de mayo.
Variantes: Vasco: **Gergore, Gergoana.** Asturiano: **Goya.**

GRETA
Origen: Escandinavo y alemán.
Significado: De *Grene*, de origen vikingo. Diminutivo alemán de Margaret, del latín, *perla*. Bella como las perlas.
Onomástico: 23 de febrero.
Variantes: Alemán: **Grete, Gretchen.**

GRETCHEN
Origen: Alemán.
Significado: Pequeña perla.
Onomástico: No tiene.

GRISEL
Origen: Alemán.
Significado: Forma corta de Griselda.
Onomástico: No tiene.
Variantes: **Griselle, Grissel, Grissele, Grizel.**

GRISELDA
Origen: Alemán.
Significado: De Grishild. Mujer guerrera vestida de gris. Heroína.

Variantes: **Gricelda, Grisel, Griseldis, Grizelda, Grizel, Grizzie.**

GUADALUPE

Origen: Árabe.

Significado: Deriva de *wadi-al-lub*, río de amor. La que vive. Se emplea en honor de la Virgen de Guadalupe.

Onomástico: 6 de septiembre en España y 12 de diciembre en México.

Variantes: Vasco: **Godalupe.** Francés: **Guadeloupe.**

GUDELIA

Origen: Alemán.

Significado: De *guda*, Dios.

Onomástico: 29 de septiembre.

Variantes: Catalán: **Gudèlia.** Vasco: **Gudele.**

GÚDULA

Origen: Alemán.

Significado: Deriva de *guda*, Dios. Santa Gúdula es la patrona de Bruselas.

Onomástico: 8 de enero.

GÜENDOLINA

Origen: Galés.

Significado: La de pestañas blancas. Mujer de pestañas largas.

Onomástico: 14 de octubre.

Variantes: Inglés: **Gwenn, Gwendolyn, Wendy.** Francés: **Owendaline, Gwendoline.** Italiano: **Guendalina.**

GUÍA

Origen: Alemán.

Significado: Deriva de *wintan*, guiar.

Onomástico: 24 de febrero.

Variantes: Vasco: **Bidati.**

GUILLERMINA

Origen: Alemán.

Significado: Deriva de *will-helm*, yelmo voluntarioso, por extensión, protector decidido.

Onomástico: 10 de enero y 6 de abril.

Variantes: Catalán: **Guilleuma, Guillerma.** Vasco: **Gullelme.** Asturiano: **Guillerma, Guillelma.**

GUINERVE

Origen: Inglés.

Significado: Variante de Ginebra.

Onomástico: No tiene.

GUIOMAR

Origen: Alemán.

Significado: Deriva de *wit-maru*, mujer ilustre.

Onomástico: 1 de noviembre.

Variantes: Gallego: **Guiomar.**

GÜL

Origen: Turco.

Significado: Rosa, se pronuncia «*guiul*».

Onomástico: No tiene.

GUMERSINDA

Origen: Alemán.

Significado: Procede de *urnaswind*, hombre fuerte.

Onomástico: 19 de enero.

Variantes: Asturiano: **Sinda.**

GUNDA

Origen: Noruego.

Significado: Guerrera.

Onomástico: No tiene.

GUNILLA

Origen: Alemán.

Significado: Procede de *grind-hill*, guerrero famoso.

Onomástico: No tiene.

GURIT

Origen: Hebreo.

Significado: Bebé inocente.

Onomástico: No tiene.

GUSTA

Origen: Latino.

Significado: Forma corta de Augusta.

Onomástico: No tiene.

Variantes: **Gus, Gussi, Gussy, Gusti, Gustie, Gusty.**

GWEN

Origen: Celta.

Significado: Cima blanca.

Onomástico: No tiene.

Variantes: **Gwendolyn.**

GWYN

Origen: Celta.

Significado: Afortunada, bendecida.

Onomástico: No tiene.

Variantes: **Gwyneth.**

GWYNETH

Origen: Galés.
Significado: Diminutivo de Gwendolyn, que significa la de las pestañas blancas.
Onomástico: 14 de octubre.

GYPSY

Origen: Inglés.
Significado: Gitana.
Onomástico: No tiene.
Variantes: **GIPSY, JIPSIE.**

H

HABIBA
Origen: Árabe.
Significado: Querida, amada.
Onomástico: No tiene.

HACHI
Origen: Japonés.
Significado: Ocho, mujer con suerte.
Onomástico: No tiene.
Variantes: **HACHIKO, HACHIYO.**

HADA
Origen: Latino.
Significado: Procede de *fatum*, destino, suerte. Nombre que se le da a los seres mitológicos, siempre de sexo femenino, que habitan en los bosques y son capaces de influir mágicamente en los destinos de los seres humanos. Que acepta su destino.
Onomástico: 1 de noviembre.

HADARA
Origen: Hebreo.
Significado: Bellamente adornada.
Onomástico: No tiene.

HADASSAH
Origen: Hebreo.
Significado: Árbol naciente.
Onomástico: No tiene.
Variantes: **HADAS, HADASAH, HADASSA, HADDASA, HADDASAH.**

HADDA
Origen: Hebreo.
Significado: Que brinda alegría.
Onomástico: No tiene.

HADIYA
Origen: Swahili.
Significado: Regalo, don.
Onomástico: No tiene.
Variantes: **HADAYA, HADIA, HADIYAH.**

HAGAR
Origen: Hebreo.
Significado: Abandonada, extraña.
Onomástico: No tiene.
Variantes: **HAGGAR.**

HAIDEE
Origen: Griego.
Significado: Modesta.
Onomástico: No tiene.
Variantes: **HADY, HAIDÉ, HAIDI, HAIDY, HAYDEE, HAYDY.**

HAIDEN
Origen: Inglés.
Significado: Colina cubierta de brezo.
Onomástico: No tiene.

HAIZEA
Origen: Vasco.
Significado: Viento.
Onomástico: No tiene.

HALDANA
Origen: Noruego.
Significado: Mitad danesa.
Onomástico: No tiene.

HALEY
Origen: Escandinavo.
Significado: Heroína.
Onomástico: No tiene.
Variantes: **HALI, HALLEY, HALLIE, HALY, HALYE.**

HALI
Origen: Griego.
Significado: Pensando en el mar.
Onomástico: No tiene.

Variantes: **Hallie.**

HALIA

Origen: Hawaiano.
Significado: Recordada con amor.
Onomástico: No tiene.

HALIMAH

Origen: Árabe.
Significado: Amable, paciente.
Onomástico: No tiene.
Variantes: **Halima, Halime.**

HALINA

Origen: Ruso y griego.
Significado: Variante de Elena, del griego *hélene*, antorcha brillante.
Onomástico: No tiene.

HALLA

Origen: Africano.
Significado: Regalo inesperado.
Onomástico: No tiene.
Variantes: **Hala, Hallah.**

HALONA

Origen: Estadounidense.
Significado: Afortunada.
Onomástico: No tiene.
Variantes: **Halonah, Haloona, Haona.**

HAMA

Origen: Japonés.
Significado: Orilla.
Onomástico: No tiene.

HANA

Origen: Japonés y árabe.
Significado: Flor. Árabe: Felicidad.
Onomástico: No tiene.
Variantes: **Hanah, Hanna, Hanan, Hanicka, Hanin, Hanita, hanka.**

HANAN

Origen: Árabe.
Significado: Merced.
Onomástico: No tiene.

HANAKO

Origen: Japonés.
Significado: Niña flor.
Onomástico: No tiene.

HANIA

Origen: Hebreo.
Significado: Lugar de descanso.
Onomástico: No tiene.
Variantes: **Haniya, Hanja, Hannia, Hanniah, Hanya.**

HANNAH

Origen: Inglés y hebreo.
Significado: Forma inglesa de Ana, que deriva del hebreo *hannah*, gracia, compasión.
Onomástico: 26 de junio.

HAPATÍA

Origen: Griego.
Significado: La mejor. Filósofa griega, defensora del paganismo, asesinada en un tumulto.
Onomástico: No tiene.

HAPPY

Origen: Inglés.
Significado: Feliz.
Onomástico: No tiene.
Variantes: **Happi.**

HARA

Origen: Hindi.
Significado: Aleonada. Otro nombre de Shiva, diosa hindú de la destrucción.
Onomástico: No tiene.

HARMONÍA

Origen: Griego.
Significado: Procede de *harmonía*, armonía.
Onomástico: No tiene.

HARMONY

Origen: Griego.
Significado: Unión hermosa.
Onomástico: No tiene.

HARRIET

Origen: Alemán.
Significado: Gobernante del hogar.
Onomástico: No tiene.
Variantes: **Henrietta.** Inglés: **Hattie.**

HARU

Origen: Japonés.
Significado: Primavera o nacida en primavera.
Onomástico: No tiene.

HASANA

Origen: Swahili.
Significado: La primera en llegar. Nombre utilizado para la gemela que nació primero.
Onomástico: No tiene.

Variantes: **Hasanna, Hasna, Hassana.**

HASINA
Origen: Swahili.
Significado: Buena.
Onomástico: No tiene.
Variantes: **Hassina.**

HAVA
Origen: Hebreo.
Significado: Vida.
Onomástico: No tiene.

HAVIVA
Origen: Hebreo.
Significado: Amada.
Onomástico: No tiene.
Variantes: **Havi, Hayah.**

HAYDÉ
Origen: Griego.
Significado: Mujer sumisa.
Onomástico: No tiene.
Variantes: **Haydée.**

HAYFA
Origen: Árabe.
Significado: Bien formada.
Onomástico: No tiene.

HAYLEY
Origen: Inglés.
Significado: Puede traducirse como campo de heno.
Onomástico: No tiene.

HAZEL
Origen: Inglés.
Significado: Árbol de la avellana. Comandante.
Onomástico: No tiene.
Variantes: **Hazal, Haze, Hazell, Hazen.**

HEATHER
Origen: Inglés.
Significado: Colina con flores.
Onomástico: No tiene.

HEBE
Origen: Griego.
Significado: La que tiene la lozanía. En la mitología, la hija de Zeus y Hera, personificación de la juventud. Los romanos la denominaban *Iuventus*.
Onomástico: No tiene.

HÉCUBA
Origen: Griego.
Significado: En la mitología la esposa de Príamo, rey de Troya, y madre de 19 hijos, entre ellos, Paris y Héctor. Mujer guerrera.
Onomástico: No tiene.

HEDA
Origen: Alemán.
Significado: Doncella combatiente.
Onomástico: No tiene.
Variantes: **Heidi, Heidy, Hilde.**

HEDDA
Origen: Alemán.
Significado: Guerrera.
Onomástico: No tiene.
Variantes: **Heda, Hedaya, Hedia, Heida, Hetta.**

HEDY
Origen: Griego.
Significado: Deliciosa, dulce.
Onomástico: No tiene.
Variantes: **Heddi, Heddy, Hedi.**

HEIDI
Origen: Alemán.
Significado: Nombre equivalente al de Adelaida, de *adelheid*, de noble casta.
Onomástico: No tiene.
Variantes: **Heida, Heidie, Heydy, Hidi, Hidie, Hidy, Hiede, Hiedi, Hydi.**

HEILA
Origen: Escandinavo.
Significado: Deriva de *helga*, alta, divina.
Onomástico: 11 de julio.
Variantes: **Olga.**

HELDA
Origen: Alemán y hebreo.
Significado: Alemán: La batalladora. Hebreo: Herencia de Dios.
Onomástico: No tiene.
Variantes: **Elda.**

HELEIA
Origen: Griego.
Significado: Nombre de la mitología, derivado de la ciudad de Helos.
Onomástico: No tiene.

HELEN
Origen: Inglés.
Significado: Forma de Helena.
Onomástico: No tiene.

HELENA
Origen: Griego.
Significado: Deriva de *helene*, resplandeciente.
Onomástico: 18 de agosto.
Variantes: Vasco: **Ele, Elene.** Asturiano: **Lena.** Inglés: **Ellen, Helen.** Francés: **Hélène.** Italiano: **Elena.**

HELGA
Origen: Escandinavo.
Significado: Deriva de *helga*, alta, divina. Es una variante de Olga.
Onomástico: 18 de agosto.

HELI
Origen: Griego.
Significado: Forma reducida de Heliana.
Onomástico: No tiene.

HELIA
Origen: Griego.
Significado: Como si fuera el Sol.
Onomástico: No tiene.
Variantes: **Eleana, Eliana, Eliane.**

HELIANA
Origen: Griego.
Significado: La que ofrece a Dios.
Onomástico: No tiene.

HÉLIDA
Origen: Griego.
Significado: Gentilicio del Peleponeso (zona del sur de Grecia).
Onomástico: 25 de enero.

HELOÍSA
Origen: Alemán.
Significado: Variante gráfica de Eloísa, la guerrera famosa.
Onomástico: No tiene.

HELUÉ
Origen: Árabe.
Significado: Bonita o dulce.
Onomástico: No tiene.

HELVECIA
Origen: Latino.
Significado: La amiga alegre. Integrante de los helvecios, antiguos habitantes de Suiza.
Onomástico: No tiene.

HENEDINA
Origen: Griego.
Significado: Resplandeciente.
Onomástico: No tiene.

HENRIETTA
Origen: Alemán.
Significado: Gobernante del hogar.
Onomástico: No tiene.
Variantes: **Harriet, Hattie.**

HERA
Origen: Griego.
Significado: En la mitología, diosa del cielo y de la Tierra, esposa y hermana de Zeus.
Onomástico: No tiene.

HERCILIA
Origen: Griego.
Significado: Delicada, tierna, gentil.
Onomástico: No tiene.
Variantes: **Hersilia, Ercilia.**

HERCULANA
Origen: Griego.
Significado: En la mitología Hércules era el hombre más fuerte, mitad dios mitad humano, hijo de Zeus. Forma femenina de Hércules.
Onomástico: No tiene.

HERENA
Origen: Griego.
Significado: Nombre en honor de la divinidad Hares.
Onomástico: 25 de febrero.

HERENIA
Origen: Griego.
Significado: Nombre en honor de la divinidad Hares.
Onomástico: 25 de febrero.

HERESVIDA
Origen: Alemán.
Significado: Ejército numeroso.
Onomástico: 23 de septiembre.

HERMELINDA
Origen: Alemán.
Significado: Deriva de *ermin-hild,* soldado de Ermin. Ermin era un héroe mitológico que dio nombre a la tribu

de los ermiones. Escudo de fuerza.
Onomástico: 28 de octubre.

HERMENEGILDA
Origen: Alemán.
Significado: Deriva de *ermin-hild*, soldado de Ermin. Ermin era un héroe mitológico que dio nombre a la tribu de los ermiones.
Onomástico: 13 de abril.
Variantes: Gallego: **HERMENEXILDA.**

HERMILDA
Origen: Griego.
Significado: Que lucha con fuerza.
Onomástico: No tiene.

HERMINA
Origen: Latino y alemán.
Significado: Mujer noble. Alemán: Soldado.
Onomástico: No tiene.
Variantes: **HERMA, HERMENIA, HERMIA, HERMINNA.**

HERMINDA
Origen: Griego.
Significado: La que anuncia.
Onomástico: No tiene.
Variantes: **HERMIONE.**

HERMINIA
Origen: Alemán y griego.
Significado: Procede de *airmans*, grande, fuerte. Griego: Mensajera. Forma femenina de Hermes.
Onomástico: 25 de abril.
Variantes: Catalán: **ERMINIA. HERMINIA.** Vasco: **ERMINE.** Gallego: **HERMINIA.** Asturiano: **HERMINIA, HARMINIA.** Francés: **HERMINE.** Alemán: **HERMINIA.** Italiano: **ERMINIA.**

HERMIONE
Origen: Griego.
Significado: En la mitología, hija de Helena y de Menelao, rey de Esparta. Mujer que anuncia.
Onomástico: No tiene.

HERMOSA
Origen: Español.
Significado: Muy bonita, hermosa.
Onomástico: No tiene.

HERODIADE
Origen: Francés.
Significado: Variante de Herodías.
Onomástico: No tiene.
Variantes: **HERODÍAS.**

HERSILIA
Origen: Griego.
Significado: Mujer delicada.
Onomástico: No tiene.

HERUNDINA
Origen: Alemán y latino.
Significado: Diosa. Latín: Como una golondrina.
Onomástico: 23 de julio.

HESPER
Origen: Griego.
Significado: Estrella de la noche.
Onomástico: No tiene.

HESPERIA
Origen: Latino.
Significado: Procede de Hesperia, nombre mítico de Italia y España.
Onomástico: No tiene.

HESTER
Origen: Persa.
Significado: Estrella.
Onomástico: No tiene.

HESTIA
Origen: Persa y griego.
Significado: Estrella. Griego: En la mitología, diosa del corazón y el hogar.
Onomástico: No tiene.

HETA
Origen: Estadounidense.
Significado: Yegua que corre.
Onomástico: No tiene.

HIGINIA
Origen: Griego.
Significado: Proviene de *hygies*, sano, que forma *higinios*, vigoroso. Que tiene salud.
Onomástico: 11 de enero.
Variantes: Gallego: **HIXINIA.** Asturiano: **HIXINIA (XINIA).** Italiano: **IGINIA.**

HILARIA
Origen: Griego.
Significado: Procede de *hilarla*, alegría.
Onomástico: 12 de agosto.
Variantes: Catalán: **FULANA.** Vasco:

Hanñe. Gallego y Asturiano: **Hilarla.** Inglés: **Hilary.** Francés: **Hilarie.** Alemán: **Ilana.** Italiano: **Ilana.**

HILARY

Origen: Griego.
Significado: Alegre, feliz.
Onomástico: No tiene.
Variantes: **Hillary, Hilari, Hilaria, Hiliary, Hillari, Hilleri, Hillory.**

HILDA

Origen: Alemán.
Significado: Proviene de *hild*, batalla. Heroína.
Onomástico: 18 de marzo y 17 de noviembre.
Variantes: Catalán: **Elda, Hilda.** Francés: **Hilda.** Alemán: **Elda. Hilda, Ilde.** Italiano: **Elda, Ilda.**

HILDEGARD

Origen: Alemán.
Significado: Proviene de *hild*, batalla, y *gard*, morada, o sea, morada del combate. Que vigila durante la batalla.
Onomástico: 20 de abril y 17 de septiembre.
Variantes: Catalán: **Hildegarda.** Francés: **Hildegarde.** Italiano: **Ildegarda.**

HILDEGUNDA

Origen: Alemán.
Significado: Proviene de *hild*, batalla, y *gund*, batalladora. Heroína.
Onomástico: 20 de abril y 5 de agosto.
Variantes: Catalán: **Hildegunda, Hildegonda.** Italiano: **Ildegonda.**

HILDELITA

Origen: Latino.
Significado: Latinización con el sufijo *-leus* del alemán *hild*. Se puede traducir como guerrera.
Onomástico: 22 de diciembre.

HIMANA

Origen: Griego.
Significado: Nombre en la mitología que se puede traducir como membrana.
Onomástico: 29 de enero.

HINDA

Origen: Hebreo.
Significado: Conejo.
Onomástico: No tiene.
Variantes: **Hynda, Hindy.**

HIPATÍA

Origen: Griego.
Significado: La mejor.
Onomástico: No tiene.

HIPODAMIA

Origen: Griego.
Significado: Deriva de *hippodamos*, domador de caballos.
Onomástico: No tiene.
Variantes: Catalán: **Hipodamia.**

HIPÓLITA

Origen: Griego.
Significado: Deriva de *hippós-lytós*, jinete veloz.
Onomástico: 30 de enero y 2 de diciembre.
Variantes: Vasco: **Ipolita.** Francés: **Hippolyte.** Italiano: **Ippolita.**

HISA

Origen: Japonés.
Significado: Larga vida.
Onomástico: No tiene.
Variantes: **Hisae, Hisko, Hisay.**

HITI

Origen: Esquimal.
Significado: Hiena.
Onomástico: No tiene.
Variantes: **Hitty.**

HOA

Origen: Vietnamita.
Significado: Flor, paz.
Onomástico: No tiene.
Variantes: **Ho, Hoai.**

HOMBELINA

Origen: Alemán.
Significado: Deriva de *bond*, caudillo.
Onomástico: 12 de febrero.

HONEY

Origen: Inglés.
Significado: Dulce, miel.
Onomástico: No tiene.
Variantes: **Hunney, Hunny.**

HONG

Origen: Vietnamita.
Significado: Color rosa.
Onomástico: No tiene.

HONORA
Origen: Latino.
Significado: Honorable.
Onomástico: No tiene.
Variantes: **HONORATA, HONORAH, HONORIA, HONORINA.**

HONORATA
Origen: Latino.
Significado: Deriva de *honoratus,* honrado, apreciado. Que recibe honores.
Onomástico: 11 de enero.
Variantes: Catalán: **HONORATA.** Vasco: **ONORATE.** Gallego: **HONORATA.** Asturiano: **HONORATA.**

HONORIA
Origen: Latino.
Significado: Deriva de *honoratus,* honrado, apreciado. Que merece honores.
Onomástico: 11 de enero.
Variantes: Catalán: **HONORATA.** Vasco: **ONORATE.** Gallego: **HONORATA.** Asturiano: **HONORIA.**

HONORINA
Origen: Latino.
Significado: Deriva de *honorius,* gentilicio de *honorus,* honor. Que merece altos honores.
Onomástico: 27 de febrero.
Variantes: Catalán: **HONORINA.** Asturiano: **HONORINA (NORMA).**

HORTENSIA
Origen: Latino.
Significado: Deriva de la gens romana Hortensia, que procede de *hortus,* huerta. Hortensia significaba jardinera. Que ama la huerta.
Onomástico: 11 de enero.
Variantes: Catalán: **HORTÁNSIA.** Inglés y francés: **HORTENSE.** Alemán: **HORTENSIE.** Italiano: **ORTENSIA.**

HOSANA
Origen: Hebreo.
Significado: Deriva de *hoshana,* alegría.
Onomástico: 18 de julio.
Variantes: Catalán: **HOSANNA.** Italiano: **OSANNA, HOSSANA.**

HOSHI
Origen: Japonés.
Significado: Estrella.
Onomástico: No tiene.
Variantes: **HOSHIE, HOSHIKO, HOSHIYO.**

HUA
Origen: Chino.
Significado: Flor.
Onomástico: No tiene.

HUBERTA
Origen: Alemán.
Significado: Iluminación de la mente.
Onomástico: No tiene.

HUGOLINA
Origen: Alemán.
Significado: Femenino de Hugo. De pensamiento claro y gran inteligencia.
Onomástico: No tiene.

HUILÉN
Origen: Araucano.
Significado: La primavera.
Onomástico: No tiene.
Variantes: **HULLEN, HUILLEN.**

HUMBELINA
Origen: Alemán.
Significado: Nombre que deriva de *hood,* caudillo.
Onomástico: 12 de febrero.

HUMILDAD
Origen: Latino.
Significado: Nombre muy utilizado por los primeros cristianos, modestia, poca altura, baja.
Onomástico: 23 de mayo y 17 de julio.

HUONG
Origen: Vietnamita.
Significado: Flor.
Onomástico: No tiene.

HYE
Origen: Coreano.
Significado: Graciosa.
Onomástico: No tiene.

I

ÍA

Origen: Griego y asirio.

Significado: Nombre mitológico llevado por una hija de Midas. Viene de *ia*, dardo, o de *ia*, voz, grito. Asirio: Violeta.

Onomástico: 4 de agosto.

IAEL

Origen: Hebreo.

Significado: Variante de Jael.

Onomástico: No tiene.

IAN

Origen: Hebreo.

Significado: Dios es gracia.

Onomástico: No tiene.

Variantes: **IANA, IANN, IANNA, IANNEL.**

IANINA

Origen: Hebreo.

Significado: Variante de Giannina, diminutivo italiano de Juana.

Onomástico: No tiene.

IANTE

Origen: Griego.

Significado: Flor de violeta.

Onomástico: No tiene.

Variantes: **IANTHE, IANTHA, IANTHIA.**

IARA

Origen: Tupí.

Significado: La señora.

Onomástico: No tiene.

IBERIA

Origen: Latino.

Significado: Natural de Iberia, que viene de la Península Ibérica.

Onomástico: No tiene.

ICIA

Origen: Gallego.

Significado: Forma de Cecilia. No confundir con Itziar.

Onomástico: 22 de noviembre.

ICÍAR

Origen: Vasco.

Significado: Procede del topónimo *iz-i-ar*, altura orientada al mar.

Onomástico: 15 de agosto.

Variantes: **IZIAR.** Catalán: **ITZIAR.**

IDA

Origen: Alemán e inglés.

Significado: Sobrenombre de las valquirias. Muy trabajadora. Inglés: Próspera.

Onomástico: 15 de abril.

Variantes: Vasco: **IDE.** Italiano: **IDA. IDAH, IDALIA, IDANIA, IDAYA.**

IDALIA

Origen: Griego.

Significado: Era advocación de Venus. Mujer laboriosa.

Onomástico: No tiene.

Variantes: **IDALINA.**

IDARA

Origen: Latino.

Significado: Mujer prevenida.

Onomástico: No tiene.

IDELIA

Origen: Alemán.

Significado: La que es noble. Mujer de estirpe.

Onomástico: No tiene.

Variantes: **IDALINA.**

IDOIA

Origen: Vasco.
Significado: Deriva de *idol*, charco, pozo, tal vez alude a una circunstancia topográfica del santuario de la virgen de este nombre.
Onomástico: El lunes después del Domingo de Pentecostés.

IDOLINA

Origen: Latino.
Significado: Ídolo o imagen por la cual se adora a un dios o a una potencia divina.
Onomástico: No tiene.

IDONIA

Origen: Alemán.
Significado: Industriosa.
Onomástico: No tiene.

IDOVA

Origen: Vasco.
Significado: Deriva de *idol*, charco, pozo, alude al santuario de la virgen de este nombre. Variante de Mola.
Onomástico: El lunes después del Domingo de Pentecostés.

IDUBERGA

Origen: Alemán.
Significado: Formado por *ides*, mujer, doncella, y por *berg*, refugio; o sea, refugio de doncellas.
Onomástico: 8 de mayo.

IDUMEA

Origen: Latino.
Significado: Rojo.
Onomástico: No tiene.

IEESHA

Origen: Árabe.
Significado: Mujer.
Onomástico: No tiene.

IFIGENIA

Origen: Griego.
Significado: Deriva de *ifi*, fuerte, y *guenos*, estirpe, mujer de fuerte estirpe. Mujer íntegra y de gran fortaleza.
Onomástico: 21 de septiembre.
Variantes: Vasco: **Epigene.** Gallego: **Ifixenia.** Francés: **Iphigénie.**

IGNACIA

Origen: Celta.
Significado: De la voz *egnatius*, ardiente, encendido, adoptada por el latín con el mismo significado bajo la forma de *ignitus*. Que es ardiente.
Onomástico: 1 de febrero y 31 de julio.
Variantes: Catalán: **Ignasia.** Vasco: **Inaxie.** Inglés: **Ignatia.** Italiano: **Ignazia.**

IGONE

Origen: Vasco.
Significado: De ascensión. Nombre cristiano evocador del misterio.
Onomástico: No tiene.

IKERNE

Origen: Vasco.
Significado: Podría traducirse como visitación.
Onomástico: 3 de mayo,

IKIA

Origen: Hebreo y hawaiano.
Significado: Dios es mi salvación. Hawaiano: Forma femenina de Isaías.
Onomástico: No tiene.
Variantes: **Ikea, Ikiia.**

ILA

Origen: Húngaro.
Significado: Helena.
Onomástico: No tiene.

ILANA

Origen: Hebreo.
Significado: Árbol.
Onomástico: No tiene.
Variantes: **Ilaina, Ilani, Ilania.**

ILDA

Origen: Alemán.
Significado: Variante de Casilda, que deriva de *hathu-hild*, el combativo.
Onomástico: 9 de mayo.

ILDEGUNDA

Origen: Alemán.
Significado: La que sabe combatir. Guerrera en la batalla.
Onomástico: No tiene.

ILEANA

Origen: Griego.
Significado: Deriva de *heláne*, res-

plandeciente.
Onomástico: 18 de agosto.

ILIANA
Origen: Griego.
Significado: Mujer proveniente de Troya.
Onomástico: No tiene.
Variantes: **Ileana, Ilyana.**

ILLACHENI
Origen: Zapoteca.
Significado: Flor de nochebuena.
Onomástico: No tiene.

ILIMA
Origen: Hawaiano.
Significado: Flor del oahu.
Onomástico: No tiene.

ILONA
Origen: Griego.
Significado: Deriva de *heléne*, resplandeciente. Variante holandesa de Elena.
Onomástico: 18 de agosto.

ILSE
Origen: Hebreo.
Significado: Proviene de *el-yasa*, Dios ha ayudado. Variante de Elisa.
Onomástico: 5 de diciembre.

ILUMINADA
Origen: Latino.
Significado: De *illuminatus*, de *illumno*, iluminar, ser luminoso.
Onomástico: 29 de noviembre.
Variantes: Gallego: **Iluminada.** Italiano: **Illuminata.**

IMA
Origen: Alemán y japonés.
Significado: Alternativa de Amelia. Japonés: Presentable.
Onomástico: No tiene.

IMALA
Origen: Estadounidense.
Significado: De mente fuerte.
Onomástico: No tiene.

IMÁN
Origen: Árabe.
Significado: Creyente.
Onomástico: No tiene.

IMELDA
Origen: Alemán.
Significado: Irmhilda, que deriva de *irmin*, fuerza, e *hid*, combate, batalla. La que combate con fuerza. Fuerte en la batalla.
Onomástico: 16 de septiembre.

IMENA
Origen: Africano.
Significado: Puede interpretarse como sueño.
Onomástico: No tiene.

IMÓGENES
Origen: Latino.
Significado: Imagen, parecida.
Onomástico: No tiene.
Variantes: **Imogen, Imogenia.**

IMPERIO
Origen: Latino.
Significado: Mandataria, gobernante.
Onomástico: No tiene.

INA
Origen: Latino.
Significado: De difícil clasificación, algunos creen que puede ser una contracción de la palabra *innatus*, no nacida.
Onomástico: 6 de febrero.

INARI
Origen: Escandinavo y japonés.
Significado: Finlandés: Nombre geográfico. Japonés: Diosa del amor.
Onomástico: No tiene.

INDALECIA
Origen: Griego.
Significado: Semejante a su maestro.
Onomástico: No tiene.

INDAMIRA
Origen: Árabe.
Significado: Huésped de la princesa.
Onomástico: No tiene.

INDIA
Origen: Hindi.
Significado: Nombre que se le da a la India.
Onomástico: No tiene.

INDIANA
Origen: Griego.
Significado: Perteneciente a las Indias.
Onomástico: No tiene.

INDIRA
Origen: Hindi.
Significado: Espléndida. En el sentido religioso se interpreta como el dios del cielo.
Onomástico: No tiene.

INDRA
Origen: Hindi.
Significado: Dios del poder.
Onomástico: No tiene.

INÉS
Origen: Griego.
Significado: Procede de *agné*, pura, casta, aunque algunos autores lo relacionan con el latín *agnus*, cordero. La pureza.
Onomástico: No tiene.
Variantes: Catalán: **AGNES.** Vasco: **AÑES, AMES.** Inglés y alemán: **AGNES.** Francés: **AGNÉS.** Italiano: **AGNESE.**

INGA
Origen: Alemán.
Significado: Variante de Ingrid.
Onomástico: No tiene.

INGRID
Origen: Alemán.
Significado: Gentilicio de los ingviones, nombre de una tribu bárbara que se consideraba descendiente de un personaje llamado Ingvi muy famoso en sus leyendas.
Onomástico: 30 de agosto y 2 de septiembre.

INMACULADA
Origen: Latino.
Significado: *Immaculata*, sin mancha. Nombre cristiano en honor de la Inmaculada Concepción de la Virgen María.
Onomástico: 8 de diciembre.
Variantes: Vasco: **GARBIÑE, SORKUNDE.** Italiano: **IMMACOLATA.**

INOA
Origen: Hawaiano.
Significado: Nombre.
Onomástico: No tiene.

INOCENCIA
Origen: Latino.
Significado: Deriva de *innocens*, inocente.
Onomástico: 12 de marzo y 17 de junio.

INTI
Origen: Inca.
Significado: Sol, nombre del ser supremo. Debe acompañarse con otro nombre para indicar sexo.
Onomástico: No tiene.

IOANA
Origen: Inglés.
Significado: Variante de Joana.
Onomástico: No tiene.

IOES
Origen: Griego.
Significado: Equivale a Yolanda: De *ion-laos*, tierra de violetas.
Onomástico: 17 de diciembre.

IOLA
Origen: Griego.
Significado: Aurora, amanecer, de color violeta, digna del señor.
Onomástico: No tiene.
Variantes: **IOLIA.**

IOLANA
Origen: Hawaiano.
Significado: Vigilante y audaz como halcón.
Onomástico: No tiene.

IOLE
Origen: Griego.
Significado: Nombre de la mitología, de *ió*, violeta.
Onomástico: No tiene.

IONA
Origen: Vasco y griego.
Significado: Variante de Mariona y también forma vasca de Juana. Griego: Joya púrpura.
Onomástico: 24 de junio y 15 de agosto.

IONE
Origen: Griego.
Significado: En la mitología, nombre de una ninfa. Procede de *ió*, violeta.
Onomástico: 17 de diciembre.

IOSUNE
Origen: Vasco.

Significado: Forma femenina de Jesús, que deriva del hebreo *yehosúa*, Yahvé es el Salvador.
Onomástico: 1 de enero.

IPO
Origen: Hawaiano.
Significado: Querida.
Onomástico: No tiene.

IRACEMA
Origen: Tupí.
Significado: Salida de las abejas. Que viene de la miel.
Onomástico: No tiene.

IRAGARTZE
Origen: Vasco.
Significado: Anunciación.
Onomástico: 25 de marzo.
Variantes: Catalán: **ANUNCIACIÓ.** Vasco: **DEIÑE, DEÑC, IRAGARNE. ANUNTXI.** Gallego: **ANUNCIA.** Asturiano: **NUNCIA.** Italiano: **ANUNZIATA.**

IRAIDA
Origen: Griego.
Significado: Descendiente de Hera (Hera es un nombre mitológico, la reina de los dioses, esposa de Zeus).
Onomástico: 22 de septiembre.

IRASEMA
Origen: Tupí.
Significado: Salida de las abejas.
Onomástico: No tiene.
Variantes: **IRACEMA, IPACEMA.**

IRATI
Origen: Español.
Significado: Nombre de una selva de Navarra.
Onomástico: No tiene.

IRATZE
Origen: Vasco.
Significado: Femenino de helecho. Rocío. Referencia vasca a la Virgen María.
Onomástico: No tiene.

IRENE
Origen: Griego.
Significado: Deriva de drene, paz. Mujer pacífica.
Onomástico: 20 de octubre.

IRIA
Origen: Griego.
Significado: Perteneciente a los colores del arco iris.
Onomástico: 4 de septiembre.
Variantes: Gallego: **IRIA.**

IRIEL
Origen: Hebreo.
Significado: Variante de Uriel. Dios es mi luz.
Onomástico: No tiene.

IRIMIA
Origen: Gallego.
Significado: Toponímico del lugar de nacimiento del río Miño.
Onomástico: 1 de noviembre.

IRINA
Origen: Ruso.
Significado: Equivalente de Irene.
Onomástico: 21 de octubre.
Variantes: Catalán, vasco, inglés, alemán, italiano y francés: **IRENE.**

IRIS
Origen: Griego.
Significado: Nombre mitológico de Elm, anunciar. Puede interpretarse como mensajera. De bellos colores.
Onomástico: 4 de septiembre.
Variantes: **IRIDE, IRIDIA.**

IRMA
Origen: Alemán.
Significado: Procede de *eirmans*, grande, fuerte. Variante de Erminia. Dedicada a los dioses.
Onomástico: 9 de julio.

IRMINA
Origen: Alemán.
Significado: Nombre que procede de *ermans*, fuerza. Dedicada a los dioses.
Onomástico: 24 de diciembre.

IRTA
Origen: Latino.
Significado: Variante de Rita.
Onomástico: No tiene.

IRUNE
Origen: Vasco.
Significado: De Trinidad, nombre católico de origen latino que significa

reunión de tres.
Onomástico: El domingo después del Domingo de Pentecostés.

IRUPÉ
Origen: Guaraní.
Significado: Se refiere a la planta acuática del mismo nombre. Plato de agua.
Onomástico: No tiene.

ISABEL
Origen: Hebreo.
Significado: *Baal* da la salud. Consagrada a Dios. Mujer que ama a Dios. Alternativa de Elizabeth.
Onomástico: 8 de julio y 19 de noviembre.
Variantes: Catalán: **ELISABET.** Vasco: **ELISA, ELISABETE, ELIXABET.** Gallego: **SABEL, SABELA.** Asturiano: **SABEL, SABELA.** Inglés: **ELISABETH, ELIZABETH.** Francés: **LSABELLE, ELISABETH, YSABEL.** Alemán: **ISABELLA.** Italiano: **ELISABETTA, LISA.**

ISABELLA
Origen: Italiano.
Significado: Isabel.
Onomástico: No tiene.
Variantes: **ISABELA.**

ISABELLE
Origen: Francés.
Significado: Isabel.
Onomástico: No tiene.
Variantes: **ISABELE.**

ISADORA
Origen: Griego y egipcio.
Significado: Nombre greco-egipcio. Procede de *isis-doron* regalo de la diosa Isis.
Onomástico: 15 de mayo.
Variantes: **ISANQUI.**

ISAURA
Origen: Griego.
Significado: Topónimo que pertenece al pueblo de los isauras (Asia). Oriunda de Isauria.
Onomástico: 17 de junio.

ISBERGA
Origen: Alemán.
Significado: Podría ser la que alberga el hielo, ya que *is* quiere decir hielo y *berg*, guardar.
Onomástico: 21 de mayo.

ISELA
Origen: Escocés.
Significado: Isla.
Onomástico: No tiene.
Variantes: **ISEL.**

ISELDA
Origen: Alemán e inglés.
Significado: Deriva de *hold*, que deriva de *isan*, hierro, heroína de la leyenda de Tristón. Inglés: Mujer justa. Que es fiel.
Onomástico: No tiene.
Variantes: Catalán: **ISOLDA.** Francés: **ISEULT, YSEULT.** Alemán: **ISOLDE.** Italiano: **ISOTTA, ISOLDA, ISOLDE.**

ISHI
Origen: Japonés.
Significado: Roca.
Onomástico: No tiene.
Variantes: **ISHIKO, ISHIYO, SHIKO, SHIYO.**

ISIDORA
Origen: Griego y egipcio.
Significado: Nombre greco-egipcio. Procede de *isis-doron* regalo de la diosa Isis. Regalo de Isis.
Onomástico: 15 de mayo.
Variantes: **ISADORA.** Asturiano: **SIDORA, SIDRA.**

ISIS
Origen: Egipcio.
Significado: En la mitología, nombre de la diosa Isis, símbolo de la resurrección.
Onomástico: No tiene.

ISMELDA
Origen: Alemán.
Significado: Que utiliza la espada en la lucha.
Onomástico: No tiene.

ISMENIA
Origen: Griego.
Significado: La que siempre es bienvenida.
Onomástico: No tiene.

ISOLDA
Origen: Alemán.
Significado: Deriva de *hold*, que vie-

ne de *isan*, hierro. Heroína de la leyenda de Tristán. Guerrera poderosa.
Onomástico: No tiene.
Variantes: Francés: **Iseult, Yseult.** Alemán: **Isolde.** Italiano: **Isotta.**

ISOLINA
Origen: Hebreo.
Significado: *Baal* da la salud. Guerrera poderosa.
Onomástico: 8 de julio y 19 de noviembre.
Variantes: Catalán: **Isabel, Elisabet.** Vasco: **Elisa, Elixabct.** Gallego: **Sahel. Sabela. Bela.** Asturiano: **Isolina.** Inglés: **Elisabeth, Elizabeth.** Francés: **Elisabeth, Ysabel.** Italiano: **Isabella, Elisabetta, Lisa.** Alemán: **Isabella, Elisabeth.**

ISRAELA
Origen: Hebreo.
Significado: Fuerza de Dios.
Onomástico: No tiene.

ITA
Origen: Irlandés.
Significado: Sedienta.
Onomástico: No tiene.

ITALIA
Origen: Italiano.
Significado: Mujer proveniente de Italia.
Onomástico: No tiene.
Variantes: **Itali, Italy, Italya.**

ITALINA
Origen: Italiano.
Significado: Femenino de Ítalo.
Onomástico: No tiene.

ITAMAR
Origen: Hebreo.
Significado: Isla de palmeras. Oasis.
Onomástico: No tiene.

ITATAY
Origen: Guaraní.
Significado: La campanilla.
Onomástico: No tiene.

ITATÍ
Origen: Guaraní.
Significado: Piedra blanca. Se refiere a la advocación de la Virgen de Itatí, venerada en la provincia de Corrientes (Argentina), en el pueblo que lleva su nombre.
Onomástico: No tiene.

ITZAL
Origen: Vasco.
Significado: De Amparo, nombre cristiano que hace referencia a la Virgen del Amparo.
Onomástico: Segundo domingo de mayo.
Variantes: Catalán: **Empar.** Inglés: **Amparo.**

ITZAMNÁ
Origen: Maya.
Significado: Señor de los cielos, de la noche y del día.
Onomástico: No tiene.
Variantes: **Zamna.**

ITZEL
Origen: Maya.
Significado: Protegida. Lucero de la tarde.
Onomástico: No tiene.
Variantes: **Itcel, Itchel, Itsel, Ixchel.**

ITZÍAR
Origen: Vasco.
Significado: Quizá procede del topónimo *izi-ar*, altura orientada al mar.
Onomástico: 15 de agosto.
Variantes: Catalán: **Itziar.**

ITXCHEL
Origen: Maya.
Significado: Arco iris. Diosa maya del agua.
Onomástico: No tiene.

IVA
Origen: Francés.
Significado: De origen incierto, femenino de Ivo, patrón de la Bretaña francesa.
Onomástico: 13 de enero.
Variantes: Catalán: **Iva.** Francés: **Yve.** Italiano: **Iva.**

IVANA
Origen: Hebreo y eslavo.
Significado: Graciosa, regalo de Dios. Forma femenina de Iván. Eslavo: Dios es misericordioso.

Onomástico: No tiene.
Variantes: **IVA, IVANAH, IVANIA, IVANNA, IVANY.**

IVERNA
Origen: Latino.
Significado: La que nació en invierno.
Onomástico: No tiene.

IVETA
Origen: Francés.
Significado: De origen incierto, femenino de Ivo, patrón de la Bretaña francesa.
Onomástico: 13 de enero.
Variantes: Catalán; **IVET.** Francés: **YVETTE.**

IVONNE
Origen: Alemán.
Significado: La arquera.
Onomástico: 1 de noviembre.
Variantes: Vasco: **IBONE, IVON, IVONE.**

IVORY
Origen: Latino.
Significado: Hecha de marfil.
Onomástico: No tiene.
Variantes: **IVORI, IVOORY.**

IVY
Origen: Inglés.
Significado: Árbol de Ivy.
Onomástico: No tiene.
Variantes: **IVEY, IVIE.**

IXCHEL
Origen: Maya.
Significado: Diosa de las inundaciones, la preñez y el tejido.
Onomástico: No tiene.
Variantes: **IXEL, ITZEL.**

IYABO
Origen: Yoruba.
Significado: Puede interpretarse como madre que ha vuelto.
Onomástico: No tiene.

IZA
Origen: Hebreo.
Significado: Se cree que puede venir de *ezra*, fuerte.
Onomástico: 4 de diciembre.

IZARRA
Origen: Vasco.
Significado: Estrella.
Onomástico: 15 de agosto, 8 de septiembre y 8 de diciembre.
Variantes: Catalán: **ESTRELLA, ESTEL.** Vasco: **IZARA, IZARNE.** Gallego: **ESTELA, ESTRELA, ESTEL.** Asturiano: **ESTRELLA.** Inglés: **ESTELLA, STELLA.** Francés, alemán e italiano: **STELLA.**

IZASKUN
Origen: Vasco.
Significado: De *izarz*, retama. Retamal en lo alto del valle.
Onomástico: 15 de agosto.

IZUSA
Origen: Estadounidense.
Significado: Piedra blanca.
Onomástico: No tiene.

J

JABEL

Origen: Hebreo.
Significado: Arroyo que fluye.
Onomástico: No tiene.

JACARANDA

Origen: Tupí.
Significado: La flor del mismo nombre.
Onomástico: No tiene.

JACINTA

Origen: Griego.
Significado: Procede de *hyakinthos*, que pasa al griego clásico como *ayacis* o *ay*. Alusión a la flor del mismo nombre.
Onomástico: 30 de enero.
Variantes: Vasco: **JAKINDE.** Gallego: **XACINTA.** Asturiano: **XACENTA, XINTA.**

JACKIE

Origen: Inglés.
Significado: Diminutivo de Jacqueline, forma inglesa y francesa de Jacobo.
Onomástico: 8 de febrero y 25 de julio.
Variantes: Gallego: **XAQUELINA.** Inglés y francés: **JACQUELINE.** Italiano: **GIACOMINA.**

JACLYN

Origen: Hebreo.
Significado: Variante de Jaquelina.
Onomástico: No tiene.

JACOBA

Origen: Hebreo.
Significado: Procede de *yea-gob*, Yahvé recompensará, que se latinizó como Jacobo. Jacoba es el femenino.
Onomástico: 8 de febrero y 25 de julio.
Variantes: Gallego: **XAQUELINA.** Asturiano: **XAEOHA.** Inglés y francés: **JACQUELINE.** Italiano: **GIACOMINA.**

JACOBI

Origen: Hebreo.
Significado: Suplente, sustituta. Forma femenina de Jacob.
Onomástico: No tiene.
Variantes: **JACOBA, JACOBIA, JACOBINA, JACOLBIA.**

JACQUELINE

Origen: Francés.
Significado: Variante de Jaquelina.
Onomástico: No tiene.
Variantes: **JAQUELINA.**

JADE

Origen: Español.
Significado: Nombre de una roca que se suponía protectora del riñón.
Onomástico: 1 de noviembre.
Variantes: Alemán: **JADA.** Italiano: **GIADA.**

JAE

Origen: Latino.
Significado: Pájaro latoso.
Onomástico: No tiene.

JAEL

Origen: Hebreo.
Significado: Cabra de la montaña.
Onomástico: No tiene.
Variantes: **JAELA, JAELI, JAHLA, YAEL.**

JAFFA
Origen: Hebreo.
Significado: Puede interpretarse como bonita.
Onomástico: No tiene.

JAFIT
Origen: Hebreo.
Significado: Bella.
Onomástico: No tiene.

JAHA
Origen: Swahili.
Significado: Dignificada.
Onomástico: No tiene.

JAI
Origen: Tailandés.
Significado: Corazón.
Onomástico: No tiene.

JAIME
Origen: Francés.
Significado: Yo amo.
Onomástico: No tiene.
Variantes: **JAIMA, JAIMIE, JAIMINI, JAIMY.**

JAIMIE
Origen: Francés.
Significado: Yo quiero.
Onomástico: No tiene.

JAIRA
Origen: Español.
Significado: Dios Jehová enseña.
Onomástico: No tiene.
Variantes: **JAIRAH, JAIRY.**

JALA
Origen: Árabe.
Significado: Bondad.
Onomástico: No tiene.

JALILA
Origen: Árabe.
Significado: Nombre que se interpreta como grande, buena.
Onomástico: No tiene.

JAMAICA
Origen: Español.
Significado: Isla del Caribe.
Onomástico: No tiene.
Variantes: **JAMECA, JAMEICA, JAMICA.**

JAMI
Origen: Hebreo.
Significado: Suplente, sustituta.
Onomástico: No tiene.
Variantes: **JAMA, JAMANI, JAMIA, JAMIS.**

JAMICA
Origen: Español.
Significado: Alternativa de Jamaica.
Onomástico: No tiene.

JAMILA
Origen: Árabe.
Significado: Nombre árabe, de *jamal*, belleza. Mujer bella.
Onomástico: No tiene.

JANA
Origen: Hebreo.
Significado: Deriva de *Yehohanan*, Dios es misericordioso. Variante de Juana.
Onomástico: 24 de junio.

JANAN
Origen: Árabe.
Significado: Corazón, alma.
Onomástico: No tiene.
Variantes: **JANANI, JANANN, JANANNI.**

JANE
Origen: Hebreo.
Significado: Dios es gracia.
Onomástico: No tiene.
Variantes: **JAN, JANA, JANAY, JANET.**

JANET
Origen: Hebreo.
Significado: Deriva de *Yehohanan*, Dios es misericordioso. Variante de Juana,
Onomástico: 24 de junio.

JANICE
Origen: Hebreo.
Significado: Deriva de *Yehohanan*, Dios es misericordioso. Variante de Juana.
Onomástico: 24 de junio.

JANIKA
Origen: Eslavo.
Significado: Variante de Juana.
Onomástico: No tiene.
Variantes: **JANACA, JANECA.**

JANINA
Origen: Hebreo.
Significado: Deriva de *Yehohanan*, Dios es misericordioso. Variante de Juana.

Onomástico: 24 de junio.

JANITA

Origen: Estadounidense.

Significado: Alternativa de Juanita.

Onomástico: No tiene.

Variantes: **JANITZIA, JANNETA, JENITA.**

JANKA

Origen: Hebreo.

Significado: Deriva de *Yehohanan*, Dios es misericordioso. Variante de Juana.

Onomástico: 24 de junio.

JANNA

Origen: Hebreo.

Significado: Floreciente.

Onomástico: No tiene.

JANNIFER

Origen: Inglés.

Significado: Variante de Ginebra.

Onomástico: No tiene.

JAQUELINA

Origen: Hebreo.

Significado: Femenino de Jacobo, el que suplantó a su hermano.

Onomástico: No tiene.

Variantes: **JACKIE, JACLYN, JACQUELINE.**

JARITA

Origen: Árabe.

Significado: Brote de agua descendiente de la Tierra.

Onomástico: No tiene.

Variantes: **JARA, JARETTA, JARI, JARIA, JARICA.**

JAS

Origen: Estadounidense.

Significado: Forma corta de Jasmín.

Onomástico: No tiene.

Variantes: **JASS, JAZ, JAZZ, JAZZI.**

JASIA

Origen: Polaco.

Significado: Variante de Juana.

Onomástico: No tiene.

Variantes: **JAISHA, JASA, JASHA, JASIE.**

JASMÍN

Origen: Persa.

Significado: Flor de jasmín.

Onomástico: No tiene.

Variantes: **JAZMÍN, JASIMIN, JASMAN, JASMEN, JASMON, JASSMIN.**

JASMINE

Origen: Persa y latino.

Significado: Deriva del persa *jasamin*. En latín *jesminium* y *gelseminum*. Nombre de una flor blanca originaria de la India.

Onomástico: No tiene.

Variantes: Catalán: **GESSAMÍ.** Vasco: **TASMINA.** Inglés: **JESSAMYN, YASMIN.** Italiano: **GELSOMINA.**

JASMYN

Origen: Persa.

Significado: Alternativa de Jasmín.

Onomástico: No tiene.

Variantes: **JASMYNE, JASMYNN.**

JAVIERA

Origen: Vasco.

Significado: De *etehe-berri*, casa nueva. Que proviene de la casa nueva. Forma femenina de Javier.

Onomástico: 3 de diciembre.

Variantes: Catalán: **XAVIERA.** Vasco: **XABIERE.** Gallego y asturiano: **XABIERA.** Francés: **XAVIÉRC.** Alemán: **XAVCRIA.** Italiano: **SAVERIA.**

JAYA

Origen: Hindi.

Significado: Victoria.

Onomástico: No tiene.

Variantes: **JAEA, JAIA.**

JAYDE

Origen: Español.

Significado: Alternativa de Jade.

Onomástico: No tiene.

Variantes: **JAYD.**

JAYNA

Origen: Hebreo.

Significado: Equivalente de Juana.

Onomástico: No tiene.

JAZMÍN

Origen: Latino.

Significado: Deriva del persa *jasamin*. En latín, *jesminium* y *gelseminum*. Nombre de una flor blanca originaria de la India. Alusión a la flor del mismo nombre.

Onomástico: No tiene.

Variantes: Catalán: **GESSAMÍ.** Vasco: **LASMINA.** Inglés: **JESSAMYN, YASMIN.** Francés: **Jasmine.** Italiano: **Gelsomina.**

JEAN
Origen: Escocés.
Significado: Dios es gracia.
Onomástico: No tiene.
Variantes: **Jeanne, Jeana, Jeancie, Jeane, Jeanette, Jeanice, Jeanie, Jeanine.**

JEANETTE
Origen: Hebreo.
Significado: Deriva de *Yehohanan*, Dios es misericordioso.
Onomástico: 24 de junio.
Variantes: **Jeannete.**

JEANNE
Origen: Hebreo.
Significado: Variante de Juana.
Onomástico: No tiene.

JELENA
Origen: Ruso.
Significado: Helena. Luz que ilumina.
Onomástico: No tiene.
Variantes: **Jalani, Jalana, Jalena.**

JEMIMA
Origen: Hebreo.
Significado: Paloma.
Onomástico: No tiene.
Variantes: **Jamima, Jem, Jemimah, Jemma.**

JEMINA
Origen: Hebreo.
Significado: Puede interpretarse como paloma.
Onomástico: No tiene.

JEMMA
Origen: Hebreo.
Significado: Forma corta de Jemima.
Variantes: **Gemma, Jemmia, Jemmy.**

JENARA
Origen: Latino.
Significado: Deriva de *ianuarius*, de enero. Nombre muy común en la Edad Media. Consagrada a Jano.
Onomástico: 2 de marzo y 17 de julio.

JENKA
Origen: Checo.
Significado: Juana.
Onomástico: No tiene.

JENNA
Origen: Árabe y galés.
Significado: Pajarito. Galés: Forma corta de Jennifer.
Onomástico: No tiene.

JENNIFER
Origen: Inglés o alemán.
Significado: Puede derivar de la voz galesa *gwenhuifar*, blanca como la espuma del mar, o del germánico *gen-wifa*, la primera mujer. Es una variante de Genoveva.
Onomástico: 3 de enero.
Variantes: Catalán: **Genoveva.** Vasco: **Kenubep.** Gallego: **Xenoveva.** Inglés: **Cenca, Cuenevere, Jenifer.** Francés: **Genevieve.** Italiano: **Genoveffa.**

JENNY
Origen: Inglés.
Significado: Contracción de Johanna o diminutivo de Jane. También es el diminutivo de Eugenia.
Onomástico: 30 de mayo.

JENSINE
Origen: Hebreo.
Significado: Dios es bondadoso.
Onomástico: No tiene.

JERENI
Origen: Ruso.
Significado: Alternativa de Irene.
Onomástico: No tiene.
Variantes: **Jerina.**

JERI
Origen: Alemán.
Significado: Variante de Geraldine.
Onomástico: No tiene.

JERICA
Origen: Estadounidense.
Significado: Combinación de Jeri y Erica.
Onomástico: No tiene.
Variantes: **Jereca, Jerecka, Jericka, Jerika, Jerrica, Jeryka.**

JERÓNIMA
Origen: Griego.
Significado: Femenino de Jerónimo. De nombre sagrado.
Onomástico: No tiene.

Variantes: **Gerónima.**

JERUSALÉN
Origen: Hebreo.
Significado: Visión de la paz.
Onomástico: No tiene.

JERUSHA
Origen: Hebreo.
Significado: Herencia.
Onomástico: No tiene.

JESSICA
Origen: Escocés.
Significado: Diminutivo de Jane. Deriva del hebreo *Yehohanan*, Dios es misericordioso.
Onomástico: 24 de junio.
Variantes: **Jésica, Jessie, Yesica, Yessica.**

JESUSA
Origen: Hebreo.
Significado: Deriva de *Yehosáa*, Yahvé es el salvador. La salvadora.
Onomástico: 1 de enero.
Variantes: Vasco: **Josune, Mertxe.** Gallego: **Xesusa.** Asturiano: **Xesusa, Susa.**

JETTA
Origen: Inglés.
Significado: Gema de color negro.
Onomástico: No tiene.
Variantes: **Jeta, Jetia, Jetie.**

JEWEL
Origen: Francés.
Significado: Gema preciosa.
Onomástico: No tiene.
Variantes: **Jewelia, Jewell.**

JEZABEL
Origen: Hebreo.
Significado: Deriva de Izabel, equivalente a Isabel y que significa *Baal* da la salud.
Onomástico: 8 de julio y 19 de noviembre.
Variantes: Catalán: **Isabel, Elisabet.** Vasco: **Elisa. Elixabet.** Gallego: **Sabel, Sabela, Bela.** Inglés: **Elisabeth, Elizabeth.** Francés: **Isabelle, Elisabeth, Ysabel.** Italiano: **Isabella, Elisabetta, Lisa.** Alemán: **Isabella, Elisabeth.**

JIBON
Origen: Hindi.
Significado: Vida.
Onomástico: No tiene.

JILL
Origen: Latino.
Significado: Niña.
Onomástico: No tiene.
Variantes: **Jillian.**

JIMENA
Origen: Vasco.
Significado: Procede de *eiz-mendi*, fiera de montaña.
Onomástico: 5 de enero.
Variantes: Catalán: **Eixiniena, Ximena.** Gallego y asturiano: **Ximena.** Francés: **Chiméne.**

JIN
Origen: Japonés y chino.
Significado: Mujer que atiende. Chino: Oro.
Onomástico: No tiene.

JINA
Origen: Swahili.
Significado: Bebé con nombre.
Onomástico: No tiene.
Variantes: **Jena, Jinan, Jinda, Jinna.**

JIRA
Origen: Africano.
Significado: De la misma sangre.
Onomástico: No tiene.

JO
Origen: Estadounidense.
Significado: Forma corta de Joanna y Josefina.
Onomástico: No tiene.
Variantes: **Joanie, Joanne, Joanny.**

JOAN
Origen: Hebreo.
Significado: Forma de Juana.
Onomástico: No tiene.
Variantes: **Ioana, Johana, Johanna.**

JOANA
Origen: Inglés.
Significado: Dios es gracia.
Onomástico: No tiene.

JOAQUINA
Origen: Hebreo.
Significado: De *Yehoyaquiin*, Jahvé dispondrá. La firmeza de Dios.
Onomástico: 22 de mayo.

Variantes: Catalán: **JOAQUINA, QUINA.** Vasco: **JOKINE.** Gallego: **XOAQUINA.** Asturiano: **XOVINA.** Francés, inglés y alemán: **JOACHIM.** Italiano: **GIOACHINA.**

JOBETH

Origen: Inglés.
Significado: Combinación de Jo y Beth.
Onomástico: No tiene.

JOBY

Origen: Hebreo.
Significado: Afligida.
Onomástico: No tiene.
Variantes: **JOBI, JOBIE, JOINA, JOBITA.**

JOCACIA

Origen: Estadounidense.
Significado: Combinación de Joy y Acacia.
Onomástico: No tiene.

JOCASTA

Origen: Griego.
Significado: Alegre.
Onomástico: No tiene.

JOCELYN

Origen: Inglés.
Significado: Nombre que deriva del latín y significa alegre.
Onomástico: No tiene.
Variantes: **JACELYN, JOCELIN, JOCELYNE, JOCI, JOSCELIN, JOSELIN.**

JOELA

Origen: Hebreo.
Significado: Dios está con nosotros. Forma femenina de Joel.
Onomástico: No tiene.
Variantes: **JOELE, JOELI, JOELIA.**

JOHANNA

Origen: Hebreo.
Significado: Deriva del hebreo *Yohohanan*, Dios es misericordioso. Variante de Juana.
Onomástico: 24 de junio.

JOIA

Origen: Latino.
Significado: Feliz.
Onomástico: No tiene.

JOKLA

Origen: Swahili.
Significado: Bonita túnica.
Onomástico: No tiene.

JOLIE

Origen: Francés.
Significado: Bonita.
Onomástico: No tiene.
Variantes: **JOLE, JOLEY, JOLI, JOLLIE, JOLLY, JOLY, JOLYE.**

JONATHA

Origen: Hebreo.
Significado: Regalo de Dios. Forma femenina de Jonathan.
Onomástico: No tiene.
Variantes: **JOHNASHA, JONESHA, JONISHA.**

JONINA

Origen: Hebreo.
Significado: Paloma.
Onomástico: No tiene.
Variantes: **JONA, JONITA.**

JORA

Origen: Hebreo.
Significado: Lluvia de otoño.
Onomástico: No tiene.
Variantes: **JORAH.**

JORDANA

Origen: Hebreo.
Significado: Descendiente. Que desciende.
Onomástico: No tiene.
Variantes: **JORDAIN, JORDAN, JORDANNA, JORI.**

JORDINA

Origen: Catalán.
Significado: Variante de Georgina.
Onomástico: No tiene.

JORGELINA

Origen: Griego.
Significado: La que trabaja bien el campo. Femenino de Jorge.
Onomástico: No tiene.
Variantes: **GEORGINA, GEORGIA, JORDINA.**

JOSEFA

Origen: Hebreo.
Significado: Deriva de Yosef, que significa que Yahvé multiplique. Engrandecida por Dios.
Onomástico: 19 de marzo.
Variantes: Catalán: **JOSEPA.** Vasco: **YO-**

SEBE. Gallego: **XOSEFA, XOSELINA.** Asturiano: **XOSEFA.** Francés: **JOSÉPHINE.** Inglés: **JOSEPHINE.** Italiano: **GIOSEPPINA, JOSSETE, JOSIE, JOSSY, JO, GIOSY, JOSEPHA.** Diminutivos: **PEPITA, JOSEFINA.**

JOSEFINA

Origen: Español.

Significado: Dios nos dará. Dios incrementará.

Onomástico: No tiene.

Variantes: **JOSEFA, JOSEFENA, JOSEFFA, JO, JOEY, JOSEPHINA, JOSEPHINE, JOSEY.**

JOVA

Origen: Latino.

Significado: Descendiente de Júpiter.

Onomástico: No tiene.

Variantes: **JOVITA.**

JOVANA

Origen: Latino.

Significado: Majestuosa. Forma femenina de Jovan. En la mitología, Jova, también llamado Júpiter era el dios supremo de los romanos.

Onomástico: No tiene.

Variantes: **JEOVANNA, JOVADO, JOVAL, JOVITA.**

JOVITA

Origen: Latino.

Significado: Gentilicio de Júpiter, *iovis*, de la casta de Júpiter.

Onomástico: 15 de febrero.

Variantes: Vasco: **YOHITA.** Italiano: **GIOVITA.**

JOYCE

Origen: Latino.

Significado: La que está siempre llena de alegría.

Onomástico: No tiene.

JUANA

Origen: Hebreo.

Significado: Deriva del hebreo *Yehohanan*, Dios es misericordioso.

Onomástico: 30 de mayo y 24 de junio.

Variantes: Catalán: **JOANA.** Vasco: **JONE, JOANA, MANEIZA, YOANA.** Gallego: **XOANA.** Asturiano: **XUANA.** Inglés: **JANE, JANET, JEAN, JOAN.** Francés: **JEANNE.** Alemán: **JOHANNA.** Italiano: **GIANNA, GIOVANNA.**

JUDIT

Origen: Hebreo.

Significado: De *lehuda*, alabanza a Dios.

Onomástico: 7 y 27 de septiembre.

Variantes: Vasto: **YUDIE.** Gallego y asturiano: **XUDIT.** Francés, inglés y alemán: **JUDITH, JUDY.** Italiano: **GIUDITTA.**

JUDITH

Origen: Hebreo.

Significado: Alabada.

Onomástico: No tiene.

Variantes: **IOUDITH, JODI, JODIE, JODY, JUDE, JUDINE, JUDIT, JUDITA, JUDITHA.**

JUDY

Origen: Hebreo.

Significado: Alternativa de Judith.

Onomástico: No tiene.

Variantes: **JUDI.**

JULA

Origen: Polaco.

Significado: Alternativa de Julia.

Onomástico: No tiene.

Variantes: **JULCA, JULCIA, JULKA.**

JULIA

Origen: Latino.

Significado: El nombre de la *gens* romana Julia deriva de Lulo, el hijo del héroe troyano Eneas, uno de los primeros fundadores de Roma. Llena de juventud. Forma femenina de Julio. De cabello crespo.

Onomástico: 22 de mayo.

Variantes: Catalán: **JÚLIA.** Vasco: **JULA, YULA.** Gallego y asturiano: **XULIA.** Francés e inglés: **JULIE, JULIA.** Alemán: **JULIA.** Italiano: **GIULIA, JULA, JULIAH, JULICA, JULINA, JULISA, JULISSA, JULITA, JULIANA, JULIE.**

JULIANA

Origen: Latino.

Significado: Deriva de Julianas, perteneciente a la *gens* romana Julia.

Onomástico: 19 de junio.

Variantes: Vasco: **JULENE, YULENE.** Gallego: **XIANA.** Asturiano: **LYANA, XIANA,**

XULIANA. Francés: **JULIENNE.** Alemán: **JULIANE.** Italiano: **GIULIANA, GILLIAN.**

JULIETA

Origen: Latino.

Significado: Deriva de Julianas, perteneciente a la *gens* romana Julia.

Onomástico: 22 de mayo.

JULISSA

Origen: Latino.

Significado: Alternativa de Julia.

Onomástico: 22 de mayo.

JULITA

Origen: Español.

Significado: Diminutivo de Julia.

Onomástico: 22 de mayo.

JUN

Origen: Chino.

Significado: Veraz, honesta.

Onomástico: No tiene.

JUNO

Origen: Latino.

Significado: La juvenil. Diosa mitológica protectora de la mujer, el noviazgo, el matrimonio, el embarazo y el parto. Mujer joven.

Onomástico: No tiene.

JUSTA

Origen: Latino.

Significado: De *justos*, justo, legal, honesto.

Onomástico: 19 de julio y 14 de mayo.

Variantes: Vasco: **ZUZENE.** Asturiano: **XUSTA.** Francés: **JUSTINE.** Italiano: **GIUSTA.**

JUSTINA

Origen: Latino.

Significado: De *justinianus*, gentilicio de Justino. Justa, recta. Forma femenina de Justino. Que sigue las leyes de Dios.

Onomástico: 26 de septiembre.

Variantes: Catalán: **JUSTINE.** Vasco: **JUSTIÑE.** Gallego: **XUSTINA.** Asturiano: **XURDTINA.** Francés: **JUSTINE.** Italiano: **GIUSTINE, JESTINA, JUSTINNA, JUSTYNA.**

JUSTINIANA

Origen: Latino.

Significado: Joven necesitada.

Onomástico: No tiene.

JUVENCIA

Origen: Latino.

Significado: Femenino de Juven. La juventud.

Onomástico: No tiene.

Variantes: **JUVENTINA.**

KACIA
Origen: Griego.
Significado: Forma corta de Acacia.
Onomástico: No tiene.
Variantes: **Kaycia, Kaysia.**

KADIJAH
Origen: Árabe.
Significado: Digna de confianza.
Onomástico: No tiene.
Variantes: **Kadajah, Kadija.**

KAEDE
Origen: Japonés.
Significado: Hoja de maple.
Onomástico: No tiene.

KAELA
Origen: Hebreo.
Significado: Amada, dulce corazón.
Onomástico: No tiene.
Variantes: **Kaelah, Kayla.**

KAGAMI
Origen: Japonés.
Significado: Espejo.
Onomástico: No tiene.

KAI
Origen: Hawaiano.
Significado: Sauce.
Onomástico: No tiene.

KAIA
Origen: Griego.
Significado: Tierra. En la mitología, Gaia era la diosa de la Tierra.
Onomástico: No tiene.
Variantes: **Kaiah, Kaija.**

KAILA
Origen: Hebreo.
Significado: Laurel, corona.
Onomástico: No tiene.
Variantes: **Kailah, Kailea, Kayla.**

KAIROS
Origen: Griego.
Significado: En la mitología, última diosa nacida de Júpiter; significa precisamente última, final completo.
Onomástico: No tiene.

KAITLIN
Origen: Irlandés.
Significado: Pura.
Onomástico: No tiene.

KAIYA
Origen: Japonés.
Significado: Quien perdona.
Onomástico: No tiene.
Variantes: **Kaiyah, Kaiyia.**

KALA
Origen: Hindi.
Significado: Tiempo.
Onomástico: No tiene.

KALAMA
Origen: Hawaiano.
Significado: Antorcha.
Onomástico: No tiene.

KALARE
Origen: Vasco.
Significado: Brillante, clara.
Onomástico: No tiene.

KALI
Origen: Hindi y hawaiano.
Significado: Energía, diosa negra, destructora. Nombre de la diosa hindú

Shakti. Hawaiano: Vaciladora.
Onomástico: No tiene.
Variantes: **KALEY, KALIE, KALLI, KALY.**

KALID
Origen: Árabe.
Significado: Que es inmortal.
Onomástico: No tiene.

KALIFA
Origen: Somalí.
Significado: Casta sagrada.
Onomástico: No tiene.

KALIKA
Origen: Griego.
Significado: Capullo de rosa.
Onomástico: No tiene.
Variantes: **KALYCA.**

KALILA
Origen: Árabe.
Significado: Amada, dulce corazón.
Onomástico: No tiene.
Variantes: **KAHILA, KALA, KALILLA, KHALILA.**

KALINA
Origen: Eslavo.
Significado: Flor.
Onomástico: No tiene.

KALINDA
Origen: Hindi.
Significado: Sol.
Onomástico: No tiene.
Variantes: **KALINDI, KALYNDA.**

KALL
Origen: Hindi.
Significado: Nombre de una diosa de la India que significa la gran negra.
Onomástico: No tiene.

KALLAN
Origen: Eslavo.
Significado: Arroyo, río.
Onomástico: No tiene.
Variantes: **KALAN, KALEN, KALLEN.**

KALLI
Origen: Griego.
Significado: La que canta.
Onomástico: No tiene.

KALLIOPE
Origen: Griego.
Significado: Voz hermosa. En la mitología, Calliope era la musa de la poesía épica.
Onomástico: No tiene.
Variantes: **KALLI, KALLYOPE, CALIOPE.**

KALLISTA
Origen: Inglés.
Significado: Deriva del griego, formado por el superlativo de *kalós*, kállistos, que significa bellísimo.
Onomástico: 25 de abril y 2 de septiembre.
Variantes: Catalán: **CALIXTE.** Vasco: **KALIXTE.** Gallego y asturiano: **CALISTA.** Francés: **CALIXTE.**

KALLIYAN
Origen: Camboyano.
Significado: La mejor.
Onomástico: No tiene.
Variantes: **KALLI, KALLIE.**

KALTHA
Origen: Inglés.
Significado: Dorada, flor amarilla.
Onomástico: No tiene.

KALUWA
Origen: Swahili.
Significado: La olvidada.
Onomástico: No tiene.
Variantes: **KALÚA.**

KALYCA
Origen: Griego.
Significado: Botón de rosa.
Onomástico: No tiene.
Variantes: **KALICA, KALIKA, KALY.**

KAMA
Origen: Hindi.
Significado: La amada. Dios hindú del amor.
Onomástico: No tiene.

KAMALA
Origen: Hindi.
Significado: Flor de loto.
Onomástico: No tiene.
Variantes: **KAMALAH, KAMMALA.**

KAMARIA
Origen: Swahili.
Significado: Luz de luna.
Onomástico: No tiene.
Variantes: **KAMAR, KAMARA, KAMARI, KAMARIAH, KAMARIYA, KAMARYA.**

K

KAMEA
Origen: Hawaiano.
Significado: Una y única, preciosa.
Onomástico: No tiene.
Variantes: **Kameah, Kameo, Kamiya.**

KAMEKE
Origen: Swahili.
Significado: Ciega.
Onomástico: No tiene.

KAMEKO
Origen: Japonés.
Significado: Tortuguita. En la mitología, la tortuga simbolizaba la longevidad.
Onomástico: No tiene.

KAMILAH
Origen: Africano.
Significado: Perfecta.
Onomástico: No tiene.
Variantes: **Kami, Kamillah.**

KAMILIA
Origen: Eslavo.
Significado: Flor dulce.
Onomástico: No tiene.

KAMILLE
Origen: Vasco.
Significado: Forma de Camila.
Onomástico: No tiene.

KANANI
Origen: Hawaiano.
Significado: Hermosa.
Onomástico: No tiene.
Variantes: **Kana, Kanan.**

KANDA
Origen: Estadounidense.
Significado: Poder mágico.
Onomástico: No tiene.

KANDACE
Origen: Griego.
Significado: Resplandeciente.
Onomástico: No tiene.
Variantes: **Candace, Kandice.**

KANDE
Origen: Africano.
Significado: Primogénita.
Onomástico: No tiene.

KANE
Origen: Japonés.
Significado: Dos manos derechas.
Onomástico: No tiene.

KANENE
Origen: Swahili.
Significado: Pequeña cosa.
Onomástico: No tiene.

KANI
Origen: Hawaiano.
Significado: Sonido.
Onomástico: No tiene.

KANNITHA
Origen: Camboyano.
Significado: Ángel.
Onomástico: No tiene.

KANOA
Origen: Hawaiano.
Significado: Libre.
Onomástico: No tiene.

KANYA
Origen: Hindi.
Significado: Virgen.
Onomástico: No tiene.

KAPUKI
Origen: Swahili.
Significado: Primogénita.
Onomástico: No tiene.

KARA
Origen: Griego.
Significado: Pura.
Onomástico: No tiene.
Variantes: **Kaira, Kairah, Karah, Karalea, Kari, Karra.**

KAREN
Origen: Griego.
Significado: De estirpe pura.
Onomástico: 29 de abril y 28 de julio.

KARENINA
Origen: Latino.
Significado: Variante de Karen.
Onomástico: No tiene.

KARIDA
Origen: Árabe.
Significado: Intocable, pura.
Onomástico: No tiene.
Variantes: **Karita.**

KARIM
Origen: Griego.
Significado: Variante de Karen.
Onomástico: No tiene.

KARIMAH
Origen: Árabe.
Significado: Generosa.
Onomástico: No tiene.

KARIN
Origen: Escandinavo.
Significado: Alternativa de Karen. Forma sueca de Catalina.
Onomástico: No tiene.
Variantes: **KARINA, KARINE, KARIN, CARINA.**

KARINA
Origen: Griego.
Significado: Proviene de *xrino*, gracioso.
Onomástico: 7 de noviembre.
Variantes: Catalán, gallego y asturiano: **CARINA.** Vasco: **KARIFLE.**

KARIS
Origen: Griego.
Significado: Graciosa.
Onomástico: No tiene.
Variantes: **KARESS, KARICE, KARISE.**

KARITTE
Origen: Vasco.
Significado: Variante de Caridad.
Onomástico: No tiene.

KARLA
Origen: Alemán.
Significado: Granjera.
Onomástico: No tiene.
Variantes: **CARLA.**

KARLEY
Origen: Latino.
Significado: Pequeña y femenina.
Onomástico: No tiene.
Variantes: **KALEY, KARLIE, KARLYE.**

KARMA
Origen: Hindi.
Significado: Destino.
Onomástico: No tiene.

KARMEL
Origen: Hebreo.
Significado: De *karm-El*, jardín de Dios.
Onomástico: 16 de julio.
Variantes: Catalán, gallego y asturiano: **CARMELA.** Vasco: **KARMELA.** Italiano: **CARMELA.**

KAROLINA
Origen: Alemán.
Significado: Variante de Carolina.
Onomástico: No tiene.

KARSEN
Origen: Hindi.
Significado: Hija de Kar.
Onomástico: No tiene.
Variantes: **KARSON, KARSYN.**

KARUNA
Origen: Hindi.
Significado: Piadosa.
Onomástico: No tiene.

KASEY
Origen: Irlandés.
Significado: Valiente.
Onomástico: No tiene.
Variantes: **KASIE, KASCI, KASCY, KASI, KASY.**

KASHMIR
Origen: Hindi.
Significado: Estado perteneciente a la India.
Onomástico: No tiene.
Variantes: **KASHMIA, KASHMIRA, KASMIR, KASMIRA, KAZMIR, KAZMIRA.**

KASI
Origen: Hindi.
Significado: Proveniente de la ciudad sagrada.
Onomástico: No tiene.

KASSIA
Origen: Griego.
Significado: Pura. Variante de Kasia.
Onomástico: No tiene.

KASSIDY
Origen: Irlandés.
Significado: Inteligente.
Onomástico: No tiene.

KATALINA
Origen: Irlandés.
Significado: Alternativa de Catalina.
Onomástico: No tiene.
Variantes: **KATALENA, KATALIN, KATALYN.**

KATARINA
Origen: Checo.
Significado: Kata.
Onomástico: No tiene.
Variantes: **KATERINA, KATARIN, KATA-**

RINNA, KATARYNA.

KATE

Origen: Griego.
Significado: Pura.
Onomástico: No tiene.
Variantes: **KAIT, KATA, KATI, KATICA, KATY, KATIA, KATYA.**

KATELIN

Origen: Griego.
Significado: Deriva de *katherine*, pura, Lynn, cascada.
Onomástico: No tiene.
Variantes: **KATELYN, KATHLEEN.**

KATHARINA

Origen: Alemán.
Significado: Variante de Catalina.
Onomástico: No tiene.
Variantes: **KATARINA, KATERINA.**

KATHERINE

Origen: Inglés.
Significado: Variante de Catalina.
Onomástico: No tiene.
Variantes: **KATE, KATHRIN, KATHY, KATIE, KATLYN, KAY, KITTY.**

KATIA

Origen: Griego.
Significado: Variante de Catalina. Del griego *Aikatharina*, pasó al latín como *Katharina*, con el significado de pura.
Onomástico: 29 de abril y 28 de julio.

KATIXA

Origen: Vasco.
Significado: Deriva probablemente de *kara*, gato.
Onomástico: No tiene.

KATJA

Origen: Griego.
Significado: La que es de raza pura.
Onomástico: No tiene.

KATRINA

Origen: Alemán.
Significado: Alternativa de Catalina.
Onomástico: No tiene.
Variantes: **KATRICIA, KATRINIA, KATRI, KATRIONA, KATRYNA.**

KATY

Origen: Inglés.
Significado: Alternativa de Katia.
Onomástico: No tiene.
Variantes: **KADY, KATTY, KAYTE.**

KAULANA

Origen: Hawaiano.
Significado: Famosa.
Onomástico: No tiene.
Variantes: **KAULA, KAUNA, KAHUNA.**

KAVERI

Origen: Hindi.
Significado: Río sagrado en la India.
Onomástico: No tiene.

KAVINDRA

Origen: Hindi.
Significado: Poeta.
Onomástico: No tiene.

KAWENA

Origen: Hawaiano.
Significado: Resplandor.
Onomástico: No tiene.
Variantes: **KAWANA, KAWONA.**

KAY

Origen: Griego.
Significado: Regocijante.
Onomástico: No tiene.
Variantes: **CAYE, KAE, KAI, KAYE, KAYLA.**

KAYLA

Origen: Árabe.
Significado: Corona de laurel.
Onomástico: No tiene.

KAYSA

Origen: Escandinavo.
Significado: Pura.
Onomástico: No tiene.

KEALA

Origen: Hawaiano.
Significado: Parche.
Onomástico: No tiene.

KEANA

Origen: Alemán e irlandés.
Significado: Calva. Irlandés: Hermosa.
Onomástico: No tiene.
Variantes: **KEANAH, KEANU.**

KEARA

Origen: Irlandés.
Significado: Oscura, negra. Santa Irlandesa.
Onomástico: No tiene.
Variantes: **KEARRA, KEIRA, KERA.**

KEELIN
Origen: Celta.
Significado: Delgada y justa.
Onomástico: No tiene.

KEENA
Origen: Irlandés.
Significado: Valiente.
Onomástico: No tiene.
Variantes: **Keenya, Kina.**

KEI
Origen: Japonés.
Significado: Niño Feliz.
Onomástico: No tiene.

KEIKI
Origen: Hawaiano.
Significado: Niño.
Onomástico: No tiene.
Variantes: **Keikenn.**

KEIKO
Origen: Japonés.
Significado: Niña feliz.
Onomástico: No tiene.

KEILA
Origen: Hebreo.
Significado: Nombre dado a mujeres de cabello oscuro o de tez morena, ya que podría significar noche.
Onomástico: No tiene.
Variantes: Catalán: **Leila.** Inglés: **Liela, Lila, Lela.**

KEILANI
Origen: Hawaiano.
Significado: Gloriosa, jefa.
Onomástico: No tiene.
Variantes: **Kaylani, Keilan, Keilana, Keilany.**

KEISHA
Origen: Africano.
Significado: Favorita.
Onomástico: No tiene.
Variantes: **Kesia.**

KEITA
Origen: Escocés.
Significado: Madera.
Onomástico: No tiene.
Variantes: **Keiti.**

KEKONA
Origen: Hawaiano.
Significado: Segunda hija nacida.
Onomástico: No tiene.

KELDA
Origen: Escandinavo.
Significado: Manantial.
Onomástico: No tiene.

KELLY
Origen: Irlandés.
Significado: Guerrera valiente.
Onomástico: No tiene.
Variantes: **Kelli, Kellyn.**

KENDA
Origen: Inglés.
Significado: Agua de bebé. Dakota: Poder mágico.
Onomástico: No tiene.
Variantes: **Kendra, Kennda.**

KENDAL
Origen: Inglés.
Significado: Valle.
Onomástico: No tiene.
Variantes: **Kendall, Kendalla, Kendel.**

KENDALL
Origen: Inglés.
Significado: Dueña del valle.
Onomástico: No tiene.

KENDI
Origen: Africano.
Significado: Amada.
Onomástico: No tiene.

KENDRA
Origen: Alemán.
Significado: mujer sabia.
Onomástico: 1 de noviembre.

KENEDY
Origen: Irlandés.
Significado: Mujer al mando, jefa.
Onomástico: No tiene.
Variantes: **Kennedy, Kenedi, Kenidi, Kenidy.**

KENNIS
Origen: Celta.
Significado: Bella.
Onomástico: No tiene.

KENYA
Origen: Hebreo.
Significado: Cuerno de animal, país de África.
Onomástico: No tiene.
Variantes: **Kenia, Kenyah.**

KERANI
Origen: Hindi.
Significado: Campanas sagradas.
Onomástico: No tiene.
Variantes: **Kera, Kerah, Keran, Kerana.**

KEREN
Origen: Hebreo.
Significado: Cuerno de animal.
Onomástico: No tiene.
Variantes: **Kerrin, Keryn.**

KERRY
Origen: Irlandés.
Significado: Nombre que se forma como gentilicio de una zona de Irlanda. También significa de cabello oscuro.
Onomástico: No tiene.

KESARE
Origen: Latino y vasco.
Significado: De cabello largo. Vasco: Forma femenina de César.
Onomástico: No tiene.

KESI
Origen: Swahili.
Significado: Nacida en tiempos difíciles.
Onomástico: No tiene.

KESSIE
Origen: Africano.
Significado: Bebé gordito.
Onomástico: No tiene.

KEVINA
Origen: Celta.
Significado: Femenino de Kevin. Suave, adorable.
Onomástico: No tiene.
Variantes: **Kevyn.**

KEVYN
Origen: Irlandés.
Significado: Hermosa.
Onomástico: No tiene.
Variantes: **Kevia, Kevina, Kevon, Kevona, Kevynn.**

KHADIJAH
Origen: Árabe.
Significado: Fiable, honrada. Primera esposa de Mohamed.
Onomástico: No tiene.

KHADILAH
Origen: Árabe.
Significado: Inmortal.
Onomástico: No tiene.

KHALIDA
Origen: Árabe.
Significado: Inmortal.
Onomástico: No tiene.
Variantes: **Khali, Khalia, Khaliah, Khalita.**

KI
Origen: Coreano.
Significado: Aparecida.
Onomástico: No tiene.

KIARA
Origen: Irlandés.
Significado: Pequeña y oscura.
Onomástico: No tiene.
Variantes: **Kiarra, Kyara.**

KIELA
Origen: Hawaiano.
Significado: Gardenia, flor aromática.
Onomástico: No tiene.
Variantes: **Kiele, Kielly.**

KIKU
Origen: Japonés.
Significado: Crisantemo.
Onomástico: No tiene.

KIM
Origen: Inglés.
Significado: Hace alusión a la persona que se encuentra al mando.
Onomástico: 1 de noviembre.

KIMANA
Origen: Estadounidense.
Significado: Mariposa.
Onomástico: No tiene.
Variantes: **Kiman, Kimani.**

KIMBER
Origen: Inglés.
Significado: Forma corta de Kimberly.
Onomástico: No tiene.
Variantes: **Kimbra.**

KIMBERLEY
Origen: Inglés.
Significado: La que gobierna, jefe, caudillo.

Onomástico: No tiene.
Variantes: **KIMBERLY.**

KIMI
Origen: Japonés.
Significado: Recta.
Onomástico: No tiene.
Variantes: **KIMIA, KIMIKA, KIMIKO, KIMIYO, KIMMI, KIMMY.**

KINA
Origen: Hawaiano.
Significado: Originaria de China.
Onomástico: No tiene.

KINESBURGA
Origen: Inglés.
Significado: Fortaleza real.
Onomástico: No tiene.

KINETA
Origen: Griego.
Significado: Energética.
Onomástico: No tiene.
Variantes: **KINETTA.**

KINISBURGA
Origen: Inglés.
Significado: De Cynehurh, de *cyne*, real regio, y *burth*, castillo, fortaleza, o sea, fortaleza real.
Onomástico: 6 de marzo.
Variantes: Alemán: **KUNIBURGA.** Inglés: **KINBOROUGH.** Italiano: **CUNEBURGA.**

KINNERET
Origen: Hebreo.
Significado: Arpa.
Onomástico: No tiene.

KINSEY
Origen: Inglés.
Significado: Término de la primavera, pariente.
Onomástico: No tiene.
Variantes: **KINSLEY, KINZA, KINSEY, KINZI, KINZY.**

KIOKO
Origen: Japonés.
Significado: Niña feliz.
Onomástico: No tiene.
Variantes: **KIYO, KIYOKO.**

KIONA
Origen: Estadounidense.
Significado: Colinas marrones.
Onomástico: No tiene.

KIRA
Origen: Persa.
Significado: Al Sol se le conocía con este nombre en el persa antiguo. Posteriormente, se modificó un poco su significado para hacer alusión a una persona brillante o resplandeciente.
Onomástico: 1 de noviembre.

KIRAN
Origen: Hindi.
Significado: Rayo.
Onomástico: No tiene.

KIRBY
Origen: Escandinavo.
Significado: Villa de la Iglesia.
Onomástico: No tiene.

KIRIMA
Origen: Esquimal.
Significado: Colina.
Onomástico: No tiene.

KIRSI
Origen: Hindi.
Significado: Flores de amaranto.
Onomástico: No tiene.
Variantes: **KIRSIE.**

KIRSTEN
Origen: Griego.
Significado: Cristiano.
Onomástico: No tiene.
Variantes: **KERSTIN, KIRSTAN.**

KISA
Origen: Ruso.
Significado: Gatitos.
Onomástico: No tiene.
Variantes: **KISHA, KISSA, KIZA.**

KISHI
Origen: Japonés.
Significado: Feliz y de larga vida.
Onomástico: No tiene.

KISKA
Origen: Ruso.
Significado: Pura.
Onomástico: No tiene.

KISSA
Origen: Africano.
Significado: Nacida después de gemelos.
Onomástico: No tiene.

KISTIÑE
Origen: Vasco.
Significado: Variante de Cristina.
Onomástico: No tiene.

KITA
Origen: Japonés.
Significado: Norte.
Onomástico: No tiene.

KITRA
Origen: Hebreo.
Significado: Coronada.
Onomástico: No tiene.

KITTI
Origen: Griego.
Significado: Forma familiar de Katherine.
Onomástico: No tiene.
Variantes: **Ketti, Ketty, Kit, Kitee, Kittey, Kitty, Kittie.**

KIWA
Origen: Japonés.
Significado: Orilla, frontera.
Onomástico: No tiene.

KLARA
Origen: Húngaro.
Significado: Alternativa de Clara.
Onomástico: No tiene.
Variantes: **Klari, Klarika.**

KOFFI
Origen: Swahili.
Significado: Nacida en viernes.
Onomástico: No tiene.

KOKO
Origen: Japonés.
Significado: Cigüeña.
Onomástico: No tiene.

KOLDOBIKA
Origen: Vasco.
Significado: De Luisa, que deriva del germánico *hlod-wig*, glorioso en la batalla.
Onomástico: 21 de junio, 25 de agosto y 10 de octubre.
Variantes: Catalán: **Lluïsa.** Vasco: **Aloixe, Koldobiñe, Luixa.** Gallego: **Luisa, Loisa.** Asturiano: **Lluisa, Lluvisa.** Francés: **Louise.** Inglés: **Louise.** Alemán: **Luke.** Italiano: **Luisa.**

KONA
Origen: Hawaiano.
Significado: Dama.
Onomástico: No tiene.

KORAL
Origen: Estadounidense.
Significado: Alternativa de Coral.
Onomástico: No tiene.
Variantes: **Korella, Korilla.**

KORE
Origen: Griego.
Significado: La joven.
Onomástico: No tiene.

KORINA
Origen: Griego.
Significado: Alternativa de Corina.
Onomástico: No tiene.
Variantes: **Korena, Koriana, Korinna.**

KOSMA
Origen: Griego.
Significado: Orden, universo, cosmos.
Onomástico: No tiene.

KOTO
Origen: Japonés.
Significado: Arpa.
Onomástico: No tiene.

KRISTAL
Origen: Latino.
Significado: Alternativa de Cristal.
Onomástico: No tiene.
Variantes: **Krystal, Kristall, Kristy.**

KRISTEN
Origen: Griego.
Significado: Cristiano.
Onomástico: No tiene.
Variantes: **Kristan, Kristene, Kristien, Kristin, Kristine.**

KUDIO
Origen: Swahili.
Significado: Puede interpretarse como nacida en lunes.
Onomástico: No tiene.

KUMA
Origen: Japonés.
Significado: Osa.
Onomástico: No tiene.

KUMIKO
Origen: Japonés.

Significado: Niña con trenzas.
Onomástico: No tiene.
Variantes: **Kumi.**

KUMUNDA
Origen: Hindi.
Significado: Flor de loto.
Onomástico: No tiene.

KUNIKO
Origen: Japonés.
Significado: Niña del país.
Onomástico: No tiene.

KURI
Origen: Japonés.
Significado: Castaña.
Onomástico: No tiene.

KUSA
Origen: Hindi.
Significado: Hierba de Dios.
Onomástico: No tiene.

KWASHI
Origen: Swahili.
Significado: Nacida en domingo.
Onomástico: No tiene.

KWAU
Origen: Swahili.
Significado: Nacida en jueves.
Onomástico: No tiene.

KYLA
Origen: Irlandés.
Significado: Atractiva.
Onomástico: No tiene.
Variantes: **Khyla, Kylah.**

KYLE
Origen: Irlandés.
Significado: Atractiva.
Onomástico: No tiene.
Variantes: **Kylie.**

KYOKO
Origen: Japonés.
Significado: Espejo.
Onomástico: No tiene.

KYRA
Origen: Griego.
Significado: Fina.
Onomástico: No tiene.
Variantes: **Keira, Kira, Kyrah, Kyria.**

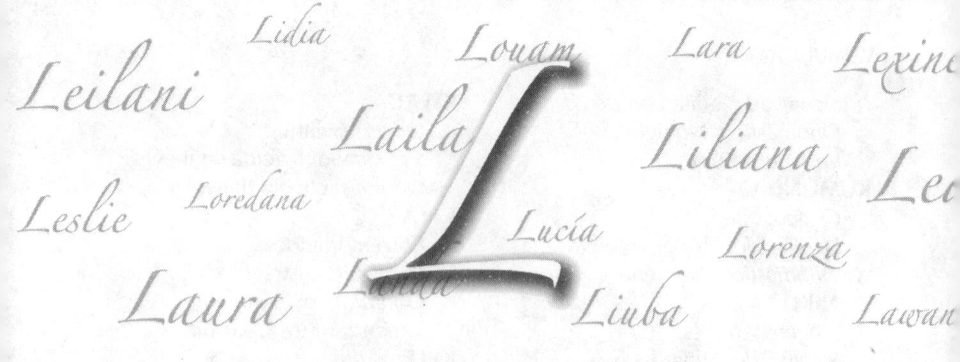

LACEY
Origen: Latino.
Significado: Felicidad.
Onomástico: No tiene.
Variantes: **LACI, LACIE, LACYE.**

LACRECIA
Origen: Latino.
Significado: Alternativa de Lucrecia.
Onomástico: No tiene.
Variantes: **LACREISHA, LACRESHA, LACRESHIA, LACRESIA, LACRETIA, LACRICIA, LACRISHA, LACRISSA.**

LADA
Origen: Ruso.
Significado: Diosa de la belleza.
Onomástico: No tiene.

LAEL
Origen: Hebreo.
Significado: De Dios.
Onomástico: No tiene.

LAELA
Origen: Árabe.
Significado: Alternativa de Leila.
Onomástico: No tiene.
Variantes: **LAEL, LAELLE.**

LAELIA
Origen: Latino.
Significado: Locuaz.
Onomástico: No tiene.
Variantes: **LALITA.**

LAETITIA
Origen: Latino.
Significado: Alegría, fecundidad.
Onomástico: No tiene.
Variantes: Gallego: **LATISHA, LEDICIA.** Español: **LETICIA.** Italiano: **LETIZIA.**

LAHELA
Origen: Hawaiano.
Significado: Forma familiar de Raquel.
Onomástico: No tiene.

LAIA
Origen: Griego.
Significado: Procede de *eu-lalos*, elocuente, bien hablada. Es una variante de Eulalia.
Onomástico: 12 de febrero.
Variantes: Catalán: **LAIA.** Vasco: **EULALE, EULARI.** Gallego: **ALLA, OLALLA, VALLA.** Inglés, francés y alemán: **EULALIE.** Italiano: **EULALIA.**

LAILA
Origen: Árabe.
Significado: Alternativa de Leila. Hermosa como la noche.
Onomástico: No tiene.
Variantes: **LAILAH, LAILI, LAILLIE.**

LAIS
Origen: Griego.
Significado: La que es popular, la amable con todos. Mujer amable.
Onomástico: No tiene.

LAJILA
Origen: Hindi.
Significado: Tímida, penosa.
Onomástico: No tiene.

LAJUANA
Origen: Estadounidense.
Significado: Combinación de La y Juana.

Onomástico: No tiene.
Variantes: **LAJUANNA, LAWANA.**

LAKA
Origen: Hawaiano.
Significado: Atractiva, seductora. En la mitología, diosa del baile de hula-hula.
Onomástico: No tiene.

LAKIA
Origen: Árabe.
Significado: Tesoro.
Onomástico: No tiene.
Variantes: **LAKKIA.**

LAKOTA
Origen: Dakota.
Significado: Nombre de una tribu.
Onomástico: No tiene.
Variantes: **LAKODA, LAKOHDA, LAKOTAH.**

LAKRESHA
Origen: Estadounidense.
Significado: Alternativa de Lucrecia.
Onomástico: No tiene.
Variantes: **LACRESHA, LACRESHIA, LACRESIA.**

LAKYA
Origen: Hindi.
Significado: Nacida en jueves.
Onomástico: No tiene.
Variantes: **LAKIA.**

LALA
Origen: Eslavo.
Significado: Tulipán.
Onomástico: No tiene.

LALASA
Origen: Hindi.
Significado: Amor.
Onomástico: No tiene.

LALEH
Origen: Persa.
Significado: Tulipán.
Onomástico: No tiene.
Variantes: **LALAH.**

LALI
Origen: Griego.
Significado: Procede de *eu-lalos*, elocuente, bien hablada. Variante de Eulalia.
Onomástico: 12 de febrero.

LALITA
Origen: Griego e hindi.
Significado: Habladora. Hindi: Encantadora, cándida. Nombre de la diosa hindú Shakti.
Onomástico: No tiene.

LALLIE
Origen: Inglés.
Significado: Que murmura.
Onomástico: No tiene.
Variantes: **LALLI, LALLY.**

LAMIA
Origen: Alemán.
Significado: Tierra brillante, forma femenina de Lambert.
Onomástico: No tiene.
Variantes: **LAMIAH.**

LAMIS
Origen: Árabe.
Significado: Suave al tacto.
Onomástico: No tiene.
Variantes: **LAMISE.**

LAMYA
Origen: Árabe.
Significado: De labios oscuros.
Onomástico: No tiene.
Variantes: **LAMA.**

LAN
Origen: Vietnamita.
Significado: Flor.
Onomástico: No tiene.

LANA
Origen: Celta.
Significado: Proviene de *alun*, armonía.
Onomástico: 14 de agosto y 8 de septiembre.
Variantes: **LANAI, LANATA, LANAY, LANNA, LANNAH.**

LANDA
Origen: Vasco.
Significado: Nombre dado a la Virgen María.
Onomástico: No tiene.

LANDON
Origen: Inglés.
Significado: Abierta, doncella.
Onomástico: No tiene.
Variantes: **LANDAN, LANDEN, LANDIN.**

LANDRA
Origen: Alemán.
Significado: Consuelo.
Onomástico: No tiene.
Variantes: **Landrea.**

LANDRADA
Origen: Alemán.
Significado: Consejera en su pueblo.
Onomástico: No tiene.

LANE
Origen: Inglés.
Significado: Flecha.
Onomástico: No tiene.
Variantes: **Laina, Laney.**

LANI
Origen: Hawaiano.
Significado: Cielo, firmamento. Forma corta de Atlanta.
Onomástico: No tiene.

LAODAMIA
Origen: Griego.
Significado: La que domina su pueblo.
Onomástico: No tiene.

LAODICEA
Origen: Griego.
Significado: La que es justa con su pueblo.
Onomástico: No tiene.

LARA
Origen: Latino.
Significado: De *lar,* hogar brillante, famoso. Hija del dios del río Almo.
Onomástico: 15 de agosto.
Variantes: Asturiano: **Llara. Llarina.**

LARAINE
Origen: Inglés.
Significado: Variante de Lorena, nombre cristiano en honor de la Virgen de Lorena. Lorena, comarca francesa.
Onomástico: 30 de mayo.
Variantes: **Lorraine.**

LARINA
Origen: Griego.
Significado: Gaviota de mar. Lorena.
Onomástico: No tiene.

LARISA
Origen: Latino.
Significado: De *iar,* hogar. Variante de Lara.
Onomástico: 15 de agosto.

LARISSA
Origen: Griego.
Significado: Felicidad.
Onomástico: No tiene.
Variantes: **Lara, Larisa, Larissah, Larrissa, Laryssa.**

LATIKA
Origen: Hindi.
Significado: Elegante.
Onomástico: No tiene.
Variantes: **Lateka.**

LATISHA
Origen: Latino.
Significado: Alegría. Alternativa de Leticia.
Onomástico: No tiene.
Variantes: **Latashia, Latecia, Laticia, Latishia.**

LATONA
Origen: Latino.
Significado: En la mitología, poderosa diosa quien desesperaba a Apolo y Diana.
Onomástico: No tiene.
Variantes: **Latonna, Latonnah.**

LAUDOMIA
Origen: Latino.
Significado: Victoriosa.
Onomástico: No tiene.

LAURA
Origen: Latino.
Significado: De *laurca,* laurel. Con esta planta se coronaba a los militares más destacados; de modo que, por extensión, Laura también significa gloria militar. Victoriosa.
Onomástico: 20 de octubre.
Variantes: Asturiano: **Llaura.** Italiano: **Lauretta.**

LAUREL
Origen: Latino.
Significado: Árbol de laurel.
Onomástico: No tiene.
Variantes: **Laural, Laurell, Lorel.**

LAUREN
Origen: Inglés.
Significado: Forma familiar de Laura.

Onomástico: No tiene.
Variantes: **Lauran, Laurena, Laurin, Loren, Lorena.**

LAURENCE
Origen: Latino.
Significado: Coronada con laurel.
Onomástico: No tiene.
Variantes: **Laurencia, Laurent, Laurentina.**

LAURIANA
Origen: Inglés.
Significado: Combinación de Laura y Ana.
Onomástico: No tiene.
Variantes: **Laurana, Laureana, Laurian, Laurina.**

LAURIE
Origen: Latino.
Significado: Deriva de *laurentum*, un lugar plantado de laureles cerca del monte Ventino. Variante de Lorenza.
Onomástico: 10 de agosto y 5 de septiembre.
Variantes: Catalán: **Llorença.** Vasco: **Lorenze.** Gallego: **Lourenza.** Asturiano: **Llourenza.** Inglés: **Laurence.**

LAURY
Origen: Inglés.
Significado: Forma familiar de Laura.
Onomástico: No tiene.

LAVANA
Origen: Hebreo y latino.
Significado: Luna, blanca. Latín: Creciente. En la mitología, diosa de los nuevos bebés.
Onomástico: No tiene.
Variantes: **Levania, Levanna, Lewana.**

LAVEDA
Origen: Latino.
Significado: Aseada, limpia, purificada.
Onomástico: No tiene.
Variantes: **Lavare, Laveta.**

LAVELLA
Origen: Latino.
Significado: Limpiadora.
Onomástico: No tiene.
Variantes: **Lavelle.**

LAVENA
Origen: Irlandés.
Significado: Alegría.
Onomástico: No tiene.

LAVERNE
Origen: Latino.
Significado: Primavera.
Onomástico: No tiene.
Variantes: **Lavern, La verne.**

LAVINA
Origen: Latino.
Significado: Purificada. Mujer de Roma.
Onomástico: No tiene.
Variantes: **Lavenia, Lavinia, Levinia, Livinia, Lovina, Lovinia.**

LAVINIA
Origen: Etrusco y latino.
Significado: Originaria de Lavinium, hija de Aeneas, rey de Latinus. Latino: la purificada.
Onomástico: 22 de marzo.

LAWAN
Origen: Tailandés.
Significado: Bonita.
Onomástico: No tiene.

LAYLA
Origen: Hebreo.
Significado: Alternativa de Lila.
Onomástico: No tiene.
Variantes: **Laylah.**

LE
Origen: Vietnamita.
Significado: Perla.
Onomástico: No tiene.

LEA
Origen: Hebreo.
Significado: Deriva de *leah*, cansada, lánguida.
Onomástico: 1 de junio.
Variantes: **Lia.**

LEAH
Origen: Hebreo.
Significado: Cansada. En la *Biblia*, nombre de la mujer de Jacob.
Onomástico: No tiene.

LEALA
Origen: Francés.
Significado: Leal, fiel.

Onomástico: No tiene.
Variantes: **Lealia, Leial.**

LEANDRA
Origen: Griego.
Significado: De *leo-andros*, hombre león. Que sufre con paciencia.
Onomástico: 13 de noviembre.
Variantes: Vasco: **Landere.** Gallego y asturiano: **Lleandra.**

LEDA
Origen: Griego.
Significado: De *lada*, esposa. Que es una dama.
Onomástico: No tiene.

LEDICIA
Origen: Gallego.
Significado: Forma gallega de Leticia.
Onomástico: No tiene.

LEILA
Origen: Árabe.
Significado: Dado a muchachas de cabello oscuro o de tez morena, ya que podría significar noche. Hermosa como la noche.
Onomástico: No tiene.
Variantes: **Liela, Lila, Lela.**

LEILANI
Origen: Hawaiano.
Significado: Niña divina, flor celestial.
Onomástico: No tiene.

LELIA
Origen: Latino.
Significado: Femenino de Lelio. Hablantina, locuaz.
Onomástico: No tiene.
Variantes: **Lelica.**

LENA
Origen: Griego.
Significado: Diminutivo de Magdalena o Elena.
Onomástico: 2 de julio y 8 de agosto.

LENE
Origen: Escandinavo.
Significado: Ilustre.
Onomástico: No tiene.

LENIS
Origen: Latino.
Significado: Suave, sedoso. Debe acompañarse de otro nombre que indique sexo.
Onomástico: No tiene.

LEOCADIA
Origen: Griego.
Significado: Deriva de *leukádios*, gentilicio para la isla Laucade (Laucade significa, piedras blancas). Que resplandece por su blancura.
Onomástico: 9 de diciembre.
Variantes: Catalán: **Llogaia.** Vasco: **Lakade.** Gallego: **Locaia.** Asturiano: **Llocaya, Locaia.** inglés: **Leocade.** Francés: **Léocadie.**

LEOCRICIA
Origen: Griego.
Significado: Deriva de *laoskrisis*, juez del pueblo.
Onomástico: 15 de marzo.

LEONARDA
Origen: Griego y alemán.
Significado: Está formado por el sustantivo griego *leo*, león, y el adjetivo germánico *hard*, fuerte. Fuerte como un león.
Onomástico: 6 de noviembre.

LEONCIA
Origen: Latino.
Significado: De *leo*, león, y por extensión audaz, bravo, valiente. Mujer luchadora.
Onomástico: 6 de diciembre.
Variantes: Catalán: **Leáncia.** Asturiano: **Lieoncia.**

LEONILA
Origen: Griego.
Significado: Variante de Leonilda.
Onomástico: No tiene.

LEONILDA
Origen: Griego y alemán.
Significado: Está formado por el sustantivo griego *leo*, león, y el germánico *hildi*, batalla. Significa la que lucha como un león.
Onomástico: 17 de enero.
Variantes: Asturiano: **Lleontina.**

LEONOR

Origen: Griego.

Significado: Del gaélico *leonorius*, probablemente una derivación de Elena. Del griego *liélene*, antorcha brillante.

Onomástico: 22 de febrero.

Variantes: Vasco: **LONORE.** Alemán: **ELEONORE.** Inglés: **ALINOR, ELEANOR, ELINOR.** Italiano: **ELEONORA.**

LEONORA

Origen: Griego.

Significado: Alternativa de Eleonora.

Onomástico: No tiene.

Variantes: **LEONOR, LEONORE, LEONORAH.**

LEONTINE

Origen: Latino.

Significado: Leona.

Onomástico: No tiene.

Variantes: **LEONA, LEONINE.**

LEOPOLDA

Origen: Alemán.

Significado: La princesa del pueblo. Femenino de Leopoldo.

Onomástico: No tiene.

Variantes: **LEOPOLDINA.**

LEOTIE

Origen: Estadounidense.

Significado: Flor de la pradera.

Onomástico: No tiene.

LERA

Origen: Ruso.

Significado: Forma corta de Valeria.

Onomástico: No tiene.

Variantes: **LERKA.**

LESBIA

Origen: Griego.

Significado: Oriunda de Lesbos, Grecia.

Onomástico: No tiene.

LESLEY

Origen: Escocés.

Significado: Fortaleza.

Onomástico: No tiene.

Variantes: **LESLEE, LESLIE, LESLY, LEZLEY.**

LESLIE

Origen: Galés.

Significado: Podría ser vigorosa.

Onomástico: No tiene.

LETA

Origen: Swahili.

Significado: Portadora.

Onomástico: No tiene.

Variantes: **LITAA, LYTA.**

LETICIA

Origen: Latino.

Significado: De *laetitia*, fertilidad, alegría. Mujer alegre.

Onomástico: Lunes de Pascua. 15 de agosto y 8 de septiembre.

Variantes: Vasco: **ALAIA.** Gallego y asturiano: **LEDICIA.** Inglés: **LETITIA, LAETITIA, LETTICE.** Francés: **LAETITIA, LAETIZIA.** Alemán: **LAETITIA.** Italiano: **LETIZIA.**

LEVIA

Origen: Hebreo.

Significado: Alegre, atada.

Onomástico: No tiene.

Variantes: **LEVI, LEVIE.**

LEVINA

Origen: Latino.

Significado: Destello de luz.

Onomástico: No tiene.

Variantes: **LEVENE.**

LEVONA

Origen: Hebreo.

Significado: Especie, incienso.

Onomástico: No tiene.

Variantes: **LEVONAT, LEVONNA, LIVONA.**

LEWANA

Origen: Hebreo.

Significado: Blanca y luminosa.

Onomástico: No tiene.

LEXANDRA

Origen: Griego.

Significado: Diminutivo de Alexandra.

Onomástico: No tiene.

Variantes: **LISANDRA.**

LEXINE

Origen: Hebreo.

Significado: Defensora de la humanidad.

Onomástico: No tiene.

LEYA

Origen: Español e hindi.

Significado: Leal. Hindi: Constelación de leo.

Onomástico: No tiene.
Variantes: **Leyah, Leyla.**

LEYLA
Origen: Latino.
Significado: Variante de Leila.
Onomástico: No tiene.

LÍA
Origen: Hebreo y griego.
Significado: Deriva de *leah*, cansada, lánguida. Griego: Portadora de buenas noticias.
Onomástico: 1 de junio.
Variantes: **Leah, Liah.**

LIAN
Origen: Chino.
Significado: Sauce hermoso.
Onomástico: No tiene.
Variantes: **Lean, Liane, Liann.**

LIANA
Origen: Latino.
Significado: Joven. Que brinda abundancia.
Onomástico: No tiene.

LIBBY
Origen: Hebreo.
Significado: Nombre hebreo que se forma como forma familiar de Elizabeth.
Onomástico: No tiene.

LIBE
Origen: Hebreo.
Significado: La que viene del desierto.
Onomástico: No tiene.

LIBERA
Origen: Latino.
Significado: La que distribuye abundancia. En la mitología, la esposa de Líber, identificada con las diosas griegas Perséfone y Ariadna. Mujer magnánima.
Onomástico: No tiene.

LIBERATA
Origen: Latino.
Significado: La que ama la libertad, forma femenina de Liberato.
Onomástico: No tiene.

LIBERTAD
Origen: Latino.
Significado: De *liber*, libre, sin trabas.
Onomástico: No tiene.
Variantes: Catalán: **Llibertat.** Gallego: **Liberdade.** Asturiano: **Llibertá.** Francés: **Liberté.**

LIBIA
Origen: Latino.
Significado: Nombre romano que se forma como toponímico Libia, procedente de Libia. Oriunda de un lugar seco.
Onomástico: 15 de junio.
Variantes: Vasco: **Libe.**

LIBITINA
Origen: Latino.
Significado: A la que se quiere.
Onomástico: No tiene.

LIBNA
Origen: Latino.
Significado: Blancura.
Onomástico: No tiene.

LIBORIA
Origen: Latino.
Significado: La que nació en Libor. Nombre de varias ciudades antiguas de España y Portugal. Oriunda de Libor.
Onomástico: No tiene.

LIBRADA
Origen: Latino.
Significado: De *liberum*, liberar, cumplir una promesa.
Onomástico: 18 de enero.

LICIA
Origen: Griego.
Significado: Deriva de *lygios*, mujer melodiosa.
Onomástico: 28 de junio y 16 de diciembre.
Variantes: Catalán: **Lígia.** Inglés: **Lycia.**

LIDA
Origen: Griego.
Significado: Variante de Lidia, que a su vez es un gentilicio griego de Lydia, región de Asia Menor.
Onomástico: 3 de agosto.

LIDDY
Origen: Alemán.

Significado: Variante de Adela y significa, por tanto, noble.
Onomástico: 8 de septiembre y 24 de diciembre.

LIDE
Origen: Latino.
Significado: Vida.
Onomástico: No tiene.

LIDIA
Origen: Griego.
Significado: Procede de Lydia, región de Asia Menor.
Onomástico: 3 de agosto y 27 de marzo.
Variantes: Vasco: **Lide.** Gallego: **Ledicia, Ludia.** Asturiano: **Llidia.** Inglés y alemán: **Lydia.** Francés: **Lydie.**

LIDUVINA
Origen: Alemán.
Significado: Deriva de *laud-win*, pueblo victorioso o amiga del pueblo. También es nombre de una advocación a la Virgen, patrona de los enfermos.
Onomástico: 14 de abril.
Variantes: Catalán: **Liduvine.** Asturiano: **Lluzdivina, Lludivina.**

LIEN
Origen: Chino.
Significado: Flor de loto.
Onomástico: No tiene.

LIGIA
Origen: Griego.
Significado: Una de las sirenas del país de los ligios en la Silesia Occidental. Mujer melodiosa.
Onomástico: No tiene.

LILA
Origen: Persa.
Significado: Alusión al color de ese nombre.
Onomástico: 14 de julio.
Variantes: **Lilia.**

LILAC
Origen: Hindi.
Significado: Lila, azul violeta.
Onomástico: No tiene.

LILÍ
Origen: Alemán.
Significado: Deriva de *hlod-wig*, glorioso en la batalla. Variante de Luisa.
Onomástico: 21 de junio, 25 de agosto y 10 de octubre.

LILIA
Origen: Latino.
Significado: Lirio de los campos.
Onomástico: No tiene.

LILIAN
Origen: Latino.
Significado: Deriva de *liliurn*, lirio, símbolo de pureza.
Onomástico: 27 de julio.

LILIANA
Origen: Latino.
Significado: Variante de Juliana, y ésta de *lulianos*, perteneciente a la gens Julia.
Onomástico: 19 de junio.
Variantes: Vasco: **Yulene.** Gallego y asturiano: **Xiana.** Inglés: **Lilian, Lillian, Lily.** Francés: **Liliane.** Alemán: **Lilian.**

L

LILIBETH
Origen: Inglés.
Significado: Combinación de Lili y Beth.
Onomástico: No tiene.
Variantes: **Lilibet.**

LILITH
Origen: Árabe.
Significado: De la noche, demonio nocturno. La primera esposa de Adán, de acuerdo con antiguas leyendas.
Onomástico: No tiene.
Variantes: **Lillis, Lily.**

LIMBER
Origen: Tibetano.
Significado: Alegría.
Onomástico: No tiene.

LIN
Origen: Chino.
Significado: Jade Hermoso.
Onomástico: No tiene.
Variantes: **Linh, Linn.**

LINA
Origen: Latino.
Significado: Deriva de *linus*, lino, el hilo de la vida. Que trabaja el lino.
Onomástico: 23 de septiembre.

Variantes: Asturiano: **LLINA.**

LINDA

Origen: Alemán.

Significado: Deriva de Gerlinda. Apocorístico de Belinda, Teodolinda.

Onomástico: 28 de mayo.

LINETTE

Origen: Francés.

Significado: Pájaro. Llena de gracia.

Onomástico: No tiene.

Variantes: **LINET, LINNETTA, LINNETTE.**

LING

Origen: Chino.

Significado: Delicada.

Onomástico: No tiene.

LINNEA

Origen: Escandinavo.

Significado: Árbol de limas. Flor nacional de Suecia.

Onomástico: No tiene.

Variantes: **LIN, LINEA.**

LIOBA

Origen: Alemán.

Significado: De *leub*, valioso.

Onomástico: 28 de septiembre.

LIONELA

Origen: Griego.

Significado: Pequeña leona. Femenino de Lionel.

Onomástico: No tiene.

LIORA

Origen: Hebreo.

Significado: Luz.

Onomástico: No tiene.

LIRA

Origen: Latino.

Significado: Deriva de *lyra*, lisa. Nombre que evoca el instrumento musical.

Onomástico: 8 de junio.

LIRIT

Origen: Hebreo.

Significado: Poética, lírica, musical.

Onomástico: No tiene.

LIRÓN

Origen: Hebreo.

Significado: Mi canción.

Onomástico: No tiene.

Variantes: **LERÓN, LERONE, LIRONE.**

LIS

Origen: Hebreo.

Significado: Nombre que se forma como diminutivo de Elisabeth, de *El-zabad*, Dios da.

Onomástico: 17 de noviembre.

LISA

Origen: Hebreo e inglés.

Significado: Consagrada a Dios. Inglés: Forma corta de Elizabeth.

Onomástico: No tiene.

Variantes: **LIISA, LYSA, LISETTE, LIZA.**

LISANDRA

Origen: Griego.

Significado: Que da libertad a los varones.

Onomástico: No tiene.

LISETTE

Origen: Francés.

Significado: Variante de Lisa.

Onomástico: No tiene.

Variantes: **LISET, LISETA, LESETE, LISETH, LISETT, LIZET, LIZETTE.**

LISSA

Origen: Griego.

Significado: Miel de abeja.

Onomástico: No tiene.

Variantes: **LYSSA.**

LITSA

Origen: Fenicio.

Significado: Ángel que trae buenas noticias.

Onomástico: No tiene.

LIU

Origen: Persa.

Significado: Según la leyenda, joven enamorada del príncipe *Khalaf*.

Onomástico: No tiene.

LIUBA

Origen: Ruso.

Significado: Caridad, que de significar carestía, pasó a designar el amor cristiano por el prójimo.

Onomástico: 8 de septiembre.

LIV

Origen: Escandinavo.

Significado: Vida.

Onomástico: No tiene.

LIVANA
Origen: Hebreo.
Significado: Alternativa de Levana. Nacida bajo el signo de cáncer.
Onomástico: No tiene.
Variantes: **Livna, Livnat.**

LIVIA
Origen: Latino.
Significado: Deriva de *Livius*, nombre de una importante gen romana que podría derivar de *uvero*, lívido. Color verde oliva.
Onomástico: No tiene.
Variantes: Francés: **Livie.** Alemán e italiano: **Livia.**

LIVIYA
Origen: Hebreo.
Significado: Leona brava, corona real.
Onomástico: No tiene.

LIZ
Origen: Inglés.
Significado: Diminutivo de Elizabeth.
Onomástico: No tiene.
Variantes: **Liza, Lizabeth, Lizbeth.**

LIZA
Origen: Hebreo.
Significado: Juramento de Dios.
Onomástico: No tiene.

LOGAN
Origen: Irlandés.
Significado: Colina.
Onomástico: No tiene.
Variantes: **Logann, Logen, Loghan.**

LOÍDA
Origen: Griego.
Significado: Ejemplo de fe y piedad.
Onomástico: No tiene.

LOIS
Origen: Alemán.
Significado: Guerrera famosa. Alternativa de Luisa.
Onomástico: No tiene.

LOISIA
Origen: Alemán.
Significado: Deriva de *hiod-wig*, glorioso en la batalla. Variante de Luisa.
Onomástico: 21 de junio, 25 de agosto y 10 de octubre.

LOLA
Origen: Español.
Significado: Apocorístico de Dolores, Carlota y Luisa.
Onomástico: No tiene.
Variantes: **Lolah, Lolita.**

LOLLY
Origen: Inglés.
Significado: Diminutivo de Laura.
Onomástico: No tiene.

LOMASI
Origen: Estadounidense.
Significado: Flor bonita.
Onomástico: No tiene.

LONA
Origen: Inglés.
Significado: Lugar distante.
Onomástico: No tiene.

LORE o **LOREA**
Origen: Vasco.
Significado: Flor.
Onomástico: No tiene.
Variantes: **Lor.**

LOREANA
Origen: Latino.
Significado: Natural de Lorena, Francia.
Onomástico: No tiene.
Variantes: **Lorena.**

LOREDANA
Origen: Latino.
Significado: Nombre cristiano en honor de la Virgen de Loreto. De *Laurentum*, un lugar plantado de laureles cerca del monte Ventino. Variante italiana de Loreto.
Onomástico: 10 de diciembre.
Variantes: Catalán: **Loreto, Lloret.** Vasco: **Lorete.** Asturiano: **Llorentina.** Francés: **Lorette.** Italiano: **Loreta, Loredana.**

LORELEI
Origen: Alemán.
Significado: Encantamiento, fascinación. En la mitología, sirena del río Rhin quien atraía a los marineros a la muerte.

Onomástico: No tiene.
Variantes: **Loralei, Lorali, Loralie, Loreal, Loreli.**

LORELEY
Origen: Alemán.
Significado: Protagonista de una célebre balada, que hace alusión a una roca sobre el Rhin. En Europa se extendió su uso a partir del éxito de una ópera de Alfredo Catalani basada en esta leyenda.
Onomástico: No tiene.
Variantes: **Lorelei.**

LORENA
Origen: Francés.
Significado: Oriunda de esa región de Francia.
Onomástico: 30 de mayo.

LORENZA
Origen: Latino.
Significado: De *Laurentum*, un lugar plantado de laureles cerca del monte Ventino. Victoriosa.
Onomástico: 10 de agosto y 5 de septiembre.
Variantes: Catalán: **Llorença.** Vasco: **Lorenze.** Gallego: **Lourenza.** Francés: **Laurence.**

LORETO
Origen: Latino.
Significado: Nombre cristiano en honor de la Virgen de Loreto. De *Laurentum*, un lugar plantado de laureles cerca del monte Ventino.
Onomástico: 10 de diciembre.
Variantes: Catalán: **Lloret.** Vasco: **Lorete.** Asturiano: **Lloreta.** Francés: **Lorette.** Italiano: **Loreta, Loredana.**

LORETTA
Origen: Inglés.
Significado: Familiar de Laura.
Onomástico: No tiene.
Variantes: **Lorita, Loretha.**

LORI
Origen: Latino.
Significado: Coronada con Laurel.
Onomástico: No tiene.
Variantes: **Lorrna.**

LORIS
Origen: Griego.
Significado: Diminutivo de Cloris.
Onomástico: No tiene.
Variantes: **Laurys.**

LORNA
Origen: Latino.
Significado: Variante de Lorena, nombre cristiano en honor de la Virgen de Lorena.
Onomástico: 30 de mayo.

LORRAINE
Origen: Latino.
Significado: Suspiro.
Onomástico: No tiene.
Variantes: **Lorain, Loraine, Lorein, Lori.**

LOTTE
Origen: Alemán.
Significado: Diminutivo de Carlota.
Onomástico: No tiene.
Variantes: **Lotie, Lotta, Lotty, Loty.**

LOTUS
Origen: Griego.
Significado: Flor de loto.
Onomástico: No tiene.

LOUAM
Origen: Etíope.
Significado: Quien duerme bien.
Onomástico: No tiene.

LOUISA
Origen: Alemán.
Significado: Forma alemana de Luisa.
Onomástico: No tiene.

LOUISANA
Origen: Inglés.
Significado: Combinación de Louise y Ana.
Onomástico: No tiene.

LOUISE
Origen: Francés.
Significado: Forma francesa de Luisa.
Onomástico: No tiene.

LOURDES
Origen: Francés.
Significado: Nombre cristiano en honor de la Virgen de Lourdes.
Onomástico: 11 de febrero.
Variantes: Catalán: **Lorda.** Vasco: **Lor-**

DA. Gallego: **LURDES.**

LOVE

Origen: Inglés.
Significado: Amor, ternura, caridad.
Onomástico: No tiene.
Variantes: **LOVELY, LOVEY, LUV.**

LUANA

Origen: Latino.
Significado: Nombre en honor de la diosa de las expiaciones Lua. Tiene un significado relacionado con la expiación, el perdón.
Onomástico: 20 de agosto.
Variantes: Catalán: **LLÚCIA.** Vasco: **LUTXI.** Inglés: **LUCY.** Francés: **LUCIE, LUCE.** Alemán: **LUCIE.** Italiano: **LUCIA.**

LUANN

Origen: Hawaiano.
Significado: Mujer feliz, relajada.
Onomástico: No tiene.
Variantes: **LU, LUA, LOUANN, LUANNI.**

LUBOV

Origen: Ruso.
Significado: Amor.
Onomástico: No tiene.
Variantes: **LUBA, LUBNA.**

LUCERO

Origen: Latino.
Significado: Lámpara. Círculo de luz, que porta luz.
Onomástico: No tiene.
Variantes: **LUCERNE, LUCERNA.**

LUCÍA

Origen: Latino.
Significado: Deriva de *lucís*, genitivo de *lux*, luz.
Onomástico: 13 de diciembre.
Variantes: Catalán: **LÍGIA.** Vasco: **LUTXI.** Asturiano: **LLUCÍA.** Inglés: **LUCY.** Francés: **LUCIE, LUCE.** Alemán: **LUCIE.**

LUCIANA

Origen: Latino.
Significado: Deriva de *Lucianus*, gentilicio de Lucas, y éste de *lucis*, genitivo de *lux*, luz.
Onomástico: 25 de junio.
Variantes: Catalán: **LLUCIANA.** Vasco: **LUKENE.** Asturiano: **LLUCIANA, XANA.** Francés: **LUCIENNC.**

LUCILA

Origen: Latino.
Significado: De *lucilla*, lucecita.
Onomástico: 29 de julio.
Variantes: Vasco: **LUKIÑE.** Asturiano: **LLUCILA.** Inglés: **LUCILLA.** Francés: **LUCILE, LUCILLE.** Italiano: **LUCILLA.**

LUCINA

Origen: Latino.
Significado: En la mitología, diosa a la que se invocaba en los partos. Que ayuda a dar a luz.
Onomástico: 30 de junio.
Variantes: Catalán: **LLUCINA.** Francés e italiano: **LUCYNA, LUCINE.**

LUCINDA

Origen: Latino.
Significado: Forma familiar de Lucía.
Onomástico: No tiene.

LUCINE

Origen: Armenio.
Significado: Luna.
Onomástico: No tiene.

LUCRECIA

Origen: Latino.
Significado: De *lucros*, ganar, obtener beneficios.
Onomástico: 23 de noviembre.
Variantes: Vasco: **LUKERTZE.** Asturiano: **LLUCRECIA.** Inglés: **LUCRECE, LUCRETIA.** Francés: **LUCRÉCE.** Alemán: **LUKRETIA.** Italiano: **LUCREZIA.**

LUCY

Origen: Latino.
Significado: Diminutivo de Lucía.
Onomástico: No tiene.
Variantes: **LUCI, LUZI.**

LUDMILA

Origen: Eslavo.
Significado: Podría traducirse como querida por el pueblo.
Onomástico: 13 de septiembre.
Variantes: **LJUDMILA, LUMILA.**

LUDOVICA

Origen: Alemán.
Significado: Deriva de *hiod-wig*, glorioso en la batalla. Guerrera ilustre. Variante de Luisa.
Onomástico: 1 de octubre.

LUISA
Origen: Francés.
Significado: Glorioso en la batalla.
Onomástico: 21 de junio, 25 de agosto y 10 de octubre.
Variantes: Catalán: **Lluïsa.** Vasco: **Aloixe, Koldobike, Koldobiñe, Luixa.** Gallego: **Luissa, Loisa.** Asturiano: **Llüisa, Lluvisa.** Francés e inglés: **Louise.** Alemán: **Luise.** Italiano: **Luisa, Eloisa, Lusita, Allison, Loisia.** Diminutivo: **Luí.** Como compuestos de Luisa y María: **Marilú, Malú, Lulú.**

LUISANA
Origen: Estadounidense.
Significado: Combinación de Luisa y Ana.
Onomástico: No tiene.

LUKINA
Origen: Eslavo.
Significado: Llena de gracia y brillante.
Onomástico: No tiene.

LULANI
Origen: Polinesio.
Significado: El punto más alto del cielo.
Onomástico: No tiene.

LULÚ
Origen: Árabe y español.
Significado: Perla. Español: Forma familiar de Lourdes.
Onomástico: No tiene.
Variantes: **Loulou, Lula.**

LUMINOSA
Origen: Latino.
Significado: Deriva de luminosa, brillante.
Onomástico: 9 de mayo.
Variantes: Catalán: **Lluminosa.**

LUPA
Origen: Gallego.
Significado: Nombre que deriva de *lupa*, loba.
Onomástico: 1 de noviembre.

LUPE
Origen: Latino.
Significado: Loba. Forma familiar de Guadalupe.
Onomástico: No tiene.
Variantes: **Lupi, Lupita.**

LURDES
Origen: Vasco.
Significado: Nombre en honor de la Virgen de Lourdes. Deriva del Vasco *lorde*, altura costera. Variante de Lourdes.
Onomástico: 11 de febrero.
Variantes: Catalán y vasco **Lorda.** Francés e inglés: **Lourdes.**

LURLEEN
Origen: Escandinavo.
Significado: Cuerno de guerra.
Onomástico: No tiene.
Variantes: **Lura, Lurline.**

LUTGARDA
Origen: Alemán.
Significado: La que protege a su pueblo.
Onomástico: No tiene.

LUVENA
Origen: Latino.
Significado: Pequeña, amada.
Onomástico: No tiene.
Variantes: **Lovina, Luvenia, Luvina.**

LUZ
Origen: Latino.
Significado: Deriva de *lux*, luz. En honor de Nuestra Señora de la Luz.
Onomástico: 1 de junio.
Variantes: Catalán: **Llum.** Vasco: **Argia, Argiñe.** Asturiano: **Lluz.** Italiano: **Luce.**

LYA
Origen: Hebreo.
Significado: Deriva de *leah*, cansada, lánguida.
Onomástico: 1 de junio.
Variantes: Catalán: **Lia.** Gallego y asturiano: **Lía.** Francés e italiano: **Lia.**

LYCORIS
Origen: Griego.
Significado: Crepúsculo.
Onomástico: No tiene.

LYDIA
Origen: Griego.
Significado: Originaria de Lydia.
Onomástico: No tiene.

Variantes: **Lidia, Lyda, Lydie.**

LYLA

Origen: Francés.
Significado: Isla.
Onomástico: No tiene.
Variantes: **Lilah.**

LYN o LYNDA

Origen: Español.
Significado: Bonita.
Onomástico: No tiene.
Variantes: **Linda, Lyndah.**

LYNDSEY

Origen: Inglés.
Significado: Campo cercano a un arroyo.
Onomástico: No tiene.
Variantes: **Lindsey.**

LYNELLE

Origen: Inglés.
Significado: Bonita.
Onomástico: No tiene.

LYNETTE

Origen: Galés.
Significado: Ídolo.
Onomástico: No tiene.
Variantes: **Lynett, Lynetta, Lynnet.**

LYNN

Origen: Inglés.
Significado: Cascada.
Onomástico: No tiene.
Variantes: **Linn, Lyn, Lynna.**

LYRA

Origen: Griego.
Significado: Quien toca la lira.
Onomástico: No tiene.

LYSANDRA

Origen: Griego.
Significado: Libertadora.
Onomástico: No tiene.
Variantes: **Lisandra.**

MAAIÁN
Origen: Hebreo.
Significado: Laguna. Debe ir acompañado de otro nombre que indique sexo.
Onomástico: No tiene.

MAB
Origen: Irlandés.
Significado: Alegre.
Onomástico: No tiene.
Variantes: **Mabry.**

MABEL
Origen: Latino.
Significado: Deriva de *amabilis*, amable, simpática. Variante de Annabel.
Onomástico: 3 de julio.

MACARENA
Origen: Latino.
Significado: Advocación de la Virgen María.
Onomástico: 15 de diciembre.

MACARIA
Origen: Griego.
Significado: Deriva de *inakarios*, mujer afortunada. Bienaventurada.
Onomástico: 8 de abril.

MACAWI
Origen: Dakota.
Significado: Generosa.
Onomástico: No tiene.

MACHIKO
Origen: Japonés.
Significado: Niña afortunada.
Onomástico: No tiene.
Variantes: **Machico.**

MACIA
Origen: Polaco.
Significado: Forma familiar de Miriam.
Onomástico: No tiene.
Variantes: **Macelia, Macey, Machia, Macy, Masha, Mashia.**

MACIELA
Origen: Latino.
Significado: Femenino de Maciel. Delgadita, esquelética, muy flaca.
Onomástico: No tiene.

MACKENNA
Origen: Irlandés.
Significado: Hija del líder sabio.
Onomástico: No tiene.

MACKENZIE
Origen: Irlandés.
Significado: Hija del jefe de los magos.
Onomástico: No tiene.
Variantes: **Macenzie, Mackenna, Mackensi.**

MACRA
Origen: Griego.
Significado: La que engrandece.
Onomástico: No tiene.

MADA
Origen: Inglés.
Significado: Forma corta de Madeline, Magdalena.
Onomástico: No tiene.
Variantes: **Madda, Mahda, Madelaine.**

MADELINE
Origen: Griego.

Significado: Torre alta.
Onomástico: No tiene.
Variantes: **Madaline, Maddie, Madel, Madelaine, Madelena, Madelia.**

MADELON
Origen: Latino.
Significado: Variante de Magdalena.
Onomástico: No tiene.

MADISON
Origen: Inglés.
Significado: Buena, hija de Maud.
Onomástico: No tiene.
Variantes: **Maddison, Madyson.**

MADONNA
Origen: Latino.
Significado: Mi señora.
Onomástico: No tiene.
Variantes: **Madona.**

MADRONA
Origen: Español.
Significado: Mamá.
Onomástico: No tiene.
Variantes: **Madre, Madrena.**

MAE
Origen: Inglés.
Significado: Del mes de mayo.
Onomástico: No tiene.

MAEKO
Origen: Japonés.
Significado: Niña honesta.
Onomástico: No tiene.

MAEVE
Origen: Irlandés y latino.
Significado: Alegría. Reina de Irlanda en el siglo I. Latín: Diosa.
Onomástico: No tiene.
Variantes: **Maevi.**

MAFALDA
Origen: Alemán.
Significado: Procede de *maganfrid*, caudillo pacificador.
Onomástico: 2 de mayo.
Variantes: Francés: **Mahault, Mahaut.**

MAGALI
Origen: Francés.
Significado: Diminutivo de Margarita en lengua provenzal.
Onomástico: 23 de febrero.

MAGDA
Origen: Griego.
Significado: Magdalena.
Onomástico: No tiene.
Variantes: **Mahda.**

MAGDALEN
Origen: Griego.
Significado: Torre.
Onomástico: No tiene.

MAGDALENA
Origen: Hebreo.
Significado: Gentilicio para la región de Magdala, en hebreo *Migda-El*, Torre de Dios.
Onomástico: 22 de julio.
Variantes: Vasco: **Maialen, Malen, Matale, Matxalen.** Asturiano: **Mada, Madalena, Lena.** Inglés: **Magdalen, Maud.** Francés: **Madelaine, Madeleine.** Alemán: **Magdalene.** Italiano: **Maddalena.**

MAGGIE
Origen: Inglés.
Significado: Diminutivo de Magdalena y Margarita.
Onomástico: No tiene.
Variantes: **Mag, Maggi, Maggia.**

MAGINA
Origen: Latino.
Significado: Incierto, aunque parece variante de mago o de *maximus*, grande.
Onomástico: 3 de diciembre,

MAGNOLIA
Origen: Latino.
Significado: Nombre de flor que hacen honor a su belleza.
Onomástico: No tiene.

MAHAL
Origen: Filipino.
Significado: Amor.
Onomástico: No tiene.

MAHALA
Origen: Árabe y estadounidense.
Significado: Gorda, tierna, y entre los indios estadounidenses mujer poderosa.
Onomástico: No tiene.

MAHARENE
Origen: Etíope.
Significado: Quien nos perdona.
Onomástico: No tiene.

MAHESA
Origen: Hindi.
Significado: Gran señora. Es uno de los nombres de la diosa Shiva.
Onomástico: No tiene.

MAHILA
Origen: Hindi.
Significado: Mujer.
Onomástico: No tiene.

MAHINA
Origen: Hawaiano.
Significado: Se traduce como luz de luna.
Onomástico: No tiene.

MAHIRA
Origen: Hebreo.
Significado: Enérgica.
Onomástico: No tiene.

MAHUIZTIC
Origen: Náhuatl.
Significado: Admirable.
Onomástico: No tiene.

MAI
Origen: Japonés.
Significado: Brillante.
Onomástico: No tiene.

MAIA
Origen: Griego.
Significado: Madre, nodriza, nana. La más linda y amorosa de las pléyades. Las siete hijas de Atlas y madre de Hermes.
Onomástico: No tiene.
Variantes: **Maiah.**

MAIALEN
Origen: Vasco.
Significado: Torre de Dios.
Onomástico: No tiene.

MAICA
Origen: Hebreo.
Significado: Se forma como diminutivo de María del Carmen.
Onomástico: 16 de julio y 15 de agosto.

MAIDA
Origen: Griego.
Significado: Variante de Magdalena.
Onomástico: No tiene.

MAIKA
Origen: Hebreo.
Significado: Forma familiar de Mickaela.
Onomástico: No tiene.
Variantes: **Maikala.**

MAIMARA
Origen: Aimará.
Significado: Estrella que cae. Pueblo de la punta argentina.
Onomástico: No tiene.

MAIOLA
Origen: Catalán.
Significado: Diminutivo de mayo, fiel a Dios.
Onomástico: 11 de mayo.

MAIRA
Origen: Griego.
Significado: Nombre mitológico que significa resplandeciente. Mujer maravillosa.
Onomástico: No tiene.

MAISIE
Origen: Griego.
Significado: Perla. Diminutivo inglés de Margarita.
Onomástico: No tiene.
Variantes: **Mag.**

MAITA
Origen: Español.
Significado: Alternativa de Martha.
Onomástico: No tiene.
Variantes: **Maite, Maitia.**

MAITANE
Origen: Vasco.
Significado: Variante de Maite, amada.
Onomástico: 25 de marzo.

MAITÉ
Origen: Vasco.
Significado: Se usa como advocación mariana, de *maité*, amada.
Onomástico: 25 de marzo.
Variantes: **Maitane, Maitena, Mayte.**

MAJA
Origen: Árabe.
Significado: Diminutivo de Majidah.
Onomástico: No tiene.
Variantes: **Majal.**

MAJIDAH
Origen: Árabe.
Significado: Generosa, espléndida.
Onomástico: No tiene.
Variantes: **Maja, Majida.**

MAKALA
Origen: Hawaiano.
Significado: Mirto.
Onomástico: No tiene.
Variantes: **Makalah, Makalai, Makalia, Makela.**

MAKANA
Origen: Hawaiano.
Significado: Regalo, obsequio.
Onomástico: No tiene.

MAKANI
Origen: Hawaiano.
Significado: Viento.
Onomástico: No tiene.

MAKARA
Origen: Hindi.
Significado: Nacida durante el mes lunar de capricornio.
Onomástico: No tiene.

MAKENNA
Origen: Africano.
Significado: Felicidad.
Onomástico: No tiene.

MALAIKA
Origen: Africano.
Significado: Ángel.
Onomástico: No tiene.

MALANA
Origen: Hawaiano.
Significado: Luz.
Onomástico: No tiene.

MALAYA
Origen: Filipino.
Significado: Libre.
Onomástico: No tiene.
Variantes: **Malayah, Maleah.**

MALENA
Origen: Sueco.
Significado: Variante de Magdalena.
Onomástico: No tiene.
Variantes: **Malen, Malenna.**

MALHA
Origen: Hebreo.
Significado: Reina.
Onomástico: No tiene.
Variantes: **Maliah, Miliah.**

MALI
Origen: Tailandés.
Significado: Flor de jasmín.
Onomástico: No tiene.
Variantes: **Malea, Maley.**

MALIBRÁN
Origen: Alemán.
Significado: Deriva de *aman*, trabajo, y *brand*, espada.
Onomástico: No tiene.

MALIKA
Origen: Húngaro.
Significado: Mujer trabajadora.
Onomástico: No tiene.
Variantes: **Malak, Maleka, Malik, Malikah.**

MALINA
Origen: Hebreo.
Significado: Torre.
Onomástico: No tiene.

MALINI
Origen: Hindi.
Significado: Jardinera. Diosa hindú de la Tierra.
Onomástico: No tiene.
Variantes: **Maliny.**

MALKA
Origen: Hebreo.
Significado: Reina.
Onomástico: No tiene.

MALLORY
Origen: Alemán.
Significado: Consejera del ejército. Consuelo.
Onomástico: No tiene.
Variantes: **Malory, Mellory, Malorie.**

MALÚ
Origen: Francés.
Significado: Variante de Lourdes, nombre cristiano en honor de la Virgen de Lourdes. También puede ser variante de María Luisa.

Onomástico: 11 de febrero, 21 de junio, 25 de agosto y 10 de octubre.

MALVINA
Origen: Alemán.
Significado: Amiga de la justicia, conservadora.
Onomástico: No tiene.

MAMO
Origen: Hawaiano.
Significado: Flor de Azafrán. Pájaro amarillo.
Onomástico: No tiene.

MANA
Origen: Hawaiano.
Significado: Psíquica, sensitiva.
Onomástico: No tiene.
Variantes: **Manal, Manna, Mannah.**

MANAR
Origen: Árabe.
Significado: Luz que guía.
Onomástico: No tiene.
Variantes: **Manayra.**

MANDA
Origen: Latino.
Significado: Forma familiar de Amanda.
Onomástico: No tiene.
Variantes: **Mandy.**

MANDARA
Origen: Hindi.
Significado: Tranquilo, calmado. Árbol místico que hace que las preocupaciones desaparezcan.
Onomástico: No tiene.

MANDY
Origen: Latino.
Significado: Quien ama mucho.
Onomástico: No tiene.

MANELA
Origen: Catalán.
Significado: Variante de Manuela.
Onomástico: No tiene.

MANGENA
Origen: Hebreo.
Significado: Canción, melodía.
Onomástico: No tiene.
Variantes: **Mangina.**

MANILA
Origen: Latino.
Significado: Mujer de manos pequeñas.
Onomástico: No tiene.

MANÓN
Origen: Francés.
Significado: Variante de María, que proviene del hebreo *mar-vain*, altura, eminencia.
Onomástico: 15 de agosto.

MANUELA
Origen: Hebreo.
Significado: Procede de *Emmanu-El*, Dios con nosotros.
Onomástico: 1 y 22 de enero.
Variantes: Catalán: **Manda.** Gallego: **Manoela.** Asturiano: **Manela, Mela, Nela.** Francés: **Emanuelle.** Italiano: **Emanuela.**

MANYA
Origen: Ruso.
Significado: María.
Onomástico: No tiene.

MARA
Origen: Hebreo.
Significado: De *marah*, amargura.
Onomástico: 1 de noviembre.

MARABEL
Origen: Inglés.
Significado: Alternativa de Mirabel.
Onomástico: No tiene.
Variantes: **Maribel, Marabella.**

MARAVILLAS
Origen: Latino.
Significado: Deriva de *mirabilis*, maravilloso, milagroso.
Onomástico: 11 de diciembre.
Variantes: Catalán: **Maravella.** Inglés: **Màrvel, Marvela.**

MARCELA
Origen: Latino.
Significado: Procede de *marcellus*, diminutivo de *marcus*, martillo.
Onomástico: 31 de enero y 28 de junio.
Variantes: Catalán: **Marcella.** Vasco: **Markele.** Inglés, francés e italiano: **Marcella.**

MARCELIANA
Origen: Latino.
Significado: Procede de *marcellus,* diminutivo de *marcus,* martillo.
Onomástico: 17 de julio.

MARCELINA
Origen: Latino.
Significado: Procede de *marcesco,* marchitarse, languidecer.
Onomástico: 17 de julio.
Variantes: Catalán: **MARCELLINA.** Vasco: **MARTXELIÑE.** Francés: **MARCELINE.**

MARCIA
Origen: Latino.
Significado: De *marlius,* consagrado al dios Marte, belicoso.
Onomástico: 5 y 21 de junio.
Variantes: Italiano: **MARZIA.**

MARCIANA
Origen: Latino.
Significado: De *manius,* consagrado al dios Marte, belicoso.
Onomástico: 3 de marzo y 9 de enero.

MARDI
Origen: Francés y arameo.
Significado: Nacida en martes. Arameo: Familiar de Martha.
Onomástico: No tiene.

MARELDA
Origen: Alemán.
Significado: Guerrera famosa.
Onomástico: No tiene.

MAREN
Origen: Latino y arameo.
Significado: Mar. Arameo: María.
Onomástico: No tiene.
Variantes: **MARIN.**

MARENDA
Origen: Latino.
Significado: Variante de Miranda.
Onomástico: No tiene.

MARFISA
Origen: Español.
Significado: Aparece por primera vez como un personaje de *La Dorotea* de Lope de Vega.
Onomástico: No tiene.

MARGA
Origen: Latino.
Significado: Forma abreviada de Margarita.
Onomástico: No tiene.

MARGARITA
Origen: Latino.
Significado: Procede de *margarita,* perla, en la actualidad hace alusión al nombre de la flor. Como las perlas.
Onomástico: 23 de febrero.
Variantes: Catalán: **MARGARIDA, MARGALIDA.** Vasco: **HOSTAIZKA, HOSTAITZA, MARGARITE.** Gallego: **MARGARIDA.** Asturiano: **MARGALIT, LITA.** Inglés: **MARGARET, MARGERY.** Francés: **MARGUERITE, MARGENE.** Alemán: **MARGARETHE, MARGRETH, GRETCHEN.** Italiano: **MARGHERITA.**

MARGIT
Origen: Húngaro.
Significado: Margarita.
Onomástico: No tiene.
Variantes: **MARGET, MARGITA.**

M

MARGO
Origen: Francés.
Significado: Margarita.
Onomástico: No tiene.
Variantes: **MAGO, MARGARO.**

MARGOT
Origen: Francés.
Significado: Diminutivo del francés *Marguerite,* que procede del latín *margarita,* perla, en la actualidad hace alusión al nombre de la flor.
Onomástico: 1 de febrero.

MARI
Origen: Japonés y español.
Significado: Pelota. Español: Forma familiar de María.
Onomástico: No tiene.
Variantes: **MARY.**

MARÍA
Origen: Hebreo.
Significado: Deriva del *maryam,* altura, eminencia. La elegida.
Onomástico: 15 de agosto y 12 de septiembre.
Variantes: Vasco: **MADDI, MAIA, MAN,**

MARITXU, MIREN, MIRENKAIA, MIRETXU. Gallego y asturiano: MARUXA. Inglés: MARY. Francés: MARIE. Alemán: MARIE.

Nombres compuestos con María

MARÍA ÁNGEL
MARÍA BELÉN
MARÍA DE LA CONCEPCIÓN
MARÍA DE LA CRUZ
MARÍA DE LA GLORIA
MARÍA DE LA O
MARÍA DE LA PALOMA
MARÍA DE LA PAZ
MARÍA DE LA SOLEDAD
MARÍA DE LAS GRACIAS
MARÍA DE LAS MERCEDES
MARÍA DE LAS NIEVES
MARÍA DE LAS VICTORIAS
MARÍA DE LOS ÁNGELES
MARÍA DE LOS MILAGROS
MARÍA DE LOS SANTOS
MARÍA DEL CONSUELO
MARÍA DEL HUERTO
MARÍA DEL MAR
MARÍA DEL MONSERRAT
MARÍA DEL PILAR
MARÍA DEL ROSARIO
MARÍA DEL SOL
MARÍA FÁTIMA
MARÍA GRACIA
MARÍA GUADALUPE
MARÍA INÉS
MARÍA INMACULADA
MARÍA JESÚS
MARÍA JOSÉ
MARÍA LOURDES
MARÍA SOL
MARÍA SOLEDAD

MARIAM
Origen: Latino.
Significado: De *marianus*, relativo a María. Variante de María.
Onomástico: 15 de agosto.

MARIAMAR
Origen: Latino.
Significado: Forma abreviada de María del Mar.
Onomástico: No tiene.

MARIÁN
Origen: Latino.
Significado: Deriva de *marianus*, relativo a María, variante de Mariana.
Onomástico: 30 de abril y 1 de diciembre.
Variantes: Catalán: MARIANA, MARIANNA. Vasco, gallego y asturiano: MARIANA. Inglés: MANAN, MARIANNE. Francés: MARIANE, MARIANNE. Alemán: MARIANNE. Italiano: MARIANA, MARIAJINA.

MARIANA
Origen: Latino.
Significado: Deriva de *marianus*, relativo a María. María y Ana.
Onomástico: 26 de mayo.
Variantes: Catalán: MARIANNA. Inglés: MANAN, MARIANNE. Francés: MARIANE, MARIANNE. Alemán: MARIANNE.

MARIANELA
Origen: Latino.
Significado: Variante de Mariana. Forma compuesta por Mariana y Estela.
Onomástico: No tiene.
Variantes: MARIANELLA.

MARIÁNGELES
Origen: Latino.
Significado: Contracción de María y Ángeles.
Onomástico: No tiene.

MARIANNE
Origen: Hebreo.
Significado: Amarga. Forma francesa de Mariana.
Onomástico: No tiene.

MARIAZEL
Origen: Latino.
Significado: Nombre de advocación Mariana. Nuestra Señora de Mariazel, que se venera en la población austriaca del mismo nombre.
Onomástico: 15 de septiembre.

MARIBEL
Origen: Francés y español.
Significado: Hermosa. Español: Diminutivo de María Isabel.
Onomástico: No tiene.

Variantes: **Marabel, Maribella, Marybel.**

MARICEL

Origen: Latino.
Significado: Contracción de María y Celia.
Onomástico: No tiene.

MARICELA

Origen: Latino.
Significado: Alternativa de Marcella.
Onomástico: No tiene.
Variantes: **Maricel, Mariceli, Maricelia, Maricella.**

MARICRUZ

Origen: Latino.
Significado: Contracción de María y Cruz.
Onomástico: No tiene.

MARIE

Origen: Latino.
Significado: Forma alemana y francesa de María.
Onomástico: No tiene.

MARIEL

Origen: Alemán.
Significado: María. Contracción de María e Isabel.
Onomástico: No tiene.
Variantes: **Marial, marieli, Mariela, Mariele.**

MARIELA

Origen: Hebreo.
Significado: Proviene de *maryam*, altura, eminencia. Variante de María.
Onomástico: 15 de agosto.

MARIET

Origen: Hebreo.
Significado: Variante de María.
Onomástico: No tiene.
Variantes: **Marietta.**

MARIEVA

Origen: Español.
Significado: Combinación de María y Eva.
Onomástico: No tiene.

MARIFE

Origen: Español.
Significado: Contracción de María y Fe.
Onomástico: No tiene.

MARIFER

Origen: Español.
Significado: Contracción de María y Fernanda.
Onomástico: No tiene.

MARIGOLD

Origen: Inglés.
Significado: Planta con flores amarillas o anaranjadas.
Onomástico: No tiene.

MARIKA

Origen: Alemán.
Significado: María.
Onomástico: No tiene.
Variantes: **Marica, Marija, Marikah.**

MARIKENA

Origen: Hebreo.
Significado: Variante de Mariquena.
Onomástico: No tiene.

MARIKO

Origen: Japonés.
Significado: Círculo.
Onomástico: No tiene.

MARILDA

Origen: Español.
Significado: Compuesto de María e Hilda.
Onomástico: No tiene.

MARILÉN

Origen: Español.
Significado: Contracción de María y Elena.
Onomástico: No tiene.
Variantes: **Marilena.**

MARILINA

Origen: Español.
Significado: Descendiente de María. Contracción de María y Elina.
Onomástico: No tiene.

MARILISA

Origen: Español.
Significado: Contracción de María y Luisa.
Onomástico: No tiene.

MARILÚ

Origen: Español.
Significado: Contracción de María y Luz.

Onomástico: No tiene.

MARILYN

Origen: Hebreo.
Significado: Descendiente de María.
Onomástico: No tiene.
Variantes: **Marilin, Marlyn.**

MARINA

Origen: Latino.
Significado: De *marinus*. perteneciente al mar.
Onomástico: 18 de junio, 18 de julio y 28 de septiembre.
Variantes: Vasco: **Itsasne, Marine.** Gallego: **Mariña.** Francés: **Marine.**

MARINÉS

Origen: Español.
Significado: Contracción de María e Inés.
Onomástico: No tiene.

MARINI

Origen: Swahili.
Significado: Saludable, bonita.
Onomástico: No tiene.

MARIOLA

Origen: Italiano.
Significado: Variante de María, que proviene del hebreo *maram*, altura, eminencia.
Onomástico: 15 de agosto.

MARION

Origen: Francés.
Significado: María.
Onomástico: No tiene.
Variantes: **Marrion.**

MARIONA

Origen: Hebreo.
Significado: Variante de María, que proviene del hebreo *inaryam*, altura, eminencia.
Onomástico: 15 de agosto.

MARIQUELA

Origen: Español.
Significado: Variante de María.
Onomástico: No tiene.
Variantes: **Mariquena.**

MARIS

Origen: Griego.
Significado: Forma corta de Amaris, *damaris*, Mar.
Onomástico: No tiene.
Variantes: **Marys, Marris.**

MARISA

Origen: Latino.
Significado: Mar. Maria y Luisa.
Onomástico: No tiene.
Variantes: **Marissa, Mariza, Marrisa.**

MARISABEL

Origen: Español.
Significado: Compuesto de María con Isabel.
Onomástico: No tiene.

MARISEL

Origen: Español.
Significado: Contracción de María con Isabel.
Onomástico: No tiene.

MARISELA

Origen: Latino.
Significado: Mar.
Onomástico: No tiene.
Variantes: **Marisella, Merissela.**

MARISOL

Origen: Español.
Significado: Se ha formado del nombre compuesto María del Sol.
Onomástico: 15 de agosto.
Variantes: Asturiano: **Miasol, Marysol.**

MARIT

Origen: Arameo.
Significado: Señora, dama.
Onomástico: No tiene.
Variantes: **Marita.**

MARITÉ

Origen: Español.
Significado: Abreviación de María Teresa.
Onomástico: No tiene.

MARITZA

Origen: Árabe.
Significado: Bendita.
Onomástico: No tiene.
Variantes: **Maritsa, Maritssa.**

MARIU

Origen: Español.
Significado: Variante de María.
Onomástico: No tiene.

MARIYAN

Origen: Árabe.

Significado: Pureza.
Onomástico: No tiene.

MARJAN
Origen: Persa y polaco.
Significado: Coral. Polaco: María.
Onomástico: No tiene.
Variantes: **Marjana.**

MARJORIE
Origen: Escocés.
Significado: Variante del nombre de María.
Onomástico: 15 de agosto.

MARKITA
Origen: Checo.
Significado: Margarita.
Onomástico: No tiene.
Variantes: **Marka.**

MARLA
Origen: Inglés.
Significado: Forma corta de Marlen.
Onomástico: No tiene.
Variantes: **Marlah.**

MARLENE
Origen: Alemán.
Significado: Nombre que surge como diminutivo de Marie Helene.
Onomástico: 15 y 18 de agosto.
Variantes: **Marlane, Marla.**

MARMARA
Origen: Griego.
Significado: Chispeante, brilloso, radiante.
Onomástico: No tiene.

MARNINA
Origen: Hebreo.
Significado: Regocijo, la que causa alegría.
Onomástico: No tiene.

MARQUISE
Origen: Francés.
Significado: Mujer noble.
Onomástico: No tiene.

MARRIM
Origen: Chino.
Significado: Nombre de una tribu en el estado de Mampur.
Onomástico: No tiene.

MARSALA
Origen: Italiano.
Significado: Originaria de Marsella, Francia.
Onomástico: No tiene.
Variantes: **Marsall.**

MARSHA
Origen: Inglés.
Significado: Alternativa de Marcia.
Onomástico: No tiene.
Variantes: **Marcha, Marshia.**

MARTA
Origen: Arameo.
Significado: Ama de casa, señora.
Onomástico: 29 de julio.
Variantes: Vasco: **Marte.** Gallego: **Martiña.** Francés: **Marthe.**

MARTHA
Origen: Arameo.
Significado: Dama, suspiro. Reina de su casa.
Onomástico: No tiene.
Variantes: **Marta, Marth.**

MARTINA
Origen: Latino.
Significado: Procede de *martius*, de Marte.
Onomástico: 30 de enero.
Variantes: Vasco: **Martiñe, Martixa, Martiza.** Gallego: **Martiña.** Francés: **Martine.**

MARTIZA
Origen: Árabe.
Significado: Bendita.
Onomástico: No tiene.

MARU
Origen: Japonés.
Significado: Rodeada.
Onomástico: No tiene.

MARUJA
Origen: Gallego.
Significado: Forma de María.
Onomástico: No tiene.

MARVEL
Origen: Latino.
Significado: Admirada.
Onomástico: No tiene.

MARVELLA
Origen: Francés.
Significado: Maravillosa.
Onomástico: No tiene.

Variantes: **Marva, Marvela, Marvetta, Marvia.**

MARY

Origen: Hebreo y español.
Significado: Amargura, mar de las amarguras. Español: María.
Onomástico: No tiene.
Variantes: **Marye.**

MARYA

Origen: Árabe.
Significado: Pureza, blancura brillante.
Onomástico: No tiene.
Variantes: **Maryah.**

MASAGO

Origen: Japonés.
Significado: Arenas del tiempo.
Onomástico: No tiene.

MASANI

Origen: Africano.
Significado: Mujer que tiene un orificio en los dientes.
Onomástico: No tiene.

MASHA

Origen: Ruso.
Significado: María.
Onomástico: No tiene.
Variantes: **Mashka, Mashenka.**

MASHIKA

Origen: Swahili.
Significado: Nacida durante tiempo de lluvias.
Onomástico: No tiene.
Variantes: **Masika.**

MATANA

Origen: Hebreo.
Significado: Regalo.
Onomástico: No tiene.

MATAI

Origen: Hebreo.
Significado: Regalo de Dios.
Onomástico: No tiene.

MATHENA

Origen: Hebreo.
Significado: Regalo de Dios.
Onomástico: No tiene.

MATILDA

Origen: Alemán.
Significado: Poderosa combatiente.
Onomástico: No tiene.
Variantes: **Matilde, Matelda.**

MATILDE

Origen: Alemán.
Significado: De *math-hild*, poderosa en el combate.
Onomástico: 14 de marzo.
Variantes: Inglés: **Mathilda.** Francés: **Mathilde.**

MATRIKA

Origen: Hindi.
Significado: Madre, nombre de la diosa hindú Shakti.
Onomástico: No tiene.
Variantes: **Matrica.**

MATSUKO

Origen: Japonés.
Significado: Pino.
Onomástico: No tiene.

MATTEA

Origen: Hebreo.
Significado: Regalo de Dios.
Onomástico: No tiene.
Variantes: **Matea, Mathea, Matia.**

MATTY

Origen: Inglés.
Significado: Diminutivo de Martha.
Onomástico: No tiene.

MAUD

Origen: Inglés y alemán.
Significado: Variante de Matilde, y ésta del germánico *inath-hild*, guerrero fuerte.
Onomástico: 14 de marzo.

MAURA

Origen: Latino.
Significado: Deriva de *maurus*, gentilicio de Mauritania o, por extensión, moro, africano.
Onomástico: 13 de febrero, 3 de mayo y 30 de noviembre.
Variantes: Gallego: **Mauricia.** Asturiano: **Mouricia.** Italiano: **Maurizia.**

MAUREEN

Origen: Francés e irlandés.
Significado: Oscuridad. Irlandés: María.
Onomástico: No tiene.

Variantes: **Maurine.**

MAURELLE

Origen: Francés.
Significado: De piel oscura.
Onomástico: No tiene.
Variantes: **Mauriel.**

MAUVE

Origen: Francés.
Significado: De color violeta.
Onomástico: No tiene.

MAVIS

Origen: Francés.
Significado: Canción entonada por un pájaro.
Onomástico: No tiene.
Variantes: **Mavin.**

MÁXIMA

Origen: Latino.
Significado: Procede de *maximus*, magno, grande.
Onomástico: 8 de abril y 16 de mayo.

MAXIMILIANA

Origen: Latino.
Significado: La mayor de todas. Forma femenina de Maximiliano.
Onomástico: No tiene.

MAXINA

Origen: Latino.
Significado: Grandiosa.
Onomástico: No tiene.
Variantes: **Max, Maxa, Maxie, Máxima.**

MAY

Origen: Latino e inglés.
Significado: Grandiosa. Inglés: Flor, mes de mayo.
Onomástico: No tiene.
Variantes: **Mai.**

MAYA

Origen: Griego e hindi.
Significado: Nombre de una ninfa, la más hermosa de las Pléyades, hija de Atlas y madre de Hermes. En hindi, el poder creador de Dios.
Onomástico: 15 de agosto.
Variantes: **Maia.**

MAYAHUEL

Origen: Náhuatl.
Significado: La diosa del pulque.
Onomástico: No tiene.

MAYBELINE

Origen: Latino.
Significado: Forma familiar de Mabel.
Onomástico: No tiene.

MAYOREE

Origen: Tailandés.
Significado: Hermosa.
Onomástico: No tiene.
Variantes: **Mayra.**

MAYRA

Origen: Tailandés.
Significado: Hermosa.
Onomástico: No tiene.

MAYRÉN

Origen: Árabe.
Significado: Variante de Marién y éste de María. La Elegida.
Onomástico: 12 de septiembre.

MAYSUN

Origen: Árabe.
Significado: Puede interpretarse como bonita, hermosa.
Onomástico: No tiene.

MAZEL

Origen: Hindi.
Significado: Suertuda.
Onomástico: No tiene.
Variantes: **Mazal, Mazala, Mazela.**

MEAD

Origen: Griego.
Significado: Vino de miel.
Onomástico: No tiene.

MEARA

Origen: Irlandés.
Significado: Jubilosa.
Onomástico: No tiene.

MEDEA

Origen: Griego.
Significado: Nombre de la mitología griega. Medeia, de *medomai*, meditar.
Onomástico: No tiene.
Variantes: Asturiano: **Mecera.** Francés: **Médée.**

MEDINA

Origen: Árabe.
Significado: Lugar donde se encuen-

tra la tumba de Mohamed.
Onomástico: No tiene.
Variantes: **MEDINAH.**

MEDORA
Origen: Griego.
Significado: Regalo de una madre.
Onomástico: No tiene.

MEDUSA
Origen: Griego.
Significado: Una de las tres gorgonas. Atenea transformó sus cabellos en serpientes y le otorgó el poder de convertir en piedra todo lo que miraba.
Onomástico: No tiene.

MEENA
Origen: Hindi.
Significado: Piedra azul semipreciosa, pájaro.
Onomástico: No tiene.

MEG
Origen: Inglés.
Significado: Diminutivo del inglés Margaret, que procede del latín *margarita*, perla, en la actualidad hace alusión al nombre de la flor.
Onomástico: 23 de febrero.

MEGAN
Origen: Irlandés.
Significado: Nombre que deriva de Margaret, del latín, *perla*.
Onomástico: 23 de febrero.

MEGARA
Origen: Griego.
Significado: Primera. La primera esposa de Hércules.
Onomástico: No tiene.

MEHADI
Origen: Hindi.
Significado: Flor.
Onomástico: No tiene.

MEHIRA
Origen: Hebreo.
Significado: Rápida, energética.
Onomástico: No tiene.

MEHITABEL
Origen: Hebreo.
Significado: Bendita por la gracia de Dios.
Onomástico: No tiene.
Variantes: **MEHETABEL.**

MEHRI
Origen: Persa.
Significado: Amable, amorosa, soleada.
Onomástico: No tiene.

MEI
Origen: Hawaiano.
Significado: Grande.
Onomástico: No tiene.
Variantes: **MEIKO.**

MEIRA
Origen: Hebreo.
Significado: Luz.
Onomástico: No tiene.
Variantes: **MEERA.**

MEIYING
Origen: Chino.
Significado: Flor hermosa.
Onomástico: No tiene.

MEKA
Origen: Hawaiano.
Significado: Ojos.
Onomástico: No tiene.

MEL
Origen: Portugués.
Significado: Dulce como la miel.
Onomástico: No tiene.

MELA
Origen: Hindi.
Significado: Servidor religioso.
Onomástico: No tiene.

MELANIA
Origen: Griego.
Significado: De *melanios*, un derivado de *melas*, negro, oscuro.
Onomástico: 31 de diciembre.
Variantes: Catalán: **MELÀNIA.** Inglés: **MELANIE, MELLONY.** Francés: **MELAME.**

MELANIE
Origen: Griego.
Significado: De piel oscura.
Onomástico: No tiene.
Variantes: **MEILANI, MELAINE, MELANA, MELANE, MELANI, MELLANIE.**

MELANTHA
Origen: Griego.
Significado: Flor oscura.

Onomástico: No tiene.

MELBA

Origen: Inglés y latino.

Significado: Abreviatura de Melbourne. Latín: Flor de malva.

Onomástico: No tiene.

MELE

Origen: Hawaiano.

Significado: Canción, poema.

Onomástico: No tiene.

MELEA

Origen: Griego.

Significado: Plenitud.

Onomástico: No tiene.

MELESSE

Origen: Etíope.

Significado: Eterna.

Onomástico: No tiene.

Variantes: **Mellesse.**

MELIA

Origen: Alemán.

Significado: Diminutivo de Amelia.

Onomástico: No tiene.

Variantes: **Meli, Meliah, Melida, Mema.**

MELIBEA

Origen: Griego.

Significado: Se relaciona con la mujer espiritual del Renacimiento, por el personaje de los amores de Calixto y Melibea.

Onomástico: No tiene.

MELINA

Origen: Latino y griego.

Significado: Canario amarillo. En griego, es una forma de Melinda, abeja.

Onomástico: No tiene.

MELINDA

Origen: Griego.

Significado: Abeja.

Onomástico: No tiene.

MELIORA

Origen: Latino.

Significado: Mejora.

Onomástico: No tiene.

Variantes: **Melior, Meliori.**

MELISA

Origen: Griego.

Significado: Deriva de Melissa, abeja. Como la miel.

Onomástico: No tiene.

Variantes: **Melissa.**

MELISENDA

Origen: Alemán.

Significado: Deriva de *amal*, trabajo, y *swintha*, fuerte; o sea, fuerte para el trabajo.

Onomástico: No tiene.

Variantes: Inglés: **Melicent, Mellicent.**

MELITA

Origen: Griego.

Significado: Deriva de Melissa, abeja. Variante de Melisa.

Onomástico: No tiene.

Variantes: **Melissa.**

MELITINA

Origen: Latino.

Significado: Procede de *nelitus*, dulce, de miel.

Onomástico: 15 de septiembre.

MELITONA

Origen: Griego.

Significado: La que nació en Malta. Forma femenina de Melitón. Dulce.

Onomástico: No tiene.

MELODY

Origen: Griego.

Significado: Melodía.

Onomástico: No tiene.

MELOSA

Origen: Español.

Significado: Muy dulce.

Onomástico: No tiene.

MELUSINA

Origen: Griego.

Significado: Dulce como la miel.

Onomástico: No tiene.

MELVA

Origen: Celta.

Significado: Trabajadora del molino.

Onomástico: No tiene.

MELVINA

Origen: Irlandés.

Significado: Jefa. Forma femenina de Melvin.

Onomástico: No tiene.

MENA

Origen: Griego y alemán.

Significado: Diminutivo de Filomena. Alemán: Mena fue el primer rey de Egipto.
Onomástico: No tiene.
Variantes: **MENAH.**

MENCÍA
Origen: Latino.
Significado: Diminutivo de Clementina. De *clemens*, clemente, bueno, indulgente.
Onomástico: 23 de noviembre.
Variantes: Vasco: **MENTZIA.**

MENODORA
Origen: Griego.
Significado: Puede traducirse como don de Mene. Mene era una diosa en la mitología griega.
Onomástico: 20 de septiembre.

MERCEDES
Origen: Latino.
Significado: Procede de *tuerces*, salario, paga, recompensa. Que libera a los esclavos.
Onomástico: 24 de septiembre.
Variantes: Catalán: **MERCÉ.** Vasco: **ESKARNE, MERTXE, MESEDE.** Gallego: **MERCÉS.** Asturiano: **MERCÉ.** Inglés: **MERCY.** Italiano: **MERCEDE.**

MERCIA
Origen: Inglés.
Significado: Alternativa de Marcia.
Onomástico: No tiene.

MERCURIA
Origen: Latino.
Significado: Femenino de Mercurio. Protector del comercio.
Onomástico: 12 de diciembre.

MERCY
Origen: Inglés.
Significado: Compasiva, caritativa.
Onomástico: No tiene.
Variantes: **MERCEY, MERCI, MERCIE, MERSEY.**

MEREDITH
Origen: Galés.
Significado: Podría traducirse como guardiana del mar.
Onomástico: No tiene.

MERI
Origen: Irlandés.
Significado: Diminutivo de Meriel.
Onomástico: No tiene.

MERIEL
Origen: Irlandés.
Significado: Mar brillante.
Onomástico: No tiene.
Variantes: **MERI, MERIAL.**

MERLE
Origen: Francés.
Significado: Pájaro negro.
Onomástico: No tiene.
Variantes: **MERL, MERLA, MERLINA, MEROLA, MERYL.**

MERRY
Origen: Inglés.
Significado: Feliz, contenta.
Onomástico: No tiene.
Variantes: **MERIE, MERRI, MERRIE, MERRIS.**

MERUDINA
Origen: Alemán.
Significado: Nombre germánico latinizado, que significa insigne.
Onomástico: 29 de octubre.

MERUVINA
Origen: Alemán.
Significado: Nombre germánico latinizado, que significa insigne victoria.
Onomástico: 27 de abril.

MERYL
Origen: Alemán e irlandés.
Significado: Famosa. Irlandés: Mar brillante.
Onomástico: No tiene.
Variantes: **MERAL, MERRIL, MERRYL, MERYLL.**

MESALINA
Origen: Latino.
Significado: De Mesala, nombre de una gen romana oriunda de la población de Mesala (Sicilia), de la familia de Mesala.
Onomástico: 23 de enero.
Variantes: **MESSALINA, MESSALINE.**

METRODORA
Origen: Griego.
Significado: Don bien medido.

Onomástico: 10 de septiembre.

MEZTLI
Origen: Náhuatl.
Significado: Luna.
Onomástico: No tiene.

MIA
Origen: Italiano.
Significado: Eres mía.
Onomástico: No tiene.
Variantes: **Miah.**

MICAELA
Origen: Hebreo.
Significado: De *Mi-ka-El*, ¿Quién como Dios?
Onomástico: 29 de septiembre.
Variantes: Catalán: **Micaelina.** Vasco: **Mikele, Mikelifle.** Inglés y francés: **Michelle.** Italiano: **Michelina.**

MICAH
Origen: Hebreo.
Significado: Forma corta de Micaela. *Biblia*: Profeta del antiguo testamento.
Onomástico: No tiene.
Variantes: **Mica, Micha, Mika, Myca.**

MICAYLA
Origen: Hebreo.
Significado: Micaela.
Onomástico: No tiene.

MICHELE
Origen: Francés.
Significado: ¿Quién como Dios?
Onomástico: No tiene.
Variantes: **Machele, Machel, Mia, Michel, Michela, Mischele, Mitchele.**

MICHI
Origen: Japonés.
Significado: Camino correcto.
Onomástico: No tiene.
Variantes: **Miche, Michiko.**

MICOL
Origen: Hebreo.
Significado: La que es reina.
Onomástico: No tiene.

MIDORI
Origen: Japonés.
Significado: Verde.
Onomástico: No tiene.

MIEKO
Origen: Japonés.
Significado: Próspera.
Onomástico: No tiene.
Variantes: **Mieke.**

MIELIKKI
Origen: Finlandés.
Significado: Complaciente.
Onomástico: No tiene.

MIETTE
Origen: Francés.
Significado: Pequeña, dulce.
Onomástico: No tiene.

MIGNON
Origen: Francés.
Significado: Tierna, graciosa.
Onomástico: No tiene.

MIGUELA
Origen: Hebreo.
Significado: De *Mi-ka-El*, ¿Quién como Dios?
Onomástico: 19 de junio.

MIGUELINA
Origen: Latino.
Significado: Variante de Micaela.
Onomástico: No tiene.

MIKA
Origen: Japonés, ruso y estadounidense.
Significado: Luna nueva. Ruso: Niña de Dios. Estadounidense: Mapache mágico.
Onomástico: No tiene.
Variantes: **Mikah, Mikka.**

MIKI
Origen: Japonés.
Significado: Tallo de flor.
Onomástico: No tiene.
Variantes: **Mikia, Mikita, Mikki.**

MILA
Origen: Italiano.
Significado: Diminutivo de Camila.
Onomástico: No tiene.
Variantes: **Milah, Milla.**

MILADA
Origen: Checo.
Significado: Mi amor.
Onomástico: No tiene.
Variantes: **Milah, Milla.**

MILAGROS
Origen: Latino.
Significado: Deriva de *miraculuni*, prodigio, portento, milagro.
Onomástico: 14 de enero, 19 de abril y 9 de julio, entre otras.
Variantes: Catalán: **MIRACLE.** Vasco: **ALAZNE, MIRAN.** Gallego: **MILAGRES, MIRAGRES.** Asturiano: **MIRAGRES.**

MILAGROSA
Origen: Latino.
Significado: Deriva de *miraculum*, prodigio; portento, milagro.
Onomástico: 27 de noviembre.
Variantes: Catalán: **MIRACULOSA.**

MILANA
Origen: Italiano.
Significado: Originaria de Milán, Italia.
Onomástico: No tiene.
Variantes: **MILÁN, MILANI, MILANNA.**

MILBA
Origen: Alemán.
Significado: Amable protectora.
Onomástico: No tiene.

MILDRED
Origen: Inglés.
Significado: Nombre que deriva de *mudé*, suave, y *thruth*, querido; o sea, suave y querida.
Onomástico: 20 de febrero y 13 de julio.
Variantes: **MILDREDA, MILLIE, MILLY.**

MILENA
Origen: Eslavo.
Significado: Deriva de *milu*, misericordioso, o de Miroslava, famoso por su bondad.
Onomástico: 23 de febrero.
Variantes: Francés: **MYLÉNE.**

MILETA
Origen: Alemán.
Significado: Generosa, misericordiosa. Forma corta de Emilia.
Onomástico: No tiene.
Variantes: **MILA, MILLA.**

MILGITA
Origen: Alemán.
Significado: Mujer agradable.
Onomástico: 26 de febrero.

MILIA
Origen: Alemán.
Significado: Trabajadora, experta. Forma corta de Emilia.
Onomástico: No tiene.
Variantes: **MILA, MILLA.**

MILIANI
Origen: Hawaiano.
Significado: Caricia celestial.
Onomástico: No tiene.

MILKA
Origen: Yugoslavia.
Significado: Amor constante.
Onomástico: 1 de noviembre.

MILLICENT
Origen: Griego e inglés.
Significado: Melisa. Inglés: Trabajadora.
Onomástico: No tiene.
Variantes: **MELICENT, MELLICENT, MELISSENT.**

MILVA
Origen: Alemán.
Significado: Variante de Milba.
Onomástico: No tiene.

MILWIDA
Origen: Alemán.
Significado: La amable habitante de los bosques.
Onomástico: No tiene.

MIMA
Origen: Birmano.
Significado: Mujer.
Onomástico: No tiene.
Variantes: **MIMMA.**

MIMI
Origen: Francés.
Significado: Forma corta de Miriam.
Onomástico: No tiene.

MIN
Origen: Coreano.
Significado: Astucia.
Onomástico: No tiene.

MINA
Origen: Alemán.
Significado: Deriva de *will-helm*, yelmo voluntarioso, por extensión, pro-

tector decidido. Variante de Guillermina.
Onomástico: 10 de enero y 6 de abril.

MINDA
Origen: Hindi.
Significado: Conocimiento.
Onomástico: No tiene.

MINDY
Origen: Alemán.
Significado: Forma de Melinda.
Onomástico: No tiene.

MINE
Origen: Japonés.
Significado: Cima de montaña.
Onomástico: No tiene.
Variantes: **MINEKO.**

MINERVA
Origen: Latino.
Significado: Nombre mitológico que deriva de *mens*, mente. Mujer sabia.
Onomástico: 23 de agosto.
Variantes: **MINERVE.**

MINETTE
Origen: Francés.
Significado: Fiel, defensora.
Onomástico: No tiene.
Variantes: **MINNETTE, MINITA.**

MINIA
Origen: Gallego.
Significado: Nombre gallego de origen germánico, grande, fuerte.
Onomástico: 1 de noviembre.

MINKA
Origen: Alemán.
Significado: Fuerte, resuelta.
Onomástico: No tiene.
Variantes: **MINNA.**

MINNIE
Origen: Estadounidense.
Significado: Forma familiar de minerva.
Onomástico: No tiene.
Variantes: **MINNA, MINI, MINIE, MINNE, MINNI, MINNY.**

MIO
Origen: Japonés.
Significado: El triple de fuerte.
Onomástico: No tiene.

MIRA
Origen: Latino.
Significado: Maravillosa. Forma corta de Almira.
Onomástico: No tiene.
Variantes: **MIRRA, MIRAH, AMIRA.**

MIRABEL
Origen: Latino.
Significado: Hermosa.
Onomástico: No tiene.
Variantes: **MIRA, MIRABELL.**

MIRANA
Origen: Hebreo.
Significado: Variante de Miranda.
Onomástico: No tiene.

MIRANDA
Origen: Latino.
Significado: Deriva de *miras*, asombroso. Mujer maravillosa.
Onomástico: No tiene.

MIRARI
Origen: Vasco.
Significado: Forma de Milagros.
Onomástico: No tiene.

MIREILLE
Origen: Francés.
Significado: Forma de Mireya.
Onomástico: No tiene.

MIRELLA
Origen: Francés.
Significado: Maravillosa.
Onomástico: No tiene.
Variantes: **MIREIL, MIREL, MIREYA.**

MIREN
Origen: Hebreo.
Significado: Variantes de María.
Onomástico: No tiene.
Variantes: **MIRENA.**

MIREYA
Origen: Francés.
Significado: Nombre de origen provenzal. La maravilla.
Onomástico: 15 de agosto.
Variantes: Vasco: **MIREIA.**

MIRIAM
Origen: Hebreo.
Significado: Forma primitiva hebrea de María (Myriam). La elegida.
Onomástico: 15 de agosto.

M

Variantes: **Myriam.**

MIRNA

Origen: Griego.
Significado: Suave como el perfume.
Onomástico: No tiene.

MIROSLAVA

Origen: Eslavo.
Significado: Hermosa, inalcanzable.
Onomástico: No tiene.

MIRTA

Origen: Latino.
Significado: Sobrenombre de la diosa griega Afrodita y de la romana Venus, diosas del amor. Corona que otorga la belleza.
Onomástico: No tiene.
Variantes: **Mirtha, Minie.**

MISERICORDIA

Origen: Latino.
Significado: De *misericordis*, de *miseror*, compadecerse.
Onomástico: 19 de abril y 8 y 25 de septiembre, entre otras.
Variantes: Vasco: **Erruki, Gupide.**

MISOL-HA

Origen: Maya.
Significado: Cascada.
Onomástico: No tiene.

MISTY

Origen: Inglés.
Significado: Neblina.
Onomástico: No tiene.
Variantes: **Mistey, Misti, Mistin.**

MITL

Origen: Náhuatl.
Significado: Flecha.
Onomástico: No tiene.

MITRA

Origen: Hindi y persa.
Significado: Dios de la luz del día. Persa: Ángel. Que ofrece sus acciones al Señor.
Onomástico: No tiene.
Variantes: **Mita.**

MITZI

Origen: Alemán.
Significado: Variante de María.
Onomástico: No tiene.

MIWA

Origen: Japonés.
Significado: Ojos mágicos.
Onomástico: No tiene.

MIYA

Origen: Japonés.
Significado: Templo.
Onomástico: No tiene.
Variantes: **Miyah, Miyana, Miyanna.**

MIYO

Origen: Japonés.
Significado: Hermosa generación.
Onomástico: No tiene.
Variantes: **Miyoco, Miyuco.**

MIYUKI

Origen: Japonés.
Significado: Nieve.
Onomástico: No tiene.

MOANA

Origen: Hawaiano.
Significado: Océano, fragancia.
Onomástico: No tiene.

MOCHA

Origen: Árabe.
Significado: Chocolate saborizado con café.
Onomástico: No tiene.
Variantes: **Moka.**

MODESTA

Origen: Latino.
Significado: De *modesta*, modesta, moderada, afable.
Onomástico: 6 de octubre, 13 marzo y 4 noviembre.

MOHALA

Origen: Hawaiano.
Significado: Flores abriendo.
Onomástico: No tiene.
Variantes: **Moala.**

MOIRA

Origen: Griego.
Significado: En la mitología, diosa de la fortuna y del destino.
Onomástico: 1 de noviembre.

MOLLY

Origen: Hebreo.
Significado: Forma de Mary.
Onomástico: No tiene.

MONA
Origen: Irlandés.
Significado: Noble.
Onomástico: 4 de septiembre.

MÓNICA
Origen: Griego.
Significado: Procede de monos, solitario, que a su vez dio lugar a monachós, monje. Mujer solitaria.
Onomástico: 27 de agosto.
Variantes: Vasco: **MONIKE.** Inglés y francés: **MONIQUE.** Alemán: **MONIKA.**

MONIFA
Origen: Africano.
Significado: Yo tengo suerte.
Onomástico: No tiene.

MONSERRAT
Origen: Catalán.
Significado: Monte escarpado. Advocación catalana de la Virgen María.
Onomástico: No tiene.
Variantes: **MONTSERRAT.**

MONT
Origen: Catalán.
Significado: Nombre de advocación mariana, *Mare de Déu del Mon*.
Onomástico: 8 de septiembre.

MONTANA
Origen: Español.
Significado: Montaña.
Onomástico: No tiene.
Variantes: **MONTANNA.**

MORA
Origen: Español.
Significado: Fruta de la Mora.
Onomástico: No tiene.
Variantes: **MORIA, MORITA.**

MORELA
Origen: Polaco.
Significado: Chabacano.
Onomástico: No tiene.
Variantes: **MORELIA.**

MORENA
Origen: Irlandés.
Significado: Oscura.
Onomástico: No tiene.

MORGAN
Origen: Galés.
Significado: Orilla. Mujer del mar.
Onomástico: No tiene.
Variantes: **MORGANA, MORGÁNICA, MORGANN.**

MORGANA
Origen: Celta.
Significado: Podría traducirse como mujer del mar.
Onomástico: No tiene.

MORIAH
Origen: Hebreo y francés.
Significado: Dios es mi maestro. Francés: Oscura. *Biblia*: Nombre de la montaña donde fue construido el templo de Salomón.
Onomástico: No tiene.
Variantes: **MORIA, MORIT, MORRIA, MORRIAH.**

MORIE
Origen: Japonés.
Significado: Bahía.
Onomástico: No tiene.

MOROWA
Origen: Africano.
Significado: Reina.
Onomástico: No tiene.

MORRISA
Origen: Latino.
Significado: De piel oscura. Forma femenina de Morris.
Onomástico: No tiene.
Variantes: **MORISA, MORISSA, MORRISSA.**

MOSELLE
Origen: Hebreo y francés.
Significado: Agua corriente. Forma femenina de Moisés. Francés: Vino blanco.
Onomástico: No tiene.
Variantes: **MOZELLE.**

MOSI
Origen: Swahili.
Significado: Primogénita.
Onomástico: No tiene.

MOUNA
Origen: Árabe.
Significado: Deseo.
Onomástico: No tiene.

Variantes: **Mounia, Muna, Munia.**

MOYA

Origen: Celta.
Significado: Grandiosa.
Onomástico: No tiene.

MOZTLA

Origen: Náhuatl.
Significado: El futuro.
Onomástico: No tiene.

MUMTAZ

Origen: Árabe.
Significado: Distinguida.
Onomástico: No tiene.

MUNIRA

Origen: Árabe.
Significado: La que es fuente de luz.
Onomástico: No tiene.

MURA

Origen: Japonés.
Significado: Villa.
Onomástico: No tiene.

MURIEL

Origen: Celta.
Significado: Brillante como el mar.
Onomástico: No tiene.
Variantes: **Meriel, Merial, Meriol, Murial, Murielle.**

MUSA

Origen: Árabe.
Significado: Forma femenina de Moisés salvado de las aguas.
Onomástico: 2 de abril.

MUSLIMAH

Origen: Árabe.
Significado: Devota, creyente.
Onomástico: No tiene.

MUSSETTA

Origen: Francés.
Significado: Bolsita.
Onomástico: No tiene.
Variantes: **Mussete.**

MYA

Origen: Birmano.
Significado: Esmeralda, forma alternativa de Mía.
Onomástico: No tiene.
Variantes: **My, Myah.**

MYLA

Origen: Inglés.
Significado: Caritativa.
Onomástico: No tiene.

MYLENE

Origen: Griego.
Significado: Oscuro.
Onomástico: No tiene.
Variantes: **Mylana.**

MYRA

Origen: Latino.
Significado: Poción aromática.
Onomástico: No tiene.
Variantes: **Mayra.**

MYRNA

Origen: Irlandés.
Significado: Amada.
Onomástico: No tiene.
Variantes: **Merna, Mirna.**

NAARA
Origen: Hebreo.
Significado: Niña pequeña, jovencita.
Onomástico: No tiene.
Variantes: **Nahira.**

NAAVAH
Origen: Hebreo.
Significado: Adorable.
Onomástico: No tiene.

NABIHA
Origen: Árabe.
Significado: Astuta, perspicaz.
Onomástico: No tiene.

NABILA
Origen: Árabe.
Significado: Nacida noble.
Onomástico: No tiene.

NACIRA
Origen: Árabe.
Significado: Portadora de la victoria.
Onomástico: No tiene.

NADAL
Origen: Catalán.
Significado: Natividad.
Onomástico: No tiene.

NADDA
Origen: Árabe.
Significado: Generosa.
Onomástico: No tiene.

NADIA
Origen: Ruso.
Significado: Diminutivo de Nadezhna, esperanza. Que ha recibido el llamado de Dios.
Onomástico: 1 de agosto.
Variantes: **Nadine.**

NADIMA
Origen: Árabe.
Significado: Amiga y compañera.
Onomástico: No tiene.

NADINA
Origen: Eslavo.
Significado: Forma de Nadia. Que abriga esperanzas.
Onomástico: No tiene.

NADINE
Origen: Francés.
Significado: Forma de Nadia.
Onomástico: No tiene.

NADIRA
Origen: Árabe.
Significado: Rara, preciosa.
Onomástico: No tiene.

NAEVA
Origen: Francés.
Significado: Alternativa de Eva.
Onomástico: No tiene.
Variantes: **Nahvon.**

NAGINA
Origen: Hebreo.
Significado: Noble.
Onomástico: No tiene.
Variantes: **Nagda.**

NAHID
Origen: Persa.
Significado: En la mitología, equivalente a Venus, diosa de la belleza y del amor.

Onomástico: No tiene.

NAHILA

Origen: Árabe.
Significado: Triunfadora, mujer de éxito.
Onomástico: No tiene.

NAHIMANA

Origen: Estadounidense.
Significado: Entre los indios Dakota, significa mística.
Onomástico: No tiene.

NAHIR

Origen: Árabe.
Significado: Como el arroyo manso.
Onomástico: No tiene.

NAIA

Origen: Griego.
Significado: Que fluye.
Onomástico: No tiene.
Variantes: Eslavo: **NAIDA.**

NAIDA

Origen: Griego.
Significado: Ninfa del agua.
Onomástico: No tiene.
Variantes: **NAIAD, NAYAD.**

NAILA

Origen: Árabe.
Significado: Exitosa.
Onomástico: No tiene.
Variantes: **NAILAH.**

NAIMA

Origen: Árabe.
Significado: Paraíso.
Onomástico: No tiene.

NAIRI

Origen: Armenio.
Significado: Tierra de cañones. Nombre de la antigua Armenia.
Onomástico: No tiene.
Variantes: **NAIRA, NAIRE, NAYRA.**

NAJAM

Origen: Árabe.
Significado: Estrella.
Onomástico: No tiene.

NAJILA

Origen: Árabe.
Significado: Ojos brillantes.
Onomástico: No tiene.

NAJLA

Origen: Árabe.
Significado: La que tiene ojos grandes.
Onomástico: No tiene.

NAJWA

Origen: Árabe.
Significado: Apasionada.
Onomástico: No tiene.

NAKIA

Origen: Árabe.
Significado: Pura, honrada.
Onomástico: No tiene.

NAKITA

Origen: Ruso.
Significado: Variante de Nikita.
Onomástico: No tiene.

NALANI

Origen: Hawaiano.
Significado: Calmada como los cielos.
Onomástico: No tiene.
Variantes: **NALANIE, NALANY.**

NALINI

Origen: Hindi.
Significado: Adorable.
Onomástico: No tiene.

NAMI

Origen: Japonés.
Significado: Ola.
Onomástico: No tiene.
Variantes: **NAKIMA.**

NAN

Origen: Alemán e inglés.
Significado: Forma corta de Fernanda. Inglés: Alternativa de Ana.
Onomástico: No tiene.
Variantes: **NANA, NANICE, NANNA.**

NANA

Origen: Hawaiano y griego.
Significado: Primavera. Griego: La que es niña, joven.
Onomástico: No tiene.

NANCY

Origen: Inglés.
Significado: Forma inglesa de Ana, que deriva del hebreo Hannah, gracia, compasión. Llena de gracia.
Onomástico: 26 de junio.

NANDA
Origen: Hindi.
Significado: Llena de gracia.
Onomástico: No tiene.

NANETTE
Origen: Francés.
Significado: Nancy.
Onomástico: No tiene.
Variantes: **Nanete, Nannette, Nineta, Ninete, Nanny.**

NANI
Origen: Griego y hawaiano.
Significado: Encanto. Hawaiano: Hermosa.
Onomástico: No tiene.
Variantes: **Nanni, Nannie, Nanny.**

NANTANIA
Origen: Hebreo.
Significado: Regalo de Dios.
Onomástico: No tiene.
Variantes: **Natanya, Nathania.**

NAOMI
Origen: Hebreo.
Significado: Deriva de *noah*, apacible, longevo. Variante de Noemí. Complaciente, hermosa.
Onomástico: 4 de junio.
Variantes: **Naoma, Naomia, Naomie, Naomy, Noami, Noemi.**

NAPEA
Origen: Latino.
Significado: De los valles.
Onomástico: No tiene.

NARA
Origen: Hindi y japonés.
Significado: En la mitología india, uno de los 1008 nombres de la diosa Visnú. Japonés: Roble.
Onomástico: No tiene.
Variantes: **Narah.**

NARCISA
Origen: Griego.
Significado: Procede de Narkissos, derivado del verbo *narkao*, producir sopor. Que duerme.
Onomástico: 29 de octubre.

NARDA
Origen: Latino.
Significado: Consagrada con fervor.
Onomástico: No tiene.

NARELLE
Origen: Australiano.
Significado: Mujer del mar.
Onomástico: No tiene.
Variantes: **Narel.**

NARI
Origen: Japonés.
Significado: Relámpago.
Onomástico: No tiene.
Variantes: **Narie, Nariko.**

NARIKO
Origen: Japonés.
Significado: Trueno.
Onomástico: No tiene.

NARMADA
Origen: Hindi.
Significado: Complaciente.
Onomástico: No tiene.

NAROA
Origen: Vasco.
Significado: Tranquila, apaciguada.
Onomástico: No tiene.

NASIMA
Origen: Árabe.
Significado: Brisa.
Onomástico: No tiene.

NASYA
Origen: Hebreo.
Significado: Milagro divino.
Onomástico: No tiene.

NATA
Origen: Hindi y ruso.
Significado: Bailarina. Ruso: Natalia.
Onomástico: No tiene.
Variantes: **Natia, Natka, Natya.**

NATACHA
Origen: Ruso.
Significado: Forma rusa de Natividad. Deriva del latín *nativitas*, nacimiento. Hace alusión al día de Navidad.
Onomástico: 25 de diciembre.
Variantes: **Natasha.**

NATALENA
Origen: Español.
Significado: Diminutivo de Natalia y Elena.
Onomástico: 1 de noviembre.

NATALIA
Origen: Latino.
Significado: Proviene de *natalis-dies*, día del nacimiento, en alusión al día de Navidad.
Onomástico: 27 de julio y 1 de diciembre.
Variantes: Vasco: **Natale.** Inglés y alemán: **Nathalie.** Francés: **Natalie.** Italiano: **Natalina.**

NATALIE
Origen: Hebreo.
Significado: Nacida en Navidad.
Onomástico: No tiene.
Variantes: **Nasia, Natali, Natalín, Nataly, Nayhalie, Netalí.**

NATARA
Origen: Árabe.
Significado: Sacrificio.
Onomástico: No tiene.
Variantes: **Natori, Natoria.**

NATASHA
Origen: Ruso.
Significado: Natalia.
Onomástico: No tiene.
Variantes: **Nahtasha, Natacha, Natasa, Natascha.**

NATESSA
Origen: Hindi.
Significado: Diosa.
Onomástico: No tiene.
Variantes: **Natisa, Natissa.**

NATIVIDAD
Origen: Latino.
Significado: Deriva de *nativitas*, nacimiento.
Onomástico: 8 de septiembre.
Variantes: Catalán: **Nativitat, Nadal.** Vasco: **Gabone, Jalone, Marigabon, Solbezi.** Gallego: **Natividade.** Asturiano: **Nadalina.** Francés: **Noel.** Italiano: **Natale.**

NATIYA
Origen: Árabe.
Significado: Resultado.
Onomástico: No tiene.

NATOSHA
Origen: Ruso.
Significado: Alternativa de Natasha.
Onomástico: No tiene.

NATSU
Origen: Japonés.
Significado: Nacida en verano. Debe acompañarse de otro nombre que indique sexo.
Onomástico: No tiene.

NAVA
Origen: Hebreo.
Significado: Hermosa.
Onomástico: No tiene.
Variantes: **Navah, Naveh, Navit.**

NAYADE
Origen: Griego.
Significado: Ninfa, diosa de las aguas.
Onomástico: No tiene.

NAYANA
Origen: Hindi.
Significado: Ojo.
Onomástico: No tiene.

NAYAT
Origen: Árabe.
Significado: Salvación.
Onomástico: No tiene.

NAYELI
Origen: Zapoteca e irlandés.
Significado: Te quiero. Irlandés: Campeona.
Onomástico: No tiene.
Variantes: **Nayelia, Nayelli, Nayelly.**

NAYLA
Origen: Árabe.
Significado: Buena. De ojos grandes.
Onomástico: No tiene.
Variantes: **Naila.**

NAYUA
Origen: Árabe.
Significado: Confidencia.
Onomástico: No tiene.

NAZARENA
Origen: Hebreo.
Significado: Oriunda de Nazaret.
Onomástico: No tiene.

NAZARET
Origen: Hebreo.
Significado: Evoca la localidad donde Jesús pasó gran parte de la infancia y de la juventud en casa de sus padres.

Onomástico: 8 de septiembre.
Variantes: **Nazareth.**

NAZARIA
Origen: Hebreo.
Significado: Puede interpretarse como flor, corona, coronada.
Onomástico: 6 de julio.

NEALA
Origen: Galés.
Significado: Campeona.
Onomástico: No tiene.

NECI
Origen: Húngaro.
Significado: Fiera, intensa.
Onomástico: No tiene.
Variantes: **Necha, Necia.**

NEDA
Origen: Eslavo.
Significado: Nacida en domingo.
Onomástico: No tiene.
Variantes: **Nedah, Nedi, Nedia, Neida.**

NEDDA
Origen: Inglés.
Significado: Guardiana, próspera.
Onomástico: No tiene.
Variantes: **Neddi, Neddie, Neddy.**

NEEMA
Origen: Swahili.
Significado: Nacida en tiempos prósperos.
Onomástico: No tiene.

NEERA
Origen: Griego.
Significado: Deriva de Nearla, joven. En la mitología, nombre de una ninfa.
Onomástico: No tiene.
Variantes: Catalán: **Neera.** Francés: **Nels.** Italiano: **Neera.**

NEFELE
Origen: Griego.
Significado: Nombre de la mitología Nephele, nube.
Onomástico: No tiene.

NEFTALÍ
Origen: Hebreo.
Significado: A la que Dios ayuda en la lucha. Debe ir acompañado por otro nombre que indique sexo.
Onomástico: No tiene.

NEILA
Origen: Irlandés.
Significado: Campeona.
Onomástico: No tiene.
Variantes: **Neala, Neilia.**

NEKANE
Origen: Vasco.
Significado: Equivalente de Dolores.
Onomástico: Viernes de Dolores (el anterior a Semana Santa) y 15 de septiembre.
Variantes: Catalán: **Dolors.** Gallego: **Dóres.** Francés: **Dolorés.** Alemán: **Dolores.** Italiano: **Addolorata.**

NELA
Origen: Hebreo.
Significado: Variante de Magdalena, que deriva del gentilicio para la región de Magdala, en hebreo *Migda-El*, Torre de Dios.
Onomástico: 2 de mayo.

NELDA
Origen: Latino.
Significado: Apasionada, fogosa, ardiente. Variante de Eleonor.
Onomástico: No tiene.

NELIA
Origen: Español y latino.
Significado: Amarillo. Latín: Forma familiar de Cornelia.
Onomástico: No tiene.
Variantes: **Neelia, Nela, Neli, Nelka, Nila, Nillie.**

NÉLIDA
Origen: Latino.
Significado: Diminutivo de Cornelia. Dios es mi luz.
Onomástico: 31 de marzo.

NELL
Origen: Griego.
Significado: Piedra. Diminutivo de Nélida.
Onomástico: No tiene.
Variantes: **Nelly.**

NELLE
Origen: Griego.
Significado: Piedra.
Onomástico: No tiene.

NELLIE
Origen: Inglés.
Significado: Nombre que se ha formado como diminutivo de Cornelia, Eleanor, Helen y Prunella.
Onomástico: 31 de marzo.

NELLY
Origen: Latino.
Significado: Diminutivo de Elena, Leonora o Cornelia.
Onomástico: 18 de agosto.
Variantes: Catalán: **Elena, Helena.** Vasco: **Ele.** Inglés: **Ellen, Helen, Helena.** Francés: **Héléne.** Italiano: **Elena.**

NEMA
Origen: Náhuatl.
Significado: Vivir.
Onomástico: No tiene.

NEMESIA
Origen: Latino.
Significado: Deriva del nombre de la diosa romana Némesis, protectora de la justicia y vengadora de los crímenes. Mujer justa.
Onomástico: 19 de julio.
Variantes: Catalán y vasco: **Nemesi.** Asturiano: **Demesia.**

NÉMESIS
Origen: Latino.
Significado: Deriva del nombre de la diosa romana Némesis, protectora de la justicia y vengadora de los crímenes.
Onomástico: 19 de julio y 10 de septiembre.

NENET
Origen: Egipcio.
Significado: Nacida cerca del mar. Diosa del mar.
Onomástico: No tiene.

NEOLA
Origen: Griego.
Significado: Llena de Juventud.
Onomástico: No tiene.
Variantes: **Neolla.**

NEONA
Origen: Griego.
Significado: Luna nueva.
Onomástico: No tiene.

NEREA
Origen: Griego.
Significado: De Nereo, nombre de la mitología. Parece derivar de *náo*, nadar. Que gobierna el mar.
Onomástico: 12 de mayo y 16 de octubre.
Variantes: Vasco: **Nere, Nerea.** Francés: **Nérée.** Italiano: **Nereo.** Vasco: **Neus.**

NEREIDA
Origen: Griego.
Significado: De Nereo, nombre de la mitología. Parece derivar de *náo*, nadar, y podría significar nadador.
Onomástico: 12 de mayo y 16 de octubre.

NERIDA
Origen: Griego.
Significado: Femenino de Nerio.
Onomástico: No tiene.

NERINA
Origen: Latino.
Significado: La que viene del mar. Que vive en la región de Nera. (río de Umbria). Una de las ninfas de los mares interiores, hija de Nereo. Nereida.
Onomástico: No tiene.
Variantes: **Nerine.**

NERISSA
Origen: Latino.
Significado: Hija del mar.
Onomástico: No tiene.

NESSA
Origen: Griego.
Significado: Variante de Agnes.
Onomástico: No tiene.

NESSIE
Origen: Griego.
Significado: Forma familiar de Vanessa.
Onomástico: No tiene.
Variantes: **Nese, Neshie, Nesi, Ness, Nessi, Nessy, Nest.**

NETA
Origen: Hebreo.
Significado: Planta, arbusto.
Onomástico: No tiene.

Variantes: **Netia, Netta, Nettia.**

NETALÍ

Origen: Hebreo.
Significado: Variante de Natalie.
Onomástico: No tiene.

NEUS

Origen: Vasco.
Significado: Forma de Nerea.
Onomástico: No tiene.

NEVA

Origen: Español.
Significado: Nieve. Río en Rusia.
Onomástico: No tiene.
Variantes: **Neiva, Neve, Nevia, Niva, Nivea, Nivia.**

NEVADA

Origen: Español.
Significado: Nieve. Estados Unidos del Oeste.
Onomástico: No tiene.
Variantes: **Neiva, Neva.**

NEVINA

Origen: Irlandés.
Significado: Adoradora de santos. Santo Irlandés.
Onomástico: No tiene.
Variantes: **Nevena, Nivena.**

NEYLAN

Origen: Turco.
Significado: Deseo cumplido.
Onomástico: No tiene.
Variantes: **Neya, Neyla.**

NEYSA

Origen: Griego.
Significado: Pura.
Onomástico: No tiene.

NIA

Origen: Irlandés.
Significado: Forma familiar de Neila. En la mitología, legendaria mujer de Gales.
Onomástico: No tiene.
Variantes: **Neya, Niah, Niya, Nya.**

NIAMH

Origen: Irlandés.
Significado: Brillante.
Onomástico: No tiene.

NICETA

Origen: Griego.
Significado: Deriva de *nikews*, que deriva de *niké*. Podría interpretarse como victoriosa.
Onomástico: 24 de julio.

NICHELLE

Origen: Español.
Significado: Combinación de Nicole y Michelle.
Onomástico: No tiene.
Variantes: **Nichele, Nichell, Nishelle.**

NICKY

Origen: Francés.
Significado: Diminutivo de Nicole.
Onomástico: No tiene.
Variantes: **Nicci, Nickey, Nickie.**

NICOLASA

Origen: Griego.
Significado: De *niké-laos*, vencedor del pueblo. Que conduce a la victoria.
Onomástico: 10 de septiembre y 6 de diciembre.
Variantes: Catalán: **Nicolaua.** Vasco: **Nikole.** Francés: **Nicole, Colette.** Alemán: **Nicoletta.**

NICOLE

Origen: Francés.
Significado: Victoriosa, forma femenina de Nicolás.
Onomástico: No tiene.
Variantes: **Necole, Nica, Nichole, Nocki, Nockole, Nicol, Nicolette, Nicoli, Nicoline, Nicolle, Nikki, Nocole, Nycole.**

NICTÉ

Origen: Maya.
Significado: Flor.
Onomástico: No tiene.

NIDIA

Origen: Latino.
Significado: Del nombre Nidius, que a su vez deriva de *nitidus*, nítido, brillante. Mujer dulce.
Onomástico: No tiene.

NIEVES

Origen: Latino.
Significado: Alusión a la Virgen de las Nieves.
Onomástico: 5 de agosto.

Variantes: Catalán: **Neus.** Vasco: **Ederne, Edurne.** Gallego: **Neves.** Asturiano: **Nieves, Ñeves.** Francés: **Marie-Neige.** Italiano: **Maria della Neve, Nives.**

NIGE
Origen: Latino.
Significado: Noche oscura.
Onomástico: No tiene.
Variantes: **Nigea, Nigela, Nija.**

NIHAD
Origen: Árabe.
Significado: Montón.
Onomástico: No tiene.
Variantes: **Nuhad.**

NIJOLE
Origen: Eslavo.
Significado: Variante de Nicole.
Onomástico: No tiene.

NIKA
Origen: Ruso.
Significado: Que pertenece a Dios.
Onomástico: No tiene.
Variantes: **Nikka.**

NIKE
Origen: Griego.
Significado: Victoria. En la mitología, dios de la Victoria.
Onomástico: No tiene.

NIKITA
Origen: Ruso.
Significado: Triunfadora.
Onomástico: No tiene.
Variantes: **Nakita, Niki, Nikitah, Nikitia, Nikitta, Nikki, Niquita.**

NIKOLE
Origen: Vasco.
Significado: Variante de Nicolasa.
Onomástico: No tiene.

NILDA
Origen: Alemán.
Significado: Forma familiar de Brunilda. Procede de *prunja*, coraza. De piel morena.
Onomástico: 6 de octubre.

NILI
Origen: Hebreo.
Significado: Planta que produce el índigo.
Onomástico: No tiene.

NIMA
Origen: Hebreo y árabe.
Significado: Hebra. Árabe: Bendita.
Onomástico: No tiene.
Variantes: **Nema, Niamma.**

NINA
Origen: Italiano, ruso y hebreo.
Significado: Forma familiar en italiano de Giovannina y Annin. Es también diminutivo ruso de Catalina y de Ana. Hebreo: Forma familiar de Hanna.
Onomástico: 15 de diciembre.
Variantes: Catalán: **Ninah, Ninna, Ninosca.**

NINFA
Origen: Griego.
Significado: De *nimfe*, ninfa, novia. En la mitología, diosa que habitaba en los campos y las fuentes.
Onomástico: 10 de noviembre.
Variantes: Catalán: **Nimfa.** Vasco: **Nibe.**

NINÓN
Origen: Francés.
Significado: Nina.
Onomástico: No tiene.

NIOBE
Origen: Griego.
Significado: Personaje de la mitología que desafió a los dioses. La que rejuvenece. Que devuelve la juventud y lozanía.
Onomástico: No tiene.

NIREL
Origen: Hebreo.
Significado: Luz de Dios.
Onomástico: No tiene.
Variantes: **Nirali.**

NIRVELI
Origen: Hindi.
Significado: Agua de niño.
Onomástico: No tiene.

NISA
Origen: Árabe.
Significado: Mujer.
Onomástico: No tiene.

NISHI
Origen: Japonés.

Significado: Oeste.
Onomástico: No tiene.

NISSA
Origen: Hebreo y escandinavo.
Significado: Signo, señal, emblema. Escandinavo: Amigable.
Onomástico: No tiene.
Variantes: **Nisha, Nisse, Nissy, Nisela.**

NITA
Origen: Hebreo y español.
Significado: Cultivadora, plantadora. Español: Forma corta de Anita.
Onomástico: No tiene.
Variantes: **Nitai, Nitha.**

NITARA
Origen: Hindi.
Significado: Raíz profunda.
Onomástico: No tiene.

NITIKA
Origen: Hindi.
Significado: Ángel de las piedras preciosas.
Onomástico: No tiene.

NITZA
Origen: Hebreo.
Significado: Botón de flor.
Onomástico: No tiene.
Variantes: **Nitzah, Nitzana, Niza, Nizah.**

NITZANA
Origen: Hebreo.
Significado: Florecer.
Onomástico: No tiene.

NIXIE
Origen: Alemán.
Significado: Espíritu de las aguas.
Onomástico: No tiene.

NOA
Origen: Gallego.
Significado: Reposo.
Onomástico: 1 de noviembre.

NOE
Origen: Hebreo.
Significado: El que ha recibido a Dios.
Onomástico: No tiene.

NOEL
Origen: Latino.
Significado: Navidad. Variante de Natalia. Este nombre debe acompañarse con otro que indique sexo.
Onomástico: No tiene.
Variantes: **Noela, Noelani, Noelia, Noelle.**

NOELANI
Origen: Hawaiano.
Significado: Hermosura del cielo.
Onomástico: No tiene.
Variantes: **Noela.**

NOELIA
Origen: Francés.
Significado: Que celebra la Navidad (Noel). Que recibe alivio.
Onomástico: 24 de diciembre.
Variantes: Gallego: **Noeta.**

NOEMÍ
Origen: Hebreo.
Significado: Deriva de *noah*, apacible, longevo. Mi encanto.
Onomástico: 4 de junio.
Variantes: Gallego y asturiano: **Noemia.** Inglés: **Naomi.** Francés: **Noémie.** Italiano: **Noemi.**

NOGA
Origen: Hebreo.
Significado: Luz de mañana.
Onomástico: No tiene.

NOKOMIS
Origen: Dakota.
Significado: Hija de la luna.
Onomástico: No tiene.

NOLA
Origen: Latino e irlandés.
Significado: Campanita. Irlandés: Famosa, noble.
Onomástico: No tiene.
Variantes: **Nuala.**

NOLETA
Origen: Latino.
Significado: No será.
Onomástico: No tiene.
Variantes: **Nolita.**

NONA
Origen: Latino.
Significado: Este nombre se solía poner al noveno hijo si era una niña, ya que en latín nona significa novena.

Onomástico: 5 de agosto.
Variantes: Catalán: **Nonna.**

NOOR
Origen: Arameo.
Significado: Delgada, ligera.
Onomástico: No tiene.

NORA
Origen: Galés.
Significado: Deriva de *Leonorius*. Dios es mi luz.
Onomástico: 23 de febrero.

NORBERTA
Origen: Alemán.
Significado: Deriva de *nort*, norte, venido del norte, y *berth*, famoso o sea, mujer famosa venida del norte. Luz que proviene del norte.
Onomástico: 6 de junio.

NOREEL
Origen: Escandinavo.
Significado: Del norte.
Onomástico: No tiene.

NOREEN
Origen: Celta.
Significado: Variante de Nora.
Onomástico: No tiene.

NOREIA
Origen: Celta.
Significado: Nombre de una diosa perteneciente a la tribu de los nóricos. El equivalente romano sería la diosa Fortuna.
Onomástico: No tiene.

NORELL
Origen: Escandinavo.
Significado: Que viene del Norte.
Onomástico: No tiene.
Variantes: **Narell, Narelle, Norela, Norely.**

NORI
Origen: Japonés.
Significado: Ley, tradición.
Onomástico: No tiene.
Variantes: **Noria, Norico, Noriko.**

NORMA
Origen: Latino.
Significado: Procede de *norma*, precepto. Mujer que imparte las reglas.
Onomástico: 1 de noviembre.

NOVA
Origen: Latino.
Significado: Nueva. Estrella muy brillante.
Onomástico: No tiene.

NOVELLA
Origen: Latino.
Significado: Alguien nuevo por llegar.
Onomástico: No tiene.
Variantes: **Nova, novela.**

NOVIA
Origen: Español.
Significado: Querida, amada.
Onomástico: No tiene.
Variantes: **Nova, Nuvia.**

NU
Origen: Birmano.
Significado: Quien atiende.
Onomástico: No tiene.
Variantes: **Niña, Nue.**

NUBIA
Origen: Latino.
Significado: Nube.
Onomástico: No tiene.

NUCIATA
Origen: Latino.
Significado: Mensajera.
Onomástico: No tiene.

NUMA
Origen: Griego.
Significado: Da normas y establece leyes.
Onomástico: No tiene.
Variantes: **Numas.**

NUMERIA
Origen: Latino.
Significado: La que elabora, que enumera.
Onomástico: No tiene.

NUNCIA
Origen: Latino.
Significado: La que da mensajes, la que anuncia.
Onomástico: No tiene.

NUNILA
Origen: Latino.
Significado: De *nunius*, noveno hijo.
Onomástico: 22 de octubre.

NUR
Origen: Árabe.
Significado: Luz.
Onomástico: No tiene.

NURA
Origen: Arameo.
Significado: La luz del Señor.
Onomástico: No tiene.
Variantes: **Nuri, Nuriel, Nurín.**

NURIA
Origen: Vasco.
Significado: Deriva de *n-uri-a*, lugar entre colinas. Advocación de la Virgen María.
Onomástico: 8 de septiembre.

NURITA
Origen: Hebreo.
Significado: Flor con pétalos rojos y amarillos.
Onomástico: No tiene.
Variantes: **Nurit.**

NURIYA
Origen: Vasco.
Significado: Variante de Nuria.
Onomástico: No tiene.

NURU
Origen: Swahili.
Significado: Luz del día.
Onomástico: No tiene.

NUSA
Origen: Húngaro.
Significado: Gracia.
Onomástico: No tiene.

NUWA
Origen: Chino.
Significado: Madre de las diosas. Creadora de la humanidad y el orden.
Onomástico: No tiene.

NYDIA
Origen: Latino.
Significado: Refugio.
Onomástico: No tiene.

NYKO
Origen: Japonés.
Significado: Joya.
Onomástico: No tiene.

NYOKO
Origen: Japonés.
Significado: Gema, tesoro.
Onomástico: No tiene.

NYREE
Origen: Maori.
Significado: Mar.
Onomástico: No tiene.

NYSA
Origen: Griego.
Significado: Comienzo.
Onomástico: No tiene.

NYX
Origen: Griego.
Significado: Noche.
Onomástico: No tiene.

OBDULIA

Origen: Árabe.
Significado: Forma latinizada del árabe Abdulal, siervo de Dios.
Onomástico: 5 de septiembre.
Variantes: Catalán: **OBDÉLIA.** Vasco: **OTULE.** Gallego y asturiano: **DULIA, ODILA, ODILIA.** Francés: **ODILE.**

OBELIA

Origen: Griego.
Significado: Necesaria.
Onomástico: No tiene.

OCEANA

Origen: Griego.
Significado: Océano. Oceanus era el Dios del agua.
Onomástico: No tiene.
Variantes: **OCEAN, OCEANNA, OCEANIA.**

OCILIA

Origen: Alemán.
Significado: Variante de Otilia, deriva de *Oiñu*, latinización de Otón y éste de *ad, atufo*, joya, tesoro.
Onomástico: 21 de octubre.

OCTAVIA

Origen: Latino.
Significado: Nombre de una gens romana que deriva de *octavus*, octavo. Octava hija.
Onomástico: 20 de noviembre.
Variantes: Alemán: **OKTAVIA.** Italiano: **OTTAVIA.**

OCTAVIANA

Origen: Latino.
Significado: Nombre de una gens romana que deriva de *octavus*, octavo.
Onomástico: 22 de marzo y 20 de noviembre.

ODA

Origen: Alemán.
Significado: Deriva de Otón y éste de *od, audo*, joya, riqueza. Mujer poderosa.
Onomástico: 19 de octubre.

ODEDA

Origen: Hebreo.
Significado: Fuerte, con coraje.
Onomástico: No tiene.

ODELIA

Origen: Griego.
Significado: Oda, Melodía.
Onomástico: No tiene.
Variantes: **ODA, ODELINA, ODELINDA, ODILA, ODILIA.**

ODELLA

Origen: Inglés.
Significado: Colina de madera.
Onomástico: No tiene.

ODERA

Origen: Hebreo.
Significado: Arado.
Onomástico: No tiene.

ODESSA

Origen: Griego.
Significado: Odisea, viaje largo.
Onomástico: No tiene.
Variantes: **ODESSIA.**

ODETTA

Origen: Alemán.

Significado: Melodía.
Onomástico: No tiene.

ODETTE
Origen: Francés.
Significado: Forma francesa de Otilia de *Oillius*, latinización del nombre germánico Otón y éste de *od, aculo*, joya, tesoro.
Onomástico: 19 de octubre.

ODILA
Origen: Alemán.
Significado: Diminutivo de Oda. Patrona de Alsacia.
Onomástico: No tiene.
Variantes: **Otilde, Otilia, Odilia.**

OFELIA
Origen: Griego.
Significado: Deriva de Ofelela, ayuda, socorro, utilidad. Mujer generosa.
Onomástico: No tiene.
Variantes: Inglés y alemán: **Ophelia.** Francés: **Ophélie.**

OFIRA
Origen: Hebreo.
Significado: Oro.
Onomástico: No tiene.
Variantes: **Ophira.**

OFRA
Origen: Hebreo y árabe.
Significado: Joven. Árabe: Del color de la tierra.
Onomástico: No tiene.

OHANNA
Origen: Hebreo.
Significado: Regalo de Dios lleno de gracia.
Onomástico: No tiene.

OKALANI
Origen: Hawaiano.
Significado: Cielo.
Onomástico: No tiene.
Variantes: **Okelani.**

OKI
Origen: Japonés.
Significado: Mitad del océano.
Onomástico: No tiene.
Variantes: **Okie.**

OLA
Origen: Escandinavo.
Significado: Ancestral. Forma femenina de Olaf.
Onomástico: No tiene.

OLALIA
Origen: Catalán.
Significado: Mujer locuaz.
Onomástico: No tiene.

OLALLA
Origen: Alemán.
Significado: Deriva de *ald-gar*, pueblo antiguo. Forma gallega de Eulalia.
Onomástico: 6 de marzo.
Variantes: Catalán: **Oleguer.** Vasco: **Olaia, Olalla.** Asturiano: **Olaya.**

OLAYA
Origen: Griego.
Significado: Variante de Eulalia.
Onomástico: No tiene.

OLENA
Origen: Ruso.
Significado: Helena.
Onomástico: No tiene.
Variantes: **Olenna.**

OLESIA
Origen: Griego.
Significado: Defensora de la humanidad.
Onomástico: No tiene.
Variantes: **Olessia.**

OLETHA
Origen: Escandinavo.
Significado: Ágil, lista.
Onomástico: No tiene.
Variantes: **Oleta, Yaletha.**

OLGA
Origen: Escandinavo y ruso.
Significado: Deriva de *helga*, alta, divina. Ruso: Invulnerable.
Onomástico: 11 de julio.

OLIANA
Origen: Polinesio.
Significado: Variante de Adelfa.
Onomástico: No tiene.

OLIMPIA
Origen: Griego.
Significado: Deriva de *Olimpyos*, per-

teneciente al Olimpo, la morada de los dioses.
Onomástico: 28 de enero.
Variantes: Vasco: **OLINBE.** Francés: **OLYMPIE.** Inglés: **OLYMPIA.**

OLINA
Origen: Hawaiano.
Significado: Llena de felicidad.
Onomástico: No tiene.

OLINDA
Origen: Griego, alemán o español.
Significado: Forma alternativa de Yolanda. Alemán o español: Protectora de la propiedad.
Onomástico: No tiene.
Variantes: **OLINA.**

OLIVA
Origen: Latino.
Significado: De *oliva*, olivo, aceituna o rama de olivo. Que guarda la paz.
Onomástico: 3 de junio.
Variantes: **OLIVE.**

OLIVIA
Origen: Latino.
Significado: De *oliva*, olivo, aceituna o rama de olivo.
Onomástico: 5 de marzo.
Variantes: Gallego: **OHVA.** Inglés y francés: **OLIVE.** Italiano: **OLIVA.**

OLWEN
Origen: Galés.
Significado: Huellas blancas.
Onomástico: No tiene.
Variantes: **OLWIN.**

OLYMPIA
Origen: Griego.
Significado: Celestial.
Onomástico: No tiene.
Variantes: **OLIMPIA.**

OMA
Origen: Hebreo, Alemán y árabe.
Significado: Reverencia. Alemán: Abuela. Árabe: La más alta. Forma femenina de Omar.
Onomástico: No tiene.

OMAIRA
Origen: Árabe.
Significado: Color rojo.
Onomástico: No tiene.

OMEGA
Origen: Griego.
Significado: Última, final. Última letra del alfabeto.
Onomástico: No tiene.

OMIXOCHITL
Origen: Náhuatl.
Significado: Azucena.
Onomástico: No tiene.

ONA
Origen: Inglés.
Significado: Río.
Onomástico: No tiene.

ONATHA
Origen: Iraquí.
Significado: Hija de la tierra, espíritu del maíz.
Onomástico: No tiene.

ONDINA
Origen: Latino.
Significado: De *anda*, onda. En la mitología romana, espíritu elemental de las aguas, que vive preferentemente en los manantiales. Doncella de las ondas.
Onomástico: No tiene.
Variantes: **ONDINE.**

ONEIDA
Origen: Estadounidense.
Significado: Esperada con impaciencia.
Onomástico: No tiene.
Variantes: **ONIDA.**

ONELLA
Origen: Húngaro.
Significado: Helena.
Onomástico: No tiene.

ONFALIA
Origen: Griego.
Significado: Deriva de *Onphále*, y éste de *onphólos*, ombligo. Podría significar mujer de bello ombligo. Personaje de la mitología griega.
Onomástico: No tiene.
Variantes: Francés: **ONPHALIE.** Italiano: **ONFALE.**

ONORA
Origen: Latino.
Significado: Honorable.

Onomástico: No tiene.
Variantes: **Onoria, Ornora, Honoria.**

OONA
Origen: Latino.
Significado: Uno.
Onomástico: No tiene.

OPAL
Origen: Hindi.
Significado: Piedra preciosa. Opalina.
Onomástico: No tiene.

OPHELIA
Origen: Griego.
Significado: Serpiente. Variante de Ofelia.
Onomástico: No tiene.

OPRAH
Origen: Hebreo.
Significado: De oro.
Onomástico: No tiene.

ORA
Origen: Griego y latino.
Significado: Alternativa de Aura. Latín: Oradora.
Onomástico: No tiene.

ORACIÓN
Origen: Latino.
Significado: Nombre cristiano que deriva de *oralis,* oral.
Onomástico: No tiene.
Variantes: Catalán: **Oració.** Vasco: **Arrene.**

ORALEE
Origen: Hebreo.
Significado: Mi luz.
Onomástico: No tiene.
Variantes: **Orlee, Orli, Orly.**

ORALIA
Origen: Francés.
Significado: Dorada.
Onomástico: No tiene.
Variantes: **Oralis, Oriel, Orielda, Oriena, Orlena.**

OREA
Origen: Griego.
Significado: Montañas.
Onomástico: No tiene.
Variantes: **Oreal, Oria, Oriah.**

ORELA
Origen: Latino.
Significado: Anunciación de los dioses. Oráculo.
Onomástico: No tiene.
Variantes: **Oreal, Orella, Oriel.**

ORELLANA
Origen: Latino.
Significado: Variante de Aurelia, nombre de una gens romana que deriva de *aureo-las,* de oro.
Onomástico: 25 de septiembre.

ORENDA
Origen: Iraquí.
Significado: Poder mágico.
Onomástico: No tiene.

ORFILIA
Origen: Alemán.
Significado: Mujer lobo.
Onomástico: No tiene.

ORIA
Origen: Latino.
Significado: Deriva de *ururn,* oro. Variante de Áurea.
Onomástico: 20 de diciembre.

ORIANA
Origen: Latino.
Significado: Deriva de *auruin,* oro. Es una variante de Áurea.
Onomástico: 10 de marzo.
Variantes: Catalán: **Oriana.** Italiano: **Orietta, Oriane, Orianna, Oriel, Orieta.**

ORINDA
Origen: Hebreo.
Significado: Árbol de pino.
Onomástico: No tiene.

ORINO
Origen: Japonés.
Significado: Campo de trabajadores.
Onomástico: No tiene.
Variantes: **Ori.**

ORIOLA
Origen: Latino.
Significado: Dorada. Pájaro de color negro con dorado.
Onomástico: No tiene.
Variantes: **Oriol, Oriole.**

ORLA
Origen: Irlandés.
Significado: Mujer dorada.
Onomástico: No tiene.
Variantes: **ORLIE, ORLY.**

ORLANDA
Origen: Alemán.
Significado: Famosa alrededor de la Tierra. Forma femenina de Orlando.
Onomástico: No tiene.
Variantes: **ORLENDA, ORLINDA, ORLANDIA.**

ORLANTHA
Origen: Alemán.
Significado: De la Tierra.
Onomástico: No tiene.

ORLEANS
Origen: Francés.
Significado: Dorada.
Onomástico: No tiene.

ORLEE
Origen: Hebreo.
Significado: Variante de Oralee.
Onomástico: No tiene.

ORLENDA
Origen: Ruso.
Significado: Águila.
Onomástico: No tiene.

ORLI
Origen: Hebreo.
Significado: Luz.
Onomástico: No tiene.
Variantes: **ORLY.**

ORMANDA
Origen: Latino y alemán.
Significado: Noble. Alemán: Marinero, hombre de mar.
Onomástico: No tiene.
Variantes: **HORMA.**

ORNELIA
Origen: Latino.
Significado: Muchacha honrada. Es una variante de Ornella.
Onomástico: No tiene.
Variantes: **ORNELLA.**

ORNELLA
Origen: Latino.
Significado: Muchacha honrada.
Onomástico: No tiene.

ORNICE
Origen: Hebreo e irlandés.
Significado: Árbol de cedro. Irlandés: Pálido, color olivo.
Onomástico: No tiene.
Variantes: **ORNA, ORNAH.**

OROSIA
Origen: Latino.
Significado: Deriva de *os, oris*, boca.
Onomástico: 25 de junio.
Variantes: Catalán: **ORÓSIA.** Vasco: **OROSE, OROXI.**

ORPAH
Origen: Hebreo.
Significado: Más alla.
Onomástico: No tiene.
Variantes: **ORPA, ORPHA.**

ORQUÍDEA
Origen: Español.
Significado: Flor de la orquídea.
Onomástico: No tiene.
Variantes: **ORQUIDIA.**

ORSA
Origen: Griego y latino.
Significado: Alternativa de Úrsula. Latino: Parecido a un oso.
Onomástico: No tiene.
Variantes: **ORSEL, ORSELINA, ORSOLA.**

ORTENSIA
Origen: Italiano.
Significado: Alternativa de Hortensia.
Onomástico: No tiene.

ORVA
Origen: Francés e inglés.
Significado: Dorada. Inglés: Valiente amigo.
Onomástico: No tiene.

OSANE
Origen: Vasco.
Significado: Forma de Remedios.
Onomástico: 5 de agosto y segundo domingo de octubre.
Variantes: Catalán: **REMEL.** Gallego: **REMEDIOS.** Francés: **REMEDE.** Italiano: **MARIA REMEDIO.**

OSANNA
Origen: Latino.
Significado: Alabanza a Dios.

Onomástico: No tiene.

OSEN

Origen: Japonés.
Significado: Mil.
Onomástico: No tiene.

OSMA

Origen: Inglés.
Significado: Divina protectora.
Onomástico: No tiene.
Variantes: **Ozma.**

OTILDE

Origen: Alemán.
Significado: Variante de Odilia.
Onomástico: No tiene.
Variantes: **Otilda.**

OTILIA

Origen: Alemán.
Significado: Deriva de *Outilius*, latinización del nombre germánico Otón y éste de *od*, *audo*, joya, tesoro.
Onomástico: 13 de diciembre.
Variantes: Vasco: **Otila.** Gallego: **Odilia.** Asturiano: **Odilia.** Alemán: **Otila.**

OVA

Origen: Latino.
Significado: Huevo.
Onomástico: No tiene.

OVIA

Origen: Latino o danés.
Significado: Huevo.
Onomástico: No tiene.

OVIDIA

Origen: Alemán.
Significado: La que cuida las ovejas. Forma femenina de Ovidio.
Onomástico: No tiene.

OWENA

Origen: Galés.
Significado: Nacida para la nobleza. Forma femenina de Owen.
Onomástico: No tiene.

OYOMAL

Origen: Zapoteca.
Significado: Estrella.
Onomástico: No tiene.

OZ

Origen: Hebreo.
Significado: Intensa.
Onomástico: No tiene.

OZANA

Origen: Hebreo.
Significado: Salve.
Onomástico: No tiene.
Variantes: **Oxana.**

OZARA

Origen: Hebreo.
Significado: Tesoro, riqueza.
Onomástico: No tiene.

P

PACA
Origen: Español.
Significado: Forma familiar de Francisca. Alternativa de Pancha.
Onomástico: No tiene.
Variantes: **PAKA.**

PACIANA
Origen: Latino.
Significado: Deriva de *pacis*, genitivo de *pay*, paz.
Onomástico: 9 de marzo.
Variantes: Vasco: **PAKENE.**

PACIENCIA
Origen: Latino.
Significado: Deriva de *patientia*, constancia, paciencia.
Onomástico: 1 de mayo.
Variantes: Inglés: **PATIENCE.**

PADDY
Origen: Inglés.
Significado: Diminutivo de Patricia.
Onomástico: No tiene.

PADMA
Origen: Hindi.
Significado: Flor de loto.
Onomástico: No tiene.

PAGE
Origen: Francés.
Significado: Joven asistente.
Onomástico: No tiene.

PAIGE
Origen: Inglés.
Significado: Muchachita.
Onomástico: No tiene.
Variantes: **PAYGE.**

PAITON
Origen: Inglés.
Significado: Pueblo de guerreros.
Onomástico: No tiene.
Variantes: **PAIYTON, PATEN, PATTON.**

PAKA
Origen: Swahili.
Significado: Gatita.
Onomástico: No tiene.

PALADIA
Origen: Griego.
Significado: Protegida por Palas Atenea, diosa de las ciencias, las artes, la prudencia y la guerra.
Onomástico: 24 de mayo.

PALAS
Origen: Griego.
Significado: Deseo. Otro nombre otorgado a Atenea.
Onomástico: No tiene.
Variantes: **PALLAS.**

PALILA
Origen: Polinesio.
Significado: Pájaro.
Onomástico: No tiene.

PALIXENA
Origen: Griego.
Significado: La que retorna del extranjero.
Onomástico: No tiene.

PALMA
Origen: Latino.
Significado: Palmera.
Onomástico: No tiene.
Variantes: **PALLMA, PALMIRA.**

PALMIERA
Origen: Español.
Significado: Palmera.
Onomástico: No tiene.

PALMIRA
Origen: Hebreo.
Significado: Deriva de *tadmor*, de palmas, en alusión al Domingo de Ramos.
Onomástico: Domingo de Ramos.
Variantes: **Palmyre.**

PALOMA
Origen: Latino.
Significado: Deriva de *palumbes*, paloma.
Onomástico: 15 de agosto y 31 de diciembre.
Variantes: Catalán: **Cotoma.** Vasco: **Usoa.** Gallego: **Comba, Pomba.** Asturiano: **Colomba, Palomba.** Inglés: **Colum, Com.** Francés e italiano: **Columba.**

PAM
Origen: Griego.
Significado: Toda miel.
Onomástico: No tiene.

PAMELA
Origen: Griego.
Significado: Dulzura.
Onomástico: 16 de febrero.

PANCRACIA
Origen: Griego.
Significado: Que tiene todo el poder. Mujer poderosa.
Onomástico: No tiene.

PANDITA
Origen: Hindi.
Significado: Escolar.
Onomástico: No tiene.

PANDORA
Origen: Griego.
Significado: Deriva de *pan-dóron*, todos los dioses. Regalo divino. Joven mujer que recibió muchos regalos de los dioses como, belleza, magia y creatividad. Que guarda los dones.
Onomástico: No tiene.
Variantes: **Pandore, Pandorah, Pandorra, Pandy.**

PÁNFILA
Origen: Griego.
Significado: De *pan-philos*, amigo del todo, amigo hasta el final. Querida por todos.
Onomástico: 1 de junio.

PANPHILA
Origen: Griego.
Significado: Toda querida.
Onomástico: No tiene.

PANSY
Origen: Griego y francés.
Significado: Flor, fragancia. Francés: Pensante.
Onomástico: No tiene.
Variantes: **Pansie.**

PANTHEA
Origen: Griego.
Significado: Todos los dioses.
Onomástico: No tiene.
Variantes: **Pantheia.**

PANYA
Origen: Swahili.
Significado: Ratón. Bebecito.
Onomástico: No tiene.
Variantes: **Panyia.**

PAOLA
Origen: Latino.
Significado: Deriva de *paulas*, pequeño, poco, débil. Es el equivalente de Paula en italiano.
Onomástico: 24 de enero y 29 de junio.
Variantes: **Pola.**

PARI
Origen: Persa.
Significado: Águila.
Onomástico: No tiene.

PARIS
Origen: Francés.
Significado: Príncipe troyano quien empezó la Guerra de Troya al raptar a Helena.
Onomástico: No tiene.
Variantes: **Paries, Parisa, Parish.**

PARMENIA
Origen: Griego.
Significado: Mujer constante.
Onomástico: No tiene.

PARTHENIA
Origen: Griego.
Significado: Virginal.
Onomástico: No tiene.
Variantes: **Parthinia, Pathina, Partenia.**

PARVENEH
Origen: Persa.
Significado: Mariposa.
Onomástico: No tiene.

PASCALE
Origen: Francés.
Significado: Pascuas.
Onomástico: No tiene.

PASCHA
Origen: Hebreo.
Significado: Pasar por encima.
Onomástico: No tiene.

PASCUA
Origen: Hebreo.
Significado: La que nació durante las fiestas pascuales. Sacrificio por el pueblo.
Onomástico: No tiene.
Variantes: **Pascualina, Pascasia.**

PASCUALA
Origen: Hebreo.
Significado: Nombre cristiano que evoca la festividad de la Pascua.
Onomástico: 17 de mayo.
Variantes: Vasco: **Paskalin, Paxkalin.** Francés: **Pascale.** Italiano: **Pasqualina.**

PASHA
Origen: Griego.
Significado: Mar.
Onomástico: No tiene.
Variantes: **Palasha, Pascha, Pasia, Passia.**

PASIÓN
Origen: Latino.
Significado: Apasionada.
Onomástico: No tiene.
Variantes: **Pashion, Passion.**

PASTORA
Origen: Latino.
Significado: En su forma masculina, hace alusión a Jesucristo, en la femenina se refiere a la Virgen María. Que cuida las ovejas.
Onomástico: Cuarto sábado de Pascua y 8 de septiembre.
Variantes: Vasco: **Unaisa.**

PASUA
Origen: Swahili.
Significado: Nacida mediante cesárea. Nacida bajo el imperio del César.
Onomástico: No tiene.

PAT
Origen: Latino.
Significado: Forma corta de Patricia.
Onomástico: No tiene.
Variantes: **Patsy.**

PATIA
Origen: Español.
Significado: Hoja.
Onomástico: No tiene.

PATIENCE
Origen: Latino.
Significado: Paciencia.
Onomástico: No tiene.

PATRICIA
Origen: Latino.
Significado: Deriva de *patricius*, patricio, clase social privilegiada en la antigua Roma, equivalente a la más alta nobleza.
Onomástico: 13 de marzo y 25 de agosto.
Variantes: Vasco: **Patirke.** Asturiano: **Paricia.** Alemán e italiano: **Patrizia.** Inglés: **Paddie, Patsy, Patty.**

PATTY
Origen: Inglés.
Significado: Diminutivo de Martha o Matilde, en inglés.
Onomástico: 14 de marzo y 29 de julio.

PAULA
Origen: Latino.
Significado: Deriva de *paulus*, pequeño, poco, débil.
Onomástico: 26 de enero y 26 de febrero.
Variantes: Catalán: **Piula.** Vasco: **Pauli.** Francés: **Paule, Paulette.** Italiano: **Paola.**

PAULETTE
Origen: Francés.
Significado: Variante de Paula.
Onomástico: No tiene.

PAULINA
Origen: Latino.
Significado: Deriva de *paulinus*, gentilicio de Paulo, que podría significar pequeño, poco, débil.
Onomástico: 2 y 31 de diciembre.
Variantes: Inglés y francés: **PAULINE.** Italiano: **PAOLINA.**

PAUSHA
Origen: Hindi.
Significado: Mes lunar de Capricornio.
Onomástico: No tiene.

PAVLA
Origen: Eslavo.
Significado: Forma de Paula.
Onomástico: No tiene.

PAXTON
Origen: Latino.
Significado: Pueblo pacífico.
Onomástico: No tiene.
Variantes: **PAXTIN.**

PAZ
Origen: Latino.
Significado: De *pax*, paz.
Onomástico: 24 de enero.
Variantes: Catalán: **PAU.** Vasco: **BAKENC, GENTZANE, PAKENE.**

PAZIA
Origen: Hebreo.
Significado: Dorada.
Onomástico: No tiene.
Variantes: **PAZ, PAZA, PAZIT.**

PEACE
Origen: Inglés.
Significado: Armonía.
Onomástico: No tiene.

PEARL
Origen: Latino.
Significado: Joya del mar.
Onomástico: No tiene.
Variantes: **PEARLIE, PEARLY.**

PEDRINA
Origen: Latino.
Significado: De *petras*, firme como la piedra.
Onomástico: 1 de febrero y 6 de mayo.

PEGEEN
Origen: Griego.
Significado: Una perla.
Onomástico: No tiene.

PEGGY
Origen: Inglés.
Significado: Diminutivo de Margaret, que procede del latín Margarita, Perla.
Onomástico: 23 de febrero.

PELAGIA
Origen: Griego.
Significado: Procede de *pelagios*, marino, hombre de mar. Mujer del mar.
Onomástico: 4 de mayo y 9 de junio.
Variantes: Asturiano: **PELAYA.** Francés: **PÉLAGIE.** Italiano: **PELAGIA.**

PENDA
Origen: Swahili.
Significado: Amada.
Onomástico: No tiene.

PENÉLOPE
Origen: Griego.
Significado: Nombre compuesto por *pene*, hilo, y *tapia*, hinchazón. Tejedora. Símbolo de la fidelidad conyugal. Mujer paciente.
Onomástico: 1 de noviembre.
Variantes: Francés: **PENNEY, PENNY.**

PENINAH
Origen: Hebreo.
Significado: Perla.
Onomástico: No tiene.
Variantes: **PENINA, PENNY, PENINNA.**

PENNY
Origen: Inglés.
Significado: Diminutivo de Penélope.
Onomástico: No tiene.

PENTHEA
Origen: Griego.
Significado: La quinta. Lamento.
Onomástico: No tiene.

PEONIA
Origen: Griego.

Significado: Oriunda de Peonia, al norte de Macedonia. Nombre de la planta que da flores homónimas: Pequeñas, blancas o rojas, en espiga, y de un rojo vivo con un lunar negro; se usan para collares, pulseras y rosarios.
Onomástico: No tiene.

PEONY
Origen: Griego.
Significado: Flor.
Onomástico: No tiene.
Variantes: **Peonie.**

PEPITA
Origen: Español.
Significado: Forma familiar de Josefina.
Onomástico: No tiene.
Variantes: **Pepa, Pepy, Peta, Pepi.**

PERAH
Origen: Hebreo.
Significado: Flor.
Onomástico: No tiene.

PERDITA
Origen: Latino.
Significado: Perdida.
Onomástico: No tiene.
Variantes: **Perdy.**

PEREGRINA
Origen: Latino.
Significado: De *peregrinos*, peregrino, que va por el campo. Oriunda de otras tierras.
Onomástico: 1 de noviembre.
Variantes: **Pelegrina.**

PERFECTA
Origen: Español.
Significado: Sin falla. Mujer íntegra.
Onomástico: No tiene.

PERI
Origen: Griego.
Significado: Habitante de la montaña.
Onomástico: No tiene.
Variantes: **Perita, Perry.**

PERLA
Origen: Latino.
Significado: De *pernula*, diminutivo de *perna*, pierna.
Onomástico: No tiene.
Variantes: **Pearl.**

PERNELLA
Origen: Griego.
Significado: Roca, viajera.
Onomástico: No tiene.
Variantes: **Perre, Perry.**

PERPETUA
Origen: Latino.
Significado: Nombre cristiano que deriva de *perpetuus*, permanente (en la fe).
Onomástico: 7 de marzo, 4 de agosto y 12 de septiembre.
Variantes: Vasco: **Betiñe, Perpete.** Asturiano: **Perlenta.** Francés: **Perpétue.**

PERSÉFONE
Origen: Latino.
Significado: Deriva de *proserpere*, brotar.
Onomástico: No tiene.

PERSEVERANDA
Origen: Latino.
Significado: Deriva de *perseverantia*, perseverancia.
Onomástico: 26 de junio.

PERSIS
Origen: Latino.
Significado: Originaria de Persia.
Onomástico: No tiene.
Variantes: **Persy.**

PETRA
Origen: Latino.
Significado: De *petras*, firme como la piedra, del arameo *kefa*, piedra.
Onomástico: 16 de octubre.
Variantes: Vasco: **Betisa, Betiza, Kepe.** Francés: **Pierrette.** Alemán: **Piera.**

PETRONA
Origen: Latino.
Significado: Que pertenece a la noble familia romana Petronia.
Onomástico: No tiene.
Variantes: **Piera.**

PETRONILA
Origen: Latino.
Significado: Variante de Petra, de *piusm* devoto, piadoso.
Onomástico: 31 de mayo.

Variantes: Catalán: **Peronella, Petronilla.** Vasco: **Petornille.** Gallego: **Petronela.** Francés: **Petronille, Pétronie.**

PETULA
Origen: Latino.
Significado: Que busca.
Onomástico: No tiene.
Variantes: **Petulah.**

PHAEDRA
Origen: Griego.
Significado: Encendida.
Onomástico: No tiene.

PHEDRA
Origen: Griego.
Significado: Brillante.
Onomástico: No tiene.

PHEMIA
Origen: Griego.
Significado: Dios del idioma.
Onomástico: No tiene.

PHILA
Origen: Griego.
Significado: Amante de la humanidad.
Onomástico: No tiene.
Variantes: **Philana, Philena, Philine.**

PHILANA
Origen: Griego.
Significado: Amante de la humanidad.
Onomástico: No tiene.
Variantes: **Phila, Philanna.**

PHILANTHA
Origen: Griego.
Significado: Amante de las flores.
Onomástico: No tiene.

PHILIPPA
Origen: Griego.
Significado: Amante de los caballos.
Onomástico: No tiene.
Variantes: **Phil, Philipa, Phillipina, Pippa.**

PHILOMENA
Origen: Griego.
Significado: Canción de amor.
Onomástico: No tiene.
Variantes: **Philomina, Filomena.**

PHOEBE
Origen: Griego.
Significado: Resplandor.
Onomástico: No tiene.
Variantes: **Pheobe.**

PHYLICIA
Origen: Griego.
Significado: Deriva de *felicia*, feliz.
Onomástico: No tiene.

PHYLISS
Origen: Griego.
Significado: Hoja.
Onomástico: No tiene.
Variantes: **Phyllis.**

PÍA
Origen: Latino.
Significado: Deriva de *piusm* devoto, piadoso.
Onomástico: 19 de enero.
Variantes: Vasco: **Pije.** Gallego y asturiano: **Píao.**

PIEDAD
Origen: Latino.
Significado: Nombre cristiano en honor de Nuestra Señora de la Piedad.
Onomástico: 21 de septiembre.
Variantes: Catalán: **Pietat.** Vasco: **Errukine, Oneraspen.** Gallego: **Piedade.** Asturiano: **Piedá, Piedade.** Italiano: **Pietá.**

PIENCIA
Origen: Latino.
Significado: De *piusm* devoto, piadoso.
Onomástico: 11 de octubre.
Variantes: Catalán: **Piença, Piència.**

PIERA
Origen: Latino.
Significado: Variante de Petrona.
Onomástico: No tiene.
Variantes: **Pierina.**

PIERRETTE
Origen: Latino.
Significado: Variante de Petra.
Onomástico: No tiene.

PILAR
Origen: Latino.
Significado: Nombre en honor de la Virgen del Pilar.
Onomástico: 12 de octubre.
Variantes: Vasco: **Abene, Arroin, Pilare, Zedarri, Zutoia.** Asturiano: **Pilara.**

PIMPINELA
Origen: Latino.
Significado: La tornadiza.
Onomástico: No tiene.

PING
Origen: Chino y vietnamita.
Significado: Hierba. Vietnamita: Pacífica.
Onomástico: No tiene.

PINGA
Origen: Hindi.
Significado: Bronce, oscura.
Onomástico: No tiene.

PIRRA
Origen: Griego.
Significado: Hija de Epimeteo y Pandora.
Onomástico: No tiene.

PLÁCIDA
Origen: Latino.
Significado: Deriva de *placidus*, tranquilo, apacible.
Onomástico: 22 de octubre.
Variantes: **Placidia.**

PLEASANCE
Origen: Francés.
Significado: Aceptable.
Onomástico: No tiene.

PLENA
Origen: Latino.
Significado: Abundante, completa.
Onomástico: 8 de octubre.

POLIDORA
Origen: Griego.
Significado: La que entrega dones.
Onomástico: No tiene.

POLIMNIA
Origen: Griego.
Significado: Una de las nueve musas, inspiradora de los himnos. La que canta.
Onomástico: No tiene.

POLIXENA
Origen: Griego.
Significado: Deriva de *polixenos*, hospitalario. Mujer hospitalaria.
Onomástico: 23 de septiembre.

POLLY
Origen: Latino.
Significado: Forma familiar de Paula.
Onomástico: No tiene.
Variantes: **Pali, Pauli, Poll.**

POLLYAM
Origen: Hindi.
Significado: Diosa de la plaga. Nombre hindi con que se invoca a los malos espíritus.
Onomástico: No tiene.

POMONA
Origen: Latino.
Significado: Deriva de *poma*, fruto. En la mitología romana, diosa protectora de los árboles frutales.
Onomástico: No tiene.

POPEA
Origen: Griego.
Significado: La madre venerable.
Onomástico: No tiene.

POPPY
Origen: Latino.
Significado: De la flor amapola.
Onomástico: No tiene.

PORA
Origen: Hebreo.
Significado: Frutal.
Onomástico: No tiene.

PORCIA
Origen: Latino.
Significado: Perteneciente a la familia romana de los Porcio.
Onomástico: No tiene.

PORFIRIA
Origen: Griego.
Significado: Deriva de *porphyrion*, purpúreo. Puede hacer alusión al privilegio que tenían los poderosos de vestir de púrpura.
Onomástico: 15 de septiembre.

PORIA
Origen: Hebreo.
Significado: Fructífera.
Onomástico: No tiene.

PORSCHE
Origen: Latino.
Significado: Ofrenda.
Onomástico: No tiene.

PORTIA
Origen: Latino.

Significado: Propuesta.
Onomástico: No tiene.
Variantes: **Porcha, Porscha, Porsha.**

POTENCIANA
Origen: Latino.
Significado: Deriva de *potens*, poderosa.
Onomástico: 15 de abril.

PRÁXEDES
Origen: Griego.
Significado: Deriva de *prassein*, practicar; o sea, emprendedora, laboriosa, activa.
Onomástico: 21 de julio.
Variantes: Vasco: **Partsede.** Asturiano: **Praceres, Práxedes.** Alemán: **Praxedis.** Italiano: **Prassede.**

PRECIOSA
Origen: Latino.
Significado: Deriva de *pretiosa*, generosa. Que es apreciada.
Onomástico: No tiene.
Variantes: **Preziosa.**

PRIMA
Origen: Latino.
Significado: Primera, primogénita, comienzo, principio.
Onomástico: No tiene.
Variantes: **Prema, Primalia, Primina.**

PRIMAVERA
Origen: Italiano.
Significado: Primavera. Activa de gran fuerza.
Onomástico: No tiene.

PRIMITIVA
Origen: Latino.
Significado: Deriva de *primitus*, originariamente. La primera.
Onomástico: 24 de febrero y 23 de julio.
Variantes: Vasco: **Primia.**

PRIMROSE
Origen: Inglés.
Significado: Primera rosa.
Onomástico: No tiene.

PRINCESA
Origen: Inglés.
Significado: Hija de la realeza.
Onomástico: No tiene.
Variantes: **Princess, Princessa, Princetta.**

PRISCA
Origen: Latino.
Significado: Deriva de *priscus*, anciano, venerable. Mujer de antiguos tiempos.
Onomástico: 18 de enero.
Variantes: Vasco: **Piske.** Alemán: **Priska.**

PRISCILA
Origen: Griego.
Significado: Procede de *prin-skia*, reflejo de otro tiempo.
Onomástico: 16 de enero y 8 de julio.
Variantes: Catalán: **Priscilla.** Alemán e italiano: **Priscilla.**

PRIYA
Origen: Hindi.
Significado: Amada, dulce por naturaleza.
Onomástico: No tiene.
Variantes: **Pria.**

PROCOPIA
Origen: Latino.
Significado: Declarada líder.
Onomástico: No tiene.

PROMESA
Origen: Latino.
Significado: Promesa, legado.
Onomástico: No tiene.
Variantes: **Promis, Promise.**

PROSERPINA
Origen: Griego.
Significado: La que desea aniquilar. Mujer opulenta.
Onomástico: No tiene.

PRUDENCIA
Origen: Latino.
Significado: Deriva de *prudens*, que prevé. Que actúa con mesura.
Onomástico: 28 de abril y 6 de mayo.
Variantes: Vasco: **Prudentzi, Purdentze, Zuhurne, Zurtasun.** Francés e Inglés: **Prudence.** Italiano: **Prudenza.**

PRUNELLA
Origen: Latino.

Significado: Café, ciruelita.
Onomástico: No tiene.
Variantes: **Prunela.**

PSYCHE
Origen: Griego.
Significado: Espíritu.
Onomástico: No tiene.

PUA
Origen: Hawaiano.
Significado: Flor.
Onomástico: No tiene.

PUALANI
Origen: Hawaiano.
Significado: Flor celestial.
Onomástico: No tiene.
Variantes: **Puni.**

PUBLIA
Origen: Latino.
Significado: Derivado de *publicus*, perteneciente o relativo al pueblo. Que es popular.
Onomástico: 19 de octubre.

PURA
Origen: Latino.
Significado: Deriva de *purus*, puro, limpio. Inmaculada.
Onomástico: 8 de diciembre.
Variantes: Vasco: **Garbi, Kutsuge.**

PURITY
Origen: Inglés.
Significado: Pureza.
Onomástico: No tiene.

PUSINA
Origen: Latino.
Significado: Deriva de *pusio*, niño.
Onomástico: 23 de abril.
Variantes: Catalán: **Pussina.**

PYRENA
Origen: Griego.
Significado: Ardiente.
Onomástico: No tiene.

PYTHIA
Origen: Griego.
Significado: Profeta.
Onomástico: No tiene.

QADIRA
Origen: Árabe.
Significado: Poderosa.
Onomástico: No tiene.

QAMRA
Origen: Árabe.
Significado: Luna.
Onomástico: No tiene.
Variantes: **KAMRA.**

QI
Origen: Chino.
Significado: Jade.
Onomástico: No tiene.

QIAO
Origen: Chino.
Significado: Bonita, hermosa.
Onomástico: No tiene.

QIMAT
Origen: Hindi.
Significado: Valiosa.
Onomástico: No tiene.

QITARAH
Origen: Árabe.
Significado: Fragancia.
Onomástico: No tiene.

QUARTILLA
Origen: Latino.
Significado: Cuarta.
Onomástico: No tiene.
Variantes: **QUANTILLA.**

QUBILAH
Origen: Árabe.
Significado: Agradable.
Onomástico: No tiene.

QUEEN
Origen: Inglés.
Significado: Reina.
Onomástico: No tiene.
Variantes: **QUEENA, QUENNA, QUEENIE.**

QUELIDONIA
Origen: Latino.
Significado: Variante de Celonia, golondrina.
Onomástico: 13 de octubre.

QUELLA
Origen: Inglés.
Significado: Calmar.
Onomástico: No tiene.

QUENBY
Origen: Escandinavo.
Significado: Femenina.
Onomástico: No tiene.

QUENNELL
Origen: Francés.
Significado: Roble.
Onomástico: No tiene.

QUERIDA
Origen: Español.
Significado: Amada.
Onomástico: No tiene.

QUERIMA
Origen: Árabe.
Significado: La generosa.
Onomástico: No tiene.

QUERUBINA
Origen: Hebreo.
Significado: La que es como un becerro alado. Espíritu celeste del primer coro angélico.
Onomástico: No tiene.

QUESTA
Origen: Francés.

Significado: Investigadora.
Onomástico: No tiene.

QUETA
Origen: Alemán.
Significado: Deriva de *heim-richm,* jefe de su casa. Forma corta de Enriqueta.
Onomástico: 13 de julio.

QUETZALLI
Origen: Náhuatl.
Significado: Preciosa.
Onomástico: No tiene.

QUILIANA
Origen: Griego.
Significado: Mujer poderosa.
Onomástico: No tiene.

QUINBY
Origen: Escandinavo.
Significado: Estado de la reina.
Onomástico: No tiene.

QUINCY
Origen: Irlandés.
Significado: Quinta hija.
Onomástico: No tiene.
Variantes: **Quincey, Quinci, Quincia.**

QUINELLA
Origen: Latino.
Significado: Alternativa de Quintana.
Onomástico: No tiene.

QUINLAN
Origen: Celta.
Significado: Muy fuerte. Debe acompañarse de otro nombre que indique sexo.
Onomástico: No tiene.

QUINN
Origen: Celta.
Significado: Sabio. Debe acompañarse de otro nombre que indique sexo.
Onomástico: No tiene.

QUINTA
Origen: Latino.
Significado: De *quintus,* quinto. Nombre que se daba al quinto de los hijos.
Onomástico: 29 de octubre.
Variantes: **Quintana, Quintina.**

QUINTANA
Origen: Latino.
Significado: Quinta.
Onomástico: No tiene.
Variantes: **Quinetta, Quinta, Quintara.**

QUINTESSA
Origen: Latino.
Significado: Esencia.
Onomástico: No tiene.
Variantes: **Quintesa, Quintosha.**

QUIONIA
Origen: Latino.
Significado: Gentilicio de la isla de Quíos.
Onomástico: 3 de abril.

QUIRINA
Origen: Latino.
Significado: La que lleva la lanza. Forma femenina de Quirino.
Onomástico: No tiene.

QUIRITA
Origen: Latino.
Significado: Ciudadana.
Onomástico: No tiene.

QUITERIA
Origen: Griego.
Significado: Deriva de *Xiwne,* de *xilon.* Túnica corta, en alusión a la diosa Artemisa.
Onomástico: 22 de mayo.

QUITERIE
Origen: Francés.
Significado: Tranquila.
Onomástico: No tiene.

QUYNH
Origen: Vietnamita.
Significado: Rubí.
Onomástico: No tiene.

RABAB
Origen: Árabe.
Significado: Nube pálida.
Onomástico: No tiene.

RABECCA
Origen: Hebreo.
Significado: Alternativa de Rebecca.
Onomástico: No tiene.
Variantes: **Rebecka, Rabeca, Rabekah.**

RABI
Origen: Árabe.
Significado: Brisa.
Onomástico: No tiene.
Variantes: **Rabia, Rabiah.**

RACHEL
Origen: Hebreo.
Significado: Borreguita.
Onomástico: No tiene.
Variantes: **Racha, Rachela, Ruchel, Rachelle.**

RADCLIFFE
Origen: Inglés.
Significado: Del peñasco rojo.
Onomástico: No tiene.

RADECUNDA
Origen: Alemán.
Significado: Consejo famoso.
Onomástico: 3 de agosto.
Variantes: **Radegunda.**

RADELLA
Origen: Alemán.
Significado: Consejera.
Onomástico: No tiene.

RADEYAH
Origen: Árabe.
Significado: Contenta, satisfecha.
Onomástico: No tiene.
Variantes: **Radiyah.**

RADIANTE
Origen: Latino.
Significado: Deriva de *radians, radiantis*, el Sol, esplendorosa, luminosa.
Onomástico: 13 de agosto.

RADINKA
Origen: Eslavo.
Significado: Llena de vida, feliz, contenta.
Onomástico: No tiene.

RADMILLA
Origen: Eslavo.
Significado: Trabaja por la gente.
Onomástico: No tiene.

RADWA
Origen: Árabe.
Significado: Toponímico de una montaña de Medina, en La Meca.
Onomástico: No tiene.

RAE
Origen: Inglés y hebreo.
Significado: Coneja. Hebreo: Forma corta de Raquel.
Onomástico: No tiene.
Variantes: **Raeh, Ray, Raye, Rey.**

RAEDEN
Origen: Japonés.
Significado: Dios del rayo.
Onomástico: No tiene.
Variantes: **Raeda.**

RAFA
Origen: Árabe.
Significado: Feliz, próspera.
Onomástico: No tiene.

RAFAELA
Origen: Hebreo.
Significado: Deriva de *rapha-El*, dios sana. Es uno de los cuatro arcángeles.
Onomástico: 23 de febrero.
Variantes: Catalán: **RAFELA.** Vasco: **ERRAPELE.** Gallego: **RAPHAELA.** Francés: **RAPHAËLLE.** Alemán: **RAFFAELA.** Italiano: **RAFFAELLA.**

RAGNILD
Origen: Escandinavo.
Significado: Diosa de la guerra.
Onomástico: No tiene.
Variantes: **RAGNA, RENILDA.**

RÁIDAH
Origen: Árabe.
Significado: Líder.
Onomástico: No tiene.

RAINA
Origen: Alemán.
Significado: Quien permite o puede.
Onomástico: No tiene.
Variantes: **RAENA, RAIN.**

RAINBOW
Origen: Inglés.
Significado: Arco iris.
Onomástico: No tiene.
Variantes: **RAINBO.**

RAINGARDA
Origen: Alemán.
Significado: La defensora prudente.
Onomástico: No tiene.

RAISA
Origen: Árabe y ruso.
Significado: Conductora, soberana. En Rusia es variante de Rosa.
Onomástico: 28 de junio.

RAISSA
Origen: Francés.
Significado: Pensadora.
Onomástico: No tiene.

RAIZEL
Origen: Hebreo.
Significado: Rosa.
Onomástico: No tiene.

RAJÁ
Origen: Árabe.
Significado: Esperanza.
Onomástico: No tiene.
Variantes: **RAIA, RAJAH.**

RAKU
Origen: Japonés.
Significado: Favorable.
Onomástico: No tiene.

RAMA
Origen: Hebreo e hindi.
Significado: Exaltada. Hindi: Como Dios. Otro nombre dado a la diosa Shiva.
Onomástico: No tiene.
Variantes: **RAMAH.**

RAMAN
Origen: Español.
Significado: Alternativa de Ramona.
Onomástico: No tiene.

RAMLA
Origen: Swahili y africano.
Significado: Afortunada. Africano: La que predice el futuro.
Onomástico: No tiene.

RAMONA
Origen: Alemán.
Significado: Deriva de *regiamorid*, consejo protector. Poderosa, sabia.
Onomástico: 31 de agosto.
Variantes: Vasco: **ERRARNUNE.**

RAMYA
Origen: Hindi.
Significado: Bella, elegante.
Onomástico: No tiene.

RAN
Origen: Japonés y escandinavo.
Significado: Lila acuática. Escandinavo: Destructora. En la mitología, diosa del mar quien destruía.
Onomástico: No tiene.

RANA
Origen: Sánscrito y árabe.
Significado: Real. Árabe: Guapa.
Onomástico: No tiene.
Variantes: **RAHNA, RANI.**

RANAIT
Origen: Irlandés.
Significado: Llena de gracia, próspera.
Onomástico: No tiene.
Variantes: **RANE, RENNY.**

RANDALL
Origen: Inglés.
Significado: Protegida.
Onomástico: No tiene.
Variantes: **Randa, Randah, Randal, Randel, Randi.**

RANE
Origen: Escandinavo.
Significado: Reina, pura.
Onomástico: No tiene.
Variantes: **Raine.**

RANI
Origen: Hindi y hebreo.
Significado: Reina. Hebreo: Alegre.
Onomástico: No tiene.
Variantes: **Rahni, Raney, Rania.**

RANITA
Origen: Hebreo.
Significado: Canción, alegría.
Onomástico: No tiene.
Variantes: **Ranata, Ranit, Ronita.**

RAPA
Origen: Hawaiano.
Significado: Claro de luna.
Onomástico: No tiene.

RAQUEL
Origen: Hebreo.
Significado: Procede del hebreo *rahel*, oveja.
Onomástico: 2 de septiembre.
Variantes: **Rachel, Rachele.**

RAQUILDIS
Origen: Alemán.
Significado: La princesa combatiente.
Onomástico: No tiene.

RASHA
Origen: Árabe.
Significado: Joven gacela.
Onomástico: No tiene.
Variantes: **Rahshia, Rashi.**

RASHIDA
Origen: Turco.
Significado: De carácter recto.
Onomástico: No tiene.

RASIA
Origen: Griego.
Significado: Rosa.
Onomástico: No tiene.

RASINE
Origen: Polaco.
Significado: Rosa.
Onomástico: No tiene.

RATANA
Origen: Tailandés.
Significado: Cristal.
Onomástico: No tiene.
Variantes: **Ratania, Rattan, Rattana.**

RATRI
Origen: Hindi.
Significado: Noche.
Onomástico: No tiene.

RATRUDIS
Origen: Alemán.
Significado: La consejera fiel.
Onomástico: No tiene.

RAULA
Origen: Francés.
Significado: Loba. Forma femenina de Raúl.
Onomástico: No tiene.
Variantes: **Raoula, Raulla.**

RAVEN
Origen: Inglés.
Significado: Cuervo.
Onomástico: No tiene.
Variantes: **Ravena, Ravenn, Ravin, Revena.**

RAWNIE
Origen: Inglés.
Significado: Dama.
Onomástico: No tiene.

RAYA
Origen: Hebreo.
Significado: Amigo.
Onomástico: No tiene.
Variantes: **Raia, Raiah, Ray, Rayah.**

RAYNA
Origen: Escandinavo, hebreo e inglés.
Significado: Poderosa. Hebreo: Pura, limpia. Inglés: Consejero del rey.
Onomástico: No tiene.
Variantes: **Raynah, Rayne, Reyna, Rayona.**

RAYYA
Origen: Árabe.
Significado: Corta.

Onomástico: No tiene.

RAZI
Origen: Arameo.
Significado: Secreta.
Onomástico: No tiene.
Variantes: **Raz, Razia, Raziah.**

RAZIYA
Origen: Swahili.
Significado: Agradable.
Onomástico: No tiene.

REA
Origen: Griego.
Significado: En la mitología, madre de Zeus.
Onomástico: No tiene.
Variantes: **Rhea.**

REBA
Origen: Hebreo.
Significado: Cuarta en nacer.
Onomástico: No tiene.
Variantes: **Rabah, Rheba.**

REBECA
Origen: Hebreo.
Significado: Proviene de *rivké*, lazo. Añeja, antigua, esposa de Isaac.
Onomástico: 25 de marzo.
Variantes: **Rebekka, Rebecca, Rebbeca, Rebecah, Reba, Rebecha, Rebecka.**

REFUGIO
Origen: Latino.
Significado: De *refugiuni*, refugio.
Onomástico: 13 de agosto.
Variantes: Catalán: **Refugi.** Forma familiar mexicana: **Cuca.**

REGINA
Origen: Latino.
Significado: De *regina*, reina.
Onomástico: 7 de septiembre.
Variantes: Vasco: **Erregina.** Gallego: **Rexina.** Asturiano: **Rinalda, Rexina, Xina.** Francés: **Régine, Régis.**

REGULA
Origen: Latino.
Significado: Pequeño rey.
Onomástico: 11 de septiembre.

REI
Origen: Japonés.
Significado: Política, bien portada, de buena conducta.
Onomástico: No tiene.
Variantes: **Reiko.**

REIDUN
Origen: Escandinavo.
Significado: Nido adorable.
Onomástico: No tiene.

REINA
Origen: Latino.
Significado: Monarca.
Onomástico: 22 de agosto.
Variantes: Vasco: **Erregina.**

REINALDA
Origen: Alemán.
Significado: La que gobierna con inteligencia.
Onomástico: 9 de febrero.

REKHA
Origen: Hindi.
Significado: Línea delgada.
Onomástico: No tiene.
Variantes: **Reka, Rekia.**

RELINDA
Origen: Alemán.
Significado: Dulce consejo.
Onomástico: 17 de agosto.

REMEDIOS
Origen: Latino.
Significado: Deriva de *remedium*, remedio, solución, medicamento.
Onomástico: 5 de agosto y segundo domingo de octubre.
Variantes: Catalán: **Remei.** Vasco: **Osane.** Francés: **Remède.**

REMIGIA
Origen: Latino.
Significado: Deriva de *remigium*, fila u orden de remos, remeros, tripulación de un barco.
Onomástico: 1 de octubre.
Variantes: Asturiano: **Remicia.**

REN
Origen: Japonés.
Significado: Organizada, flor de loto.
Onomástico: No tiene.

RENA
Origen: Hebreo.
Significado: Canción, júbilo.
Onomástico: No tiene.
Variantes: **Renata, Rina, Rinnah.**

RENATA
Origen: Latino.
Significado: Deriva de *renatus*, renacido. En el cristianismo, se usaba como significado de renacido por el bautismo.
Onomástico: 1 de febrero.
Variantes: Francés e inglés: **Renée.** Alemán: **Renate.**

RENÉE
Origen: Francés.
Significado: Que vuelve a nacer. Forma francesa de Renata.
Onomástico: No tiene.

RENITA
Origen: Latino.
Significado: Resistente.
Onomástico: No tiene.

RESEDA
Origen: Español.
Significado: Fragancia.
Onomástico: No tiene.

RESI
Origen: Alemán.
Significado: Familiar de Teresa.
Onomástico: No tiene.
Variantes: **Resia, Reza, Rezi.**

RESTITUTA
Origen: Latino.
Significado: Deriva de *restituto*, volver a su estado primitivo.
Onomástico: 17 de mayo.
Variantes: Vasco: **Errestituta.**

RESURRECCIÓN
Origen: Latino.
Significado: Deriva de *resurgo*, resurgir.
Onomástico: Domingo de Resurrección.
Variantes: Catalán: **Resurrecció.** Vasco: **Berbixe, Pizkunde.**

REVA
Origen: Latino y hebreo.
Significado: Revivida. Hebreo: Lluvia.
Onomástico: No tiene.
Variantes: **Revia, Revida.**

REYES
Origen: Español.
Significado: Nombre alusivo a la fiesta de la Epifanía.
Onomástico: 6 de enero y 15 de agosto.
Variantes: Catalán y gallego: **Reis.**

REYHAN
Origen: Turco y árabe.
Significado: Dulce aroma de flores. Árabe: favorecida por Dios.
Onomástico: No tiene.

REYNA
Origen: Griego.
Significado: Pacífica, tranquila.
Onomástico: No tiene.
Variantes: **Reina, Reynaya, Reyni.**

REYNALDA
Origen: Alemán.
Significado: Consejero del rey. Forma femenina de Reynaldo.
Onomástico: No tiene.

REZ
Origen: Griego.
Significado: De cabello color cobrizo.
Onomástico: No tiene.

RHEA
Origen: Griego.
Significado: Arroyo, río. La madre de Zeus.
Onomástico: No tiene.
Variantes: **Rhia.**

RHIAMON
Origen: Galés.
Significado: Bruja.
Onomástico: No tiene.

RHIANNON
Origen: Galés.
Significado: Ninfa mitológica.
Onomástico: No tiene.

RHODA
Origen: Griego.
Significado: Originaria de Rodas.
Onomástico: No tiene.
Variantes: **Roda, Rodi, Rodina.**

RHODANTHE
Origen: Griego.
Significado: Flor del arbusto de la rosa.
Onomástico: No tiene.

RHONA
Origen: Escocés.
Significado: Poderosa.
Onomástico: No tiene.

RHONDA
Origen: Galés.
Significado: Mujer grande.
Onomástico: No tiene.

RIA
Origen: Español.
Significado: Río.
Onomástico: No tiene.

RICA
Origen: Español.
Significado: Forma corta de Érica.
Onomástico: No tiene.
Variantes: **Ricca, Federica, Sadrica.**

RICARDA
Origen: Alemán y español.
Significado: Procede de *rich-han*, caudillo del ejército. Español: Rica y poderosa, quien lleva el mando. Forma femenina de Ricardo.
Onomástico: 18 de septiembre.
Variantes: **Rica, Richard, Ricki.**

RIDA
Origen: Árabe.
Significado: Favorecida por Dios.
Onomástico: No tiene.

RIHANA
Origen: Árabe.
Significado: Albahaca dulce.
Onomástico: No tiene.

RIMA
Origen: Árabe.
Significado: Antílope.
Onomástico: No tiene.

RIMCA
Origen: Hebreo.
Significado: Variante de Rebeca.
Onomástico: No tiene.

RINA
Origen: Alemán.
Significado: Que posee el don divino.
Onomástico: No tiene.

RIONA
Origen: Irlandés.
Significado: Reina.
Onomástico: No tiene.

RITA
Origen: Latino.
Significado: Procede de Margarita, Perla.
Onomástico: 22 de mayo.
Variantes: **Errite, Rite.**

RIVA
Origen: Francés.
Significado: Costa.
Onomástico: No tiene.

RIVER
Origen: Latino.
Significado: Río.
Onomástico: No tiene.
Variantes: **Rivana, Rivers.**

RIVI
Origen: Hebreo.
Significado: Diminutivo de Rebeca.
Onomástico: No tiene.

ROBERTA
Origen: Alemán.
Significado: Deriva de *hruot-berth*, el brillo de la fama. Forma femenina de Roberto.
Onomástico: 17 de abril.
Variantes: Asturiano: **Reberta, Roba, Robi, Robbi, Roben, Robina, Robinia, Robinta, Robertina.**

ROBIN
Origen: Inglés.
Significado: Petirrojo.
Onomástico: No tiene.
Variantes: **Robbin, Roben, Robina, Robinta.**

ROBYN
Origen: Alemán.
Significado: Fama brillante.
Onomástico: No tiene.

ROCHELLE
Origen: Francés.
Significado: Piedra pequeña.
Onomástico: No tiene.

ROCÍO
Origen: Latino.
Significado: Nombre en honor de la Virgen del Rocío, venerada en Andalucía.
Onomástico: Domingo de Pentecostés.

Variantes: Vasco: **Ihintza, Intza.**

RODERICA

Origen: Alemán.
Significado: Famosa mandataria.
Onomástico: No tiene.
Variantes: **Rica, Rodericka.**

ROGELIA

Origen: Alemán.
Significado: Deriva de *hrod-gair,* famosa por su lanza.
Onomástico: 16 de septiembre.
Variantes: Gallego: **Roxelia.** Asturiano: **Roxelia, Rexeria, Ruxera.** Italiano: **Ruggera.**

ROHANA

Origen: Hindi.
Significado: Sándalo.
Onomástico: No tiene.

ROHINI

Origen: Hindi.
Significado: Mujer.
Onomástico: No tiene.

ROLANDA

Origen: Alemán.
Significado: Tierra gloriosa.
Onomástico: 13 de mayo.

ROMA

Origen: Latino.
Significado: Originaria de Roma.
Onomástico: No tiene.
Variantes: **Romah, Romal.**

ROMANA

Origen: Latino.
Significado: Gentilicio de Roma.
Onomástico: 23 de febrero.
Variantes: Vasco: **Enomane.**

ROMERO

Origen: Latino.
Significado: Nombre de advocación mariana: Nuestra Señora del Romero.
Onomástico: Domingo siguiente al 8 de septiembre.

ROMILDA

Origen: Alemán.
Significado: Deriva de *hruo,* fama, e *hild,* combate, batalla, o sea, famoso en el combate.
Onomástico: No tiene.

ROMILIA

Origen: Latino.
Significado: Femenino de Rómulo.
Onomástico: 6 de julio.

ROMINA

Origen: Árabe.
Significado: De la tierra de los cristianos.
Onomástico: No tiene.

RÓMULA

Origen: Latino.
Significado: Femenino de Rómulo, que en la mitología es uno de los fundadores de Roma. De gran fortaleza.
Onomástico: 23 de julio.

ROMY

Origen: Latino.
Significado: Nombre de flor. Variante de Rosa.
Onomástico: 20 de enero y 23 de agosto.

RONA

Origen: Hebreo.
Significado: Sello.
Onomástico: No tiene.

RONLI

Origen: Hebreo.
Significado: La dicha es mía.
Onomástico: No tiene.

RONNA

Origen: Griego.
Significado: Variante de Verónica.
Onomástico: No tiene.
Variantes: **Ronny.**

RORI

Origen: Irlandés.
Significado: Famosa, brillante.
Onomástico: No tiene.
Variantes: **Rorie.**

ROSA

Origen: Latino.
Significado: De *rosa,* rosa.
Onomástico: 23 de agosto.
Variantes: Vasco: **Arrosa, Arrosane, Errose, Larrosa.** Inglés y francés: **Rose.** Italiano: **Rosina, Rosetta.**

ROSABEL

Origen: Francés.

Significado: Hermosa rosa.
Onomástico: No tiene.
Variantes: **Rosabelia, Rosabella.**

ROSALBA
Origen: Latino.
Significado: De *rosa* y *alba,* rosa blanca.
Onomástico: 23 de agosto.

ROSALÍA
Origen: Español.
Significado: Construcción de Rosa y Lía.
Onomástico: 4 de septiembre.
Variantes: Vasco: **Errosali.**

ROSALINA
Origen: Español.
Significado: Construcción de Rosa y Lina.
Onomástico: No tiene.

ROSALINDA
Origen: Latino.
Significado: Nombre catalán de origen medieval.
Onomástico: 17 de enero.
Variantes: **Rosalinda.** Inglés y alemán: **Rosalind.** Francés: **Rosalinde.**

ROSAMUNDA
Origen: Alemán.
Significado: Deriva de *hrod-lind,* famosa por su dulzura.
Onomástico: 17 de enero.
Variantes: Inglés: **Rosamond, Rosmund.** Francés: **Rosemonde.** Italiano: **Rosmunda.**

ROSANA
Origen: Persa.
Significado: De *roakchna,* la brillante. Es también combinación de Rosa y Ana.
Onomástico: 22 de mayo.
Variantes: Vasco: **Roxane.** Gallego: **Roxana.** Italiano: **Rosanna.**

ROSANGELA
Origen: Español.
Significado: Forma compuesta por Rosa y Ángela.
Onomástico: No tiene.

ROSANNE
Origen: Hebreo.
Significado: Forma compuesta por Rosa (arbusto de rosa) y Anne (llena de gracia).
Onomástico: No tiene.
Variantes: **Roseanne.**

ROSARIO
Origen: Latino.
Significado: Deriva de *rosariuni,* rosaleda.
Onomástico: 7 de octubre.
Variantes: Vasco: **Agurtne, Agurtzane, Txaro, Enosali.** Asturiano: **Rosaria.** Inglés: **Rosary.**

ROSAURA
Origen: Latino.
Significado: De *rosa aurea,* rosa de oro.
Onomástico: 23 de agosto.

ROSE
Origen: Inglés.
Significado: Rosa.
Onomástico: No tiene.

ROSELINA
Origen: Latino.
Significado: Deriva de *rosa,* rosa. Variante de Rosa.
Onomástico: 11 de junio.
Variantes: Catalán: **Roseliana.** Francés: **Roseline.**

ROSEMARY
Origen: Latino.
Significado: Rocío del mar.
Onomástico: No tiene.
Variantes: **Rosmari.**

ROSENDA
Origen: Alemán.
Significado: Deriva de *hrod-sinths,* que se dirige a la fama.
Onomástico: 1 de marzo.

ROSETTA
Origen: Latino.
Significado: Arbusto de rosa.
Onomástico: No tiene.
Variantes: **Rosi, Rosie.**

ROSHAN
Origen: Hindi.
Significado: Luz brillante.
Onomástico: No tiene.

ROSICLER
Origen: Francés.
Significado: Forma francesa compuesta por Rosa y Clara. Alude al color rosado y claro del alba.
Onomástico: No tiene.

ROSILDA
Origen: Alemán.
Significado: La guerrera a caballo.
Onomástico: No tiene.

ROSINA
Origen: Latino.
Significado: Pequeña rosa.
Onomástico: No tiene.
Variantes: **Rosine.**

ROSINDA
Origen: Alemán.
Significado: Famosa guerrera.
Onomástico: No tiene.

ROSMIRA
Origen: Alemán.
Significado: Célebre guerrera a caballo.
Onomástico: No tiene.

ROSO
Origen: Latino.
Significado: Rosa.
Onomástico: 11 de junio.

ROSOÍNDA
Origen: Latino.
Significado: De *rosa,* rosa. Variante de Rosa.
Onomástico: 16 de septiembre.

ROSSALINA
Origen: Escocés.
Significado: Cabo.
Onomástico: No tiene.
Variantes: **Rosylin, Rossalyn.**

RÓSULA
Origen: Latino.
Significado: Deriva de *rosa,* rosa.
Onomástico: 14 de septiembre.

ROSWINDA
Origen: Alemán.
Significado: Guerrera muy famosa.
Onomástico: No tiene.

ROSWITHA
Origen: Latino.
Significado: Nombre de flor. Variante de Rosa.
Onomástico: 20 de enero y 23 de agosto.

ROTRAUDA
Origen: Alemán.
Significado: La célebre consejera.
Onomástico: No tiene.

ROWAN
Origen: Inglés.
Significado: Árbol con moras rojas.
Onomástico: No tiene.
Variantes: **Rowana.**

ROWENA
Origen: Inglés y galés.
Significado: De cabello pálido, amiga famosa. Galés: Delgada y justa.
Onomástico: No tiene.

ROXANA
Origen: Persa.
Significado: Deriva de *roakshna,* alba, aurora, o sea, la brillante. Nombre de la esposa de Alejandro Magno.
Onomástico: 1 de noviembre.
Variantes: Vasco: **Roxane.** Francés: **Rosanna.**

ROYANNA
Origen: Inglés.
Significado: De la reina, real. Forma femenina de Roy.
Onomástico: No tiene.
Variantes: **Roya.**

RUANA
Origen: Hindi.
Significado: Instrumento musical.
Onomástico: No tiene.
Variantes: **Ruan, Ruon.**

RUBÍ
Origen: Francés.
Significado: Piedra preciosa.
Onomástico: No tiene.
Variantes: **Rubby, Rubey, Rubi.**

RUBINA
Origen: Latino.
Significado: Bella como el rubí.
Onomástico: No tiene.

RUCHI
Origen: Hindi.
Significado: Quien desea cumplir deseos.

Onomástico: No tiene.

RUDRA

Origen: Hindi.
Significado: Planta de bayas.
Onomástico: No tiene.

RUE

Origen: Alemán, francés, e inglés.
Significado: Famosa. Francés: Calle. Inglés: Hierba de olor.
Onomástico: No tiene.

RUFINA

Origen: Latino.
Significado: Deriva de *rufus*, pelirrojo.
Onomástico: 19 de julio.
Variantes: Vasco: **ERRUPIÑE.** Asturiano: **RUFA, RUTINA.**

RUI

Origen: Japonés.
Significado: Aficionada.
Onomástico: No tiene.

RUKAN

Origen: Árabe.
Significado: Confidente.
Onomástico: No tiene.

RUMER

Origen: Inglés.
Significado: Gitana.
Onomástico: No tiene.

RUNA

Origen: Noruego.
Significado: Secreto.
Onomástico: No tiene.
Variantes: **RUNNA.**

RUPINDER

Origen: Sánscrito.
Significado: Hermosa.
Onomástico: No tiene.

RURI

Origen: Japonés.
Significado: Esmeralda.
Onomástico: No tiene.
Variantes: **RURIKO.**

RUSALKA

Origen: Checo y ruso.
Significado: Ninfa. Ruso: Sirena.
Onomástico: No tiene.

RUSTI

Origen: Inglés.
Significado: Cabeza roja.
Onomástico: No tiene.

RÚSTICA

Origen: Latino.
Significado: Deriva de *rustica*, campesina, sencilla.
Onomástico: No tiene.

RUTH

Origen: Hebreo.
Significado: Belleza.
Onomástico: 4 de junio.
Variantes: Catalán, gallego y asturiano: **RUT.** Vasco: **ENUT, URTE.**

RUTHANN

Origen: Estadounidense.
Significado: Combinación de Ruth y Ana.
Onomástico: No tiene.
Variantes: **RUTHAN, RUTHANA.**

RUTILDA

Origen: Alemán.
Significado: Fuerte por su fama.
Onomástico: No tiene.

RUZA

Origen: Checo.
Significado: Rosa.
Onomástico: No tiene.
Variantes: **RUZENA, RUZENKA, RUZHA.**

RYBA

Origen: Checo.
Significado: Pez.
Onomástico: No tiene.

RYLEE

Origen: Irlandés.
Significado: Valiente.
Onomástico: No tiene.

RYO

Origen: Japonés.
Significado: Dragón.
Onomástico: No tiene.
Variantes: **RYOKO.**

S

SAARAH
Origen: Árabe.
Significado: Princesa.
Onomástico: No tiene.

SABA
Origen: Árabe y hebreo.
Significado: Mañana. Hebreo: Convertida.
Onomástico: No tiene.
Variantes: **SABAAH, SABAH, SABBA, SABBAH.**

SABEL
Origen: Hebreo.
Significado: Variante de Isabel.
Onomástico: No tiene.

SABELA
Origen: Hebreo.
Significado: Baal da la salud. Variante de Isabel en gallego.
Onomástico: 8 de julio y 19 de noviembre.
Variantes: Vasco: **ELISA, ELIXABET.** Gallego: **SABEL, BELA, SABELA.** Inglés: **ELISABETH.** Francés: **ISABELLE, YSABEL.** Italiano: **ISABELLA, ELISABETTA, LISA.**

SABI
Origen: Árabe.
Significado: Jovencita.
Onomástico: No tiene.

SABINA
Origen: Latino.
Significado: Oriunda de Sabina, Italia.
Onomástico: 27 y 29 de agosto.
Variantes: Vasco: **SABADIN, SABIÑE, XABADINE.** Francés: **SABINE, SAVINE.** Italiano: **SAVINA, SABELA.**

SABIRAH
Origen: Árabe.
Significado: Paciente.
Onomástico: No tiene.

SABIYA
Origen: Árabe.
Significado: Mañana, viento del este.
Onomástico: No tiene.
Variantes: **SABA, SABIYAH.**

SABRA
Origen: Hebreo.
Significado: Cacto.
Onomástico: No tiene.
Variantes: **SABRAH, SABRIA.**

SABRINA
Origen: Inglés.
Significado: Habitante de Severn, Inglaterra.
Onomástico: No tiene.

SACHI
Origen: Japonés.
Significado: Bendita, afortunada.
Onomástico: No tiene.

SACNICTÉ
Origen: Maya.
Significado: Flor blanca.
Onomástico: No tiene.

SACRAMENTO
Origen: Latino.
Significado: Deriva de *sacramentum*, ofrecimiento que se hacía a los dioses para congraciarse con ellos; de *sacer*, sagrado.

Onomástico: No tiene.
Variantes: Catalán: **Sagrament.** Vasco: **Grazimrri.**

SADA
Origen: Japonés.
Significado: Casta.
Onomástico: No tiene.
Variantes: **Sadako.**

SADE
Origen: Nigeriano.
Significado: El honor concedido por la Corona.
Onomástico: No tiene.

SADHANA
Origen: Hindi.
Significado: Devota.
Onomástico: No tiene.

SADIE
Origen: Hebreo.
Significado: Variante de Sara.
Onomástico: No tiene.

SADIRA
Origen: Árabe.
Significado: Árbol del loto. Estrella.
Onomástico: No tiene.
Variantes: **Sadra.**

SADIVA
Origen: Árabe.
Significado: Afortunada.
Onomástico: No tiene.

SADIYA
Origen: Árabe.
Significado: Pura, serena.
Onomástico: No tiene.

SAFFI
Origen: Escandinavo.
Significado: Sabiduría.
Onomástico: No tiene.

SAFFRON
Origen: Inglés.
Significado: Amarillo.
Onomástico: No tiene.

SAFIRA
Origen: Hebreo.
Significado: Bella como un zafiro. Como la piedra preciosa.
Onomástico: No tiene.

SAFIRO
Origen: Árabe.
Significado: Piedra preciosa color azul.
Onomástico: No tiene.
Variantes: **Safron.**

SAFIYA
Origen: Árabe.
Significado: Pura, serena, mejor amiga.
Onomástico: No tiene.
Variantes: **Safa, Safiyah.**

SAFO
Origen: Griego.
Significado: La que ve con claridad. Poetisa griega, fundadora de una escuela literaria y desterrada a Lesbos.
Onomástico: No tiene.

SAGARA
Origen: Hindi.
Significado: Océano.
Onomástico: No tiene.

SAGE
Origen: Latino.
Significado: Profeta.
Onomástico: No tiene.

SAGRARIO
Origen: Latino.
Significado: Deriva de *sagrariuin*, sagrario, capilla, santuario.
Onomástico: 15 de agosto.
Variantes: Vasco: **Sagan.**

SAHARA
Origen: Árabe.
Significado: Desierto, salvaje.
Onomástico: No tiene.
Variantes: **Sahar, Saharah, Sahari.**

SAI
Origen: Japonés.
Significado: Talentosa.
Onomástico: No tiene.
Variantes: **Saiko.**

SAIPA
Origen: Hebreo.
Significado: Variante de Sara, de *Saiay*, princesa.
Onomástico: 9 de octubre.

SAKAE
Origen: Japonés.
Significado: Próspera.
Onomástico: No tiene.

SAKARI
Origen: Hindi.
Significado: Dulce.
Onomástico: No tiene.
Variantes: **Sakkara.**

SAKI
Origen: Japonés.
Significado: Manto, licor de arroz.
Onomástico: No tiene.

SAKTI
Origen: Hindi.
Significado: Energética.
Onomástico: No tiene.

SAKURA
Origen: Japonés.
Significado: Cerezo y por extensión próspera, saludable.
Onomástico: No tiene.

SALABERGA
Origen: Alemán.
Significado: La que defiende el sacrificio.
Onomástico: No tiene.

SALALI
Origen: Cherokee.
Significado: Ardilla.
Onomástico: No tiene.

SALAMA
Origen: Árabe.
Significado: Pacífica.
Onomástico: No tiene.

SALIMA
Origen: Árabe.
Significado: Mujer segura.
Onomástico: No tiene.

SALIMAH
Origen: Árabe.
Significado: Saludable.
Onomástico: No tiene.

SALINA
Origen: Francés.
Significado: Solemne, digna.
Onomástico: No tiene.
Variantes: **Salinah, Salin, Salinda.**

SALLY
Origen: Inglés.
Significado: Princesa.
Onomástico: No tiene.
Variantes: **Sal, Salli, Sallie.**

SALMA
Origen: Árabe.
Significado: Pacífica.
Onomástico: No tiene.

SALOMÉ
Origen: Hebreo.
Significado: De *shalem,* hermosa, perfecta, pacífica, tranquila. Princesa judía. Princesa de la paz.
Onomástico: 29 de julio y 18 de noviembre.
Variantes: Vasco: **Xalome, Salomey, Salomi.**

SALUD
Origen: Latino.
Significado: Deriva de *salus,* salud, conservación.
Onomástico: 8 y 12 de septiembre.
Variantes: Catalán: **Salut.** Gallego: **Saúde.**

SALUSTIA
Origen: Latino.
Significado: De *valus,* salud.
Onomástico: 8 de junio.

SALVADORA
Origen: Español.
Significado: Salvadora, forma femenina de Salvador. Que salva a los hombres.
Onomástico: No tiene.

SALVIA
Origen: Español.
Significado: Salud, salvada.
Onomástico: No tiene.
Variantes: **Salviana, Salvina.**

SALVINA
Origen: Latino.
Significado: Que goza de salud.
Onomástico: No tiene.

SAMALA
Origen: Hebreo.
Significado: Pedida por Dios.
Onomástico: No tiene.
Variantes: **Sammala.**

SAMANTA
Origen: Arameo.
Significado: La que escucha.
Onomástico: 1 de noviembre.
Variantes: **Samantha.**

S

SAMANTHA
Origen: Arameo y hebreo.
Significado: Quien escucha. Hebreo: Dicho por Dios.
Onomástico: No tiene.
Variantes: **Sam, Samanthia, Samanthah, Sami, Samy.**

SAMARA
Origen: Latino.
Significado: Hoja de árbol o arbusto.
Onomástico: No tiene.
Variantes: **Samaira, Samar, Samarah, Samira.**

SAMEH
Origen: Hebreo y árabe.
Significado: La que escucha. Árabe: La que perdona.
Onomástico: No tiene.
Variantes: **Same.**

SAMIRA
Origen: Árabe.
Significado: Podría interpretarse como divertida, entretenida.
Onomástico: No tiene.
Variantes: **Samirah.**

SAMUELA
Origen: Hebreo.
Significado: A quien Dios escucha o demanda. Forma femenina de Samuel.
Onomástico: No tiene.
Variantes: **Samala, Sami, Samuelle.**

SANA
Origen: Árabe.
Significado: Cima de la montaña, espléndida, brillante.
Onomástico: No tiene.

SANCHA
Origen: Latino.
Significado: Deriva de *sanctus*, sangrado, inviolable, venerado.
Onomástico: 13 de marzo.
Variantes: Vasco: **Santsa.**

SANCIA
Origen: Español.
Significado: Bendita, sagrada.
Onomástico: No tiene.
Variantes: **Sanchia, Sanzia.**

SANDI
Origen: Griego.
Significado: Variante de Alejandra.
Onomástico: No tiene.
Variantes: **Sandy.**

SANDRA
Origen: Griego.
Significado: Variante de Alejandra, de *Aléxandros*, protector de hombres.
Onomástico: 18 de mayo.
Variantes: Vasco: **Txandra.** Asturiano: **Xandra, Sondra, Sandrine.**

SANDYA
Origen: Hindi.
Significado: Amanecer. Nombre de Dios.
Onomástico: No tiene.

SANTANA
Origen: Español.
Significado: Santa.
Onomástico: No tiene.
Variantes: **Santa, Santena, Shantana.**

SANTINA
Origen: Latino.
Significado: Santita. Mujer consagrada.
Onomástico: No tiene.
Variantes: **Santinia.**

SANURA
Origen: Swahili.
Significado: Gatita.
Onomástico: No tiene.
Variantes: **Sanora.**

SANYA
Origen: Hindi.
Significado: Nacida en sábado.
Onomástico: No tiene.
Variantes: **Sania.**

SAPHIRA
Origen: Hebreo.
Significado: Zafiro, que deriva del griego.
Onomástico: No tiene.

SAPHIRO
Origen: Griego.
Significado: Alternativa de zafiro.
Onomástico: No tiene.

SAPPHIRE
Origen: Griego.
Significado: Zafiro.
Onomástico: No tiene.

SARA
Origen: Hebreo.
Significado: Adaptación de Saray, princesa.
Onomástico: 9 de octubre.

SARAH
Origen: Árabe.
Significado: Princesa. Esposa de Abraham y madre de Isaac.
Onomástico: No tiene.
Variantes: **Sahra, Saraha, Sarahi, Sarana.**

SARAY
Origen: Hebreo.
Significado: De Saray, princesa.
Onomástico: 13 de julio.

SAREE
Origen: Árabe.
Significado: La más noble.
Onomástico: No tiene.

SARILA
Origen: Turco.
Significado: Cascada.
Onomástico: No tiene.

SARISHA
Origen: Hindi.
Significado: Encantadora.
Onomástico: No tiene.

SASHA
Origen: Ruso.
Significado: Defensora de la humanidad. Variante de Alejandra.
Onomástico: No tiene.
Variantes: **Sacha, Sashah, Sashay, Sashi.**

SASKIA
Origen: Alemán.
Significado: La que porta un cuchillo.
Onomástico: No tiene.

SASS
Origen: Irlandés.
Significado: Saxofón.
Onomástico: No tiene.
Variantes: **Sassy.**

SATHYA
Origen: Hindi.
Significado: Verdad.
Onomástico: No tiene.

SATIN
Origen: Francés.
Significado: Suave, terso, brillante.
Onomástico: No tiene.
Variantes: **Satinder.**

SATO
Origen: Japonés.
Significado: Azúcar.
Onomástico: No tiene.
Variantes: **Satu.**

SATURNINA
Origen: Latino.
Significado: Deriva de *saturninus*, relativo a Saturno.
Onomástico: 4 de junio.

SAULA
Origen: Griego.
Significado: Tierna y delicada.
Onomástico: 20 de octubre.

SAURA
Origen: Hindi.
Significado: Sol adorado. Nacida bajo el signo de Leo.
Onomástico: No tiene.

SAVANNA
Origen: Español.
Significado: Llano sin árboles.
Onomástico: No tiene.
Variantes: **Savanah.**

SAVERIA
Origen: Alemán.
Significado: Femenino de Saverio. De la casa nueva.
Onomástico: No tiene.

SAYO
Origen: Japonés.
Significado: Nacida en la noche.
Onomástico: No tiene.

SCARLET
Origen: Inglés.
Significado: Alternativa de escarlata, rojo brillante.
Onomástico: No tiene.
Variantes: **Scarlette, Escarlet, Escarlata.**

SEBASTIANA
Origen: Griego.
Significado: Procede de *sebastós*, venerado, augusto. Digna de veneración.
Onomástico: 16 de septiembre.
Variantes: Vasco: **Sastiana, Saustiza, Sostiza.** Asturiano: **Bastiana, Sebastiana.**

SEBLE
Origen: Etíope.
Significado: Otoño.
Onomástico: No tiene.

SECUNDA
Origen: Latino.
Significado: Segunda.
Onomástico: No tiene.

SECUNDINA
Origen: Latino.
Significado: Deriva de *secunda*, segunda. Nombre que se ponía a la segunda hija de la familia.
Onomástico: 15 de enero.

SEDA
Origen: Armenio.
Significado: Voces provenientes del bosque.
Onomástico: No tiene.

SEDNA
Origen: Esquimal.
Significado: Bien alimentada. Diosa de los animales del océano.
Onomástico: No tiene.

SEEMA
Origen: Griego.
Significado: Símbolo.
Onomástico: No tiene.

SÉFORA
Origen: Hebreo.
Significado: Como un pájaro pequeño. Ave.
Onomástico: No tiene.

SEGENE
Origen: Alemán.
Significado: Victoriosa.
Onomástico: 12 de agosto.

SEGISMUNDA
Origen: Alemán.
Significado: La protectora victoriosa.
Onomástico: No tiene.

SEGUNDA
Origen: Latino.
Significado: De *secunda*, segunda. Nombre que se ponía a la segunda hija de la familia.
Onomástico: 10, 17 y 30 julio.

SEKI
Origen: Japonés.
Significado: Maravillosa.
Onomástico: No tiene.
Variantes: **Seka.**

SELAM
Origen: Etíope.
Significado: Pacífica.
Onomástico: No tiene.

SELDA
Origen: Alemán.
Significado: Forma corta de Griselda.
Onomástico: No tiene.
Variantes: **Seldah, Sellda, Selldah.**

SELENA
Origen: Latino.
Significado: Variante de Selene. La luna, luz nocturna.
Onomástico: No tiene.
Variantes: Asturiano: **Selina.**

SELENE
Origen: Latino.
Significado: La luna, luz nocturna.
Onomástico: No tiene.
Variantes: Asturiano: **Selina.**

SELIA
Origen: Irlandés.
Significado: Variante de Sheila.
Onomástico: No tiene.

SELIMÁ
Origen: Hebreo.
Significado: Pacífica, tranquila. Forma femenina de Salomón.
Onomástico: No tiene.
Variantes: **Selema, Selemah.**

SELMA
Origen: Alemán, irlandés y árabe.
Significado: Divina protectora. Irlandés: Justa, honesta, recta. Árabe: Segura de sí misma. Alternativa de Anselmo.

Onomástico: No tiene.

SELVA

Origen: Latino.
Significado: Que nació en la selva.
Onomástico: No tiene.

SEMA

Origen: Turco.
Significado: Cielo, presagio divino.
Onomástico: No tiene.
Variantes: **Semaj.**

SEMELE

Origen: Latino.
Significado: Una vez.
Onomástico: No tiene.

SEMINARIS

Origen: Asirio.
Significado: La que es armoniosa con las palomas.
Onomástico: No tiene.

SEMIRAMIS

Origen: Asirio.
Significado: Como la paloma.
Onomástico: No tiene.

SEMPRONIA

Origen: Griego.
Significado: Mujer prudente.
Onomástico: No tiene.

SEN

Origen: Japonés.
Significado: Bosque mágico.
Onomástico: No tiene.

SENALDA

Origen: Español.
Significado: Señal.
Onomástico: No tiene.
Variantes: **Sena, Sendra, Senda.**

SÉNECA

Origen: Iraquí.
Significado: Nombre de una tribu.
Onomástico: No tiene.
Variantes: **Senaka, Seneka, Senequa.**

SENTA

Origen: Alemán.
Significado: La que asiste y ayuda.
Onomástico: No tiene.

SÉPTIMA

Origen: Latino.
Significado: Séptima.
Onomástico: No tiene.
Variantes: **Septimia.**

SERAFINA

Origen: Hebreo.
Significado: Procede de *seraphim*, serpientes. Llama ardiente. Serafín es el más alto orden de los ángeles. Ángel que porta espada de fuego.
Onomástico: 29 de julio.
Variantes: Asturiano: **Serafa, Seraphin, Seraphina, Serapia.**

SERAPIA

Origen: Egipcio.
Significado: Deriva del dios mitológico Serapis, al que se le dio culto especialmente para la curación y que fue adoptado en el mundo romano. En Alejandría tuvo un gran templo dedicado, el *serapis* (Serapeión).
Onomástico: 29 de julio y 3 de septiembre.

SERENA

Origen: Latino.
Significado: Deriva de *serena*, serena, tranquila. Mujer mesurada y transparente.
Onomástico: 16 de agosto.

SERENIDAD

Origen: Latino.
Significado: Serena, tranquila.
Onomástico: No tiene.
Variantes: **Serenity.**

SERGIA

Origen: Latino.
Significado: Protectora.
Onomástico: No tiene.

SERILDA

Origen: Griego.
Significado: Mujer guerrera.
Onomástico: No tiene.

SERVANDA

Origen: Latino.
Significado: La que debe ser salvada y protegida. Forma femenina de Servando. Que debe conservarse.
Onomástico: No tiene.

SEVERA

Origen: Latino.
Significado: Deriva de *severus*, seve-

ro, grave, austero.
Onomástico: 20 de julio.

SEVERINA
Origen: Latino.
Significado: De *severus*, severo, grave, austero.
Onomástico: 23 de octubre.

SEVILLA
Origen: Español.
Significado: Originaria de Sevilla.
Onomástico: No tiene.

SHABA
Origen: Español.
Significado: Rosa.
Onomástico: No tiene.
Variantes: **SHABANA.**

SHAFIRA
Origen: Swahili.
Significado: Distinguida.
Onomástico: No tiene.

SHAHAR
Origen: Árabe.
Significado: Luz de luna.
Onomástico: No tiene.
Variantes: **SHAHARA.**

SHAHINA
Origen: Árabe.
Significado: Halcón.
Onomástico: No tiene.
Variantes: **SHAHI, SHAHIN.**

SHAHLA
Origen: Afgano.
Significado: Ojos hermosos.
Onomástico: No tiene.
Variantes: **SHAILA, SHAILAH, SHALAH.**

SHAIANNE
Origen: Cheyenne.
Significado: Nombre, gentilicio de la tribu, perteneciente a los cheyenne.
Onomástico: No tiene.

SHAKILA
Origen: Árabe.
Significado: Hermosa, bonita.
Onomástico: No tiene.
Variantes: **CHAKILA, SHAKA.**

SHAKIRA
Origen: Árabe.
Significado: Agradecida.
Onomástico: No tiene.
Variantes: **SHAAKIRA, SHACORA, SHAKIR, SHAKIRAH, SHAKIRRA, SHAQUIRA, SHIKIRA.**

SHAMARÁ
Origen: Árabe.
Significado: Lista para la batalla.
Onomástico: No tiene.

SHAMIRA
Origen: Hebreo.
Significado: Gema, piedra preciosa.
Onomástico: No tiene.

SHANA
Origen: Hebreo e irlandés.
Significado: Dios es gracia. Irlandés: Juana.
Onomástico: No tiene.
Variantes: **SHANNA, SHAN.**

SHANI
Origen: Swahili.
Significado: Maravillosa.
Onomástico: No tiene.

SHANLEY
Origen: Irlandés.
Significado: Pequeña heroína.
Onomástico: No tiene.
Variantes: **SHANLIE, SHANLY.**

SHANNON
Origen: Irlandés.
Significado: Pequeña y sabia.
Onomástico: No tiene.
Variantes: **SHANAN, SHANN, SHANON.**

SHANY
Origen: Swahili.
Significado: Maravillosa.
Onomástico: No tiene.

SHANTI
Origen: Hindi.
Significado: Paz.
Onomástico: No tiene.

SHAQUIRA
Origen: Árabe.
Significado: Nombre que puede interpretarse como agradecida.
Onomástico: No tiene.

SHARAN
Origen: Hindi.
Significado: Protectora.
Onomástico: No tiene.
Variantes: **SHARANDA.**

SHARI
Origen: Francés y húngaro.
Significado: Amada, querida. Húngaro: Alternativa de Sarah.
Onomástico: No tiene.
Variantes: **Shara, Sharia, Shariah, Sharian, Sharra.**

SHARON
Origen: Hebreo.
Significado: Desierto. Llanura fértil.
Onomástico: No tiene.
Variantes: **Shaaron, Shara, Sharan, Shari, Sharone, Sheren.**

SHATARA
Origen: Hindi y arabe.
Significado: Sombrilla. Árabe: Buena, trabajadora.
Onomástico: No tiene.
Variantes: **Shatari, Shataria, Shatera, Shateria.**

SHAUNA
Origen: Hebreo.
Significado: Dios es gracia.
Onomástico: No tiene.
Variantes: **Shaunda, Shaunta, Shawnda.**

SHAVONNE
Origen: Hebreo.
Significado: El señor es bondadoso.
Onomástico: No tiene.

SHAWNA
Origen: Hebreo.
Significado: Femenino de Shawn: Dios dio.
Onomástico: No tiene.

SHAYNDEL
Origen: Hebreo.
Significado: Bella.
Onomástico: No tiene.

SHEA
Origen: Irlandés.
Significado: Palacio de hadas.
Onomástico: No tiene.
Variantes: **Shay.**

SHEBA
Origen: Hebreo.
Significado: Deriva de *Bathsheba*, séptima hija.
Onomástico: No tiene.

SHEENA
Origen: Hebreo.
Significado: Variante de Juana, que deriva de *Yehohanan*, Dios es misericordioso.
Onomástico: 24 de junio.

SHEILA
Origen: Irlandés y latino.
Significado: Deriva de *Sue*, variante de Celia y Cecilia. Latín: Ciega.
Onomástico: 21 de octubre.
Variantes: **Seila, Seia, Shaila, Sheilah, Shela.**

SHELA
Origen: Celta.
Significado: Musical.
Onomástico: No tiene.

SHERA
Origen: Arameo.
Significado: Delgada, ligera.
Onomástico: No tiene.

SHERIDAN
Origen: Irlandés.
Significado: Salvaje.
Onomástico: No tiene.
Variantes: **Sherida, Sheridian.**

SHERRY
Origen: Francés.
Significado: La más amada o querida.
Onomástico: No tiene.
Variantes: **Sherey, Sheri, Sherri.**

SHERYL
Origen: Francés.
Significado: Amada.
Onomástico: No tiene.
Variantes: **Sharel, Sheril, Sherril.**

SHIFRA
Origen: Hebreo.
Significado: Hermosa.
Onomástico: No tiene.
Variantes: **Schifra, Shrifah.**

SHIKA
Origen: Japonés.
Significado: Amable ciervo.
Onomástico: No tiene.
Variantes: **Shi, Shikah, Shikhah.**

SHILO
Origen: Hebreo.
Significado: Regalo de Dios. Sitio cer-

cano a Jerusalén.
Onomástico: No tiene.
Variantes: **Shiloh.**

SHINA
Origen: Japonés.
Significado: Buena, virtuosa.
Onomástico: No tiene.

SHINO
Origen: Japonés.
Significado: Tronco de bambú.
Onomástico: No tiene.

SHIRA
Origen: Hebreo.
Significado: Canción.
Onomástico: No tiene.

SHIRI
Origen: Hebreo.
Significado: Canción de mi alma.
Onomástico: No tiene.

SHIRLEY
Origen: Inglés.
Significado: Prado blanco.
Onomástico: No tiene.

SHIVANI
Origen: Hindi.
Significado: Vida y muerte.
Onomástico: No tiene.
Variantes: **Shiva, Shivana.**

SHIZU
Origen: Japonés.
Significado: Silenciosa.
Onomástico: No tiene.
Variantes: **Shizue.**

SHOSHANA
Origen: Hebreo.
Significado: Lila. Fonema alternativa de Susana.
Onomástico: No tiene.
Variantes: **Shosha, Shoshanna, Sosha, Soshana.**

SHU
Origen: Chino.
Significado: Gentil, amable.
Onomástico: No tiene.

SHULA
Origen: Árabe.
Significado: Brillante, flameante.
Onomástico: No tiene.

SIARA
Origen: Irlandés.
Significado: Morena.
Onomástico: No tiene.

SIBILA
Origen: Griego.
Significado: De *sybylla*, voluntad de Júpiter. Que profetiza.
Onomástico: No tiene.
Variantes: Catalán: **Sibilla.** Francés: **Sibilla.** Inglés: **Sybili.** Alemán: **Sybille.** Italiano: **Sibilla.**

SIDONIA
Origen: Hebreo.
Significado: Seductora.
Onomástico: No tiene.
Variantes: **Sydonia.**

SIDRA
Origen: Latino.
Significado: Estrellita.
Onomástico: No tiene.
Variantes: **Sidrah, Sidras.**

SIERRA
Origen: Irlandés.
Significado: Negra.
Onomástico: No tiene.
Variantes: **Seirra, Siara, Siera, Sierrah.**

SIGFREDA
Origen: Alemán.
Significado: Victoriosa. Que mantiene la paz.
Onomástico: No tiene.
Variantes: **Sigfrida.**

SIGLINDA
Origen: Alemán.
Significado: La victoria que protege. Protectora y gloriosa.
Onomástico: No tiene.

SIGMUNDA
Origen: Alemán.
Significado: Protectora, victoriosa.
Onomástico: No tiene.
Variantes: **Sigmonda.**

SIGNA
Origen: Latino.
Significado: Señal.
Onomástico: No tiene.

SIGOURNEY
Origen: Inglés.

Significado: Conquistadora, victoriosa.
Onomástico: No tiene.

SIGRID
Origen: Escandinavo.
Significado: Victoriosa, consejera. Consejera de la victoria.
Onomástico: No tiene.
Variantes: **Sigrit.**

SILVA
Origen: Latino.
Significado: Doncella del bosque.
Onomástico: No tiene.

SILVANA
Origen: Latino.
Significado: Deriva de *silvanos*, selvático, boscoso.
Onomástico: 1 de noviembre.

SILVIA
Origen: Latino.
Significado: Deriva de *silva*, selva, bosque. Oriunda de la selva.
Onomástico: 3 de noviembre.
Variantes: Vasco: **Silbe, Oihana, Oihane.** Inglés y francés: **Sylvie.**

SILVINA
Origen: Latino.
Significado: Deriva de *silvinus*, relativo a Silvia o al bosque.
Onomástico: 18 de febrero y 3 de noviembre.
Variantes: Asturiano: **Selvina.**

SIMA
Origen: Escocés.
Significado: Tesoro, premio.
Onomástico: No tiene.

SIMCHA
Origen: Hebreo.
Significado: Alegría.
Onomástico: No tiene.

SIMONA
Origen: Hebreo.
Significado: La que escucha. Forma femenina de Simón. Que me oye.
Onomástico: No tiene.
Variantes: **Simmona, Simonetta, Simonia.**

SIMONETA
Origen: Griego.
Significado: De *simós*, que tiene la nariz chata.
Onomástico: 28 de octubre.
Variantes: Catalán: **Simona.** Vasco: **Simone.** Italiano: **Simonetta.**

SINCLAIRE
Origen: Francés.
Significado: Oradora. Nombre en honor a Santa Clara.
Onomástico: No tiene.
Variantes: **Sinclair.**

SINCLÉTICA
Origen: Griego.
Significado: La que es invitada.
Onomástico: No tiene.

SINEAD
Origen: Irlandés.
Significado: Llena de gracia.
Onomástico: No tiene.

SINFOROSA
Origen: Griego.
Significado: Acompañada. Mujer desdichada.
Onomástico: 2 y 18 de julio.
Variantes: Asturiano: **Senfuriana.**

SINTIQUES
Origen: Griego.
Significado: La que llega en una ocasión especial.
Onomástico: No tiene.

SION
Origen: Hebreo.
Significado: Montaña alta.
Onomástico: No tiene.

SIRA
Origen: Latino.
Significado: Deriva de la palabra *sirius*, femenino de *siro*, habitante de Siria, que procede del griego *seirios*, que quema.
Onomástico: 23 de septiembre.
Variantes: **Siria.**

SIRENA
Origen: Griego.
Significado: Hechicera. En la mitología, criaturas mitad mujer mitad pez que con su canto hechizaban a los marineros ocasionando que sus naves chocarán contra las rocas cercanas.

Onomástico: No tiene.
Variantes: **Sirene, Sirine, Syrena.**

SIROUN
Origen: Armenio.
Significado: Adorable.
Onomástico: No tiene.

SISSY
Origen: Irlandés.
Significado: Variante de Cecilia.
Onomástico: No tiene.

SITARA
Origen: Hindi.
Significado: Estrella del amanecer.
Onomástico: No tiene.

SIVE
Origen: Irlandés.
Significado: Dulce.
Onomástico: No tiene.

SIXTA
Origen: Griego.
Significado: Femenino de Sixto. Cortés, educada, amable.
Onomástico: No tiene.

SKYE
Origen: Árabe.
Significado: Donadora de agua.
Onomástico: No tiene.

SLOANA
Origen: Irlandés.
Significado: Guerrera.
Onomástico: No tiene.
Variantes: **Sloan, Sloanne.**

SOCORRO
Origen: Latino.
Significado: En honor de Nuestra Señora del Perpetuo Socorro. Presta a colaborar.
Onomástico: 27 de junio y 5 de septiembre.
Variantes: Catalán: **Socors.** Vasco: **Laguntzane, Sorospen.** Gallego: **Agarimo.** Italiano: **Soccorso.**

SOFÍA
Origen: Griego.
Significado: De *sophia,* sabiduría. Mujer sabia.
Onomástico: 30 de abril.
Variantes: Vasco: **Sope.** Inglés: **Sophia, Sophy.** Francés: **Sophie.** Alemán: **Sophia.** Italiano: **Sophe.**

SOL
Origen: Latino.
Significado: Brillante y luminosa. Oriunda del Este.
Onomástico: 3 de diciembre.
Variantes: Vasco: **Ekhiñe.**

SOLANA
Origen: Español.
Significado: Brillo del Sol.
Onomástico: No tiene.
Variantes: **Solanna, Soley, Solina, Solinda.**

SOLANGE
Origen: Francés.
Significado: Digna. Consagrada a Dios.
Onomástico: No tiene.

SOLEDAD
Origen: Latino.
Significado: Que ama la soledad.
Onomástico: Viernes y Sábado Santos.
Variantes: Catalán: **Soledat.** Vasco: **Bakarne, Bakartxo.** Gallego: **Soidade.** Asturiano: **Soleda, Soledade.**

SOMA
Origen: Hindi.
Significado: Lunar, nacida bajo el signo de cáncer.
Onomástico: No tiene.

SOMMER
Origen: Inglés y árabe.
Significado: Verano. Árabe: Negro.
Onomástico: No tiene.
Variantes: **Somara, Somer.**

SONDRA
Origen: Italiano.
Significado: Variante de Sandra.
Onomástico: No tiene.

SONIA
Origen: Ruso.
Significado: Diminutivo de Sofía (*Sinja*), que se ha convertido en nombre independiente.
Onomástico: 30 de abril.

SOOK
Origen: Coreano.
Significado: Pura.

Onomástico: No tiene.

SOPHEARY

Origen: Camboyano.
Significado: Joven hermosa.
Onomástico: No tiene.

SOPHIA

Origen: Griego.
Significado: Sabia.
Onomástico: No tiene.
Variantes: **Sophie.**

SORARA

Origen: Persa.
Significado: Princesa.
Onomástico: No tiene.

SORAYA

Origen: Persa.
Significado: Princesa. Mujer elocuente.
Onomástico: No tiene.
Variantes: **Suraya.**

SORCHA

Origen: Celta.
Significado: Brillante. Variante de Sara.
Onomástico: No tiene.

SORNE

Origen: Vasco.
Significado: Equivalente de Concepción.
Onomástico: 8 de diciembre.
Variantes: Catalán: **Concepció.** Vasco: **Sorkunde, Konxesi.** Inglés y francés: **Conception.** Italiano: **Concetta.**

SOTERA

Origen: Griego.
Significado: Salvadora.
Onomástico: 10 de febrero.

SPICA

Origen: Latino.
Significado: Nombre de estrella.
Onomástico: No tiene.

SPRING

Origen: Inglés.
Significado: Primavera.
Onomástico: No tiene.
Variantes: **Spryng.**

STACEY

Origen: Griego.
Significado: Resurrección.
Onomástico: No tiene.
Variantes: **Stace, Staicy, Stasey, Staci.**

STACIA

Origen: Griego.
Significado: La que debe ascender otra vez.
Onomástico: No tiene.

STAR

Origen: Hindi.
Significado: Estrella.
Onomástico: No tiene.

STARLA

Origen: Inglés.
Significado: Estrella.
Onomástico: No tiene.
Variantes: **Starrla.**

STARLING

Origen: Inglés.
Significado: Pájaro.
Onomástico: No tiene.

STEFANÍA

Origen: Italiano.
Significado: Coronada por la victoria.
Onomástico: No tiene.

STELLA

Origen: Latino.
Significado: Variante de Estela. Estrella.
Onomástico: No tiene.

STELLA MARIS

Origen: Latino.
Significado: Estrella de mar.
Onomástico: No tiene.

STEPHANIE

Origen: Griego.
Significado: Coronada. Forma femenina de Esteban.
Onomástico: No tiene.
Variantes: **Stefani, Stefania, Stephany.**

STERLING

Origen: Inglés.
Significado: Valorada, moneda de plata.
Onomástico: No tiene.

SUCHIN

Origen: Tailandés.
Significado: Hermoso pensamiento.
Onomástico: No tiene.

SUE
Origen: Inglés.
Significado: Variante de Susana.
Onomástico: No tiene.

SUGAR
Origen: Estadounidense.
Significado: Dulce como el azúcar.
Onomástico: No tiene.
Variantes: **Shug.**

SUGI
Origen: Japonés.
Significado: Árbol de cedro.
Onomástico: No tiene.

SUKE
Origen: Hawaiano.
Significado: Alternativa de Susana.
Onomástico: No tiene.

SUKI
Origen: Japonés.
Significado: La amada.
Onomástico: No tiene.
Variantes: **Sukie.**

SULAMITA
Origen: Hebreo.
Significado: La mansa, la pacífica.
Onomástico: No tiene.

SULTANA
Origen: Árabe.
Significado: La señora absoluta.
Onomástico: No tiene.

SUMATI
Origen: Hindi.
Significado: Unidad.
Onomástico: No tiene.

SUMI
Origen: Japonés.
Significado: Elegante, refinada.
Onomástico: No tiene.
Variantes: **Sumiko.**

SUMMER
Origen: Inglés.
Significado: Verano.
Onomástico: No tiene.

SUN
Origen: Coreano.
Significado: Obediente.
Onomástico: No tiene.
Variantes: **Sundi, Sunya.**

SUNEE
Origen: Tailandés.
Significado: Bueno.
Onomástico: No tiene.
Variantes: **Suni.**

SUN-HI
Origen: Coreano.
Significado: Buena, alegre.
Onomástico: No tiene.

SUNIVA
Origen: Alemán.
Significado: Se puede traducir por radiante, iluminada o Sol.
Onomástico: 8 de julio.

SUNNY
Origen: Inglés.
Significado: Brillante, alegre.
Onomástico: No tiene.
Variantes: **Sunni, Sunnie.**

SUNSHINE
Origen: Inglés.
Significado: Rayo de Sol.
Onomástico: No tiene.

SURATA
Origen: Pakistaní.
Significado: Júbilo.
Onomástico: No tiene.

SURYA
Origen: Pakistaní.
Significado: Dios del Sol.
Onomástico: No tiene.
Variantes: **Suria, Surra.**

SUSANA
Origen: Hebreo.
Significado: Procede de *shus-han-nah*, graciosa azucena.
Onomástico: 24 de mayo, 11 de agosto y 19 de septiembre.
Variantes: Vasco: **Xusana.** Francés: **Suzanne.** Alemán: **Susanna, Suschen, Suzette.**

SUSETTE
Origen: Francés.
Significado: Forma familiar de Susana.
Onomástico: No tiene.
Variantes: **Susetta.**

SUZU
Origen: Japonés.

Significado: Campanita.
Onomástico: No tiene.
Variantes: **Susue, Suzuco.**

SUZUKI
Origen: Japonés.
Significado: Árbol de campanas.
Onomástico: No tiene.

SVETLANA
Origen: Ruso.
Significado: Estrella.
Onomástico: No tiene.

SYA
Origen: Chino.
Significado: Verano.
Onomástico: No tiene.

SYBIL
Origen: Griego.
Significado: Profeta. Los sybils eran oráculos quienes relataban los mensajes de los dioses.
Onomástico: No tiene.
Variantes: **Sib, Sibbie, Sibbill, Sibel, Sibyl.**

SYDELLE
Origen: Hebreo.
Significado: Princesa.
Onomástico: No tiene.

SYDNEY
Origen: Francés.
Significado: Originaria de Denis, Francia.
Onomástico: No tiene.
Variantes: **Cidney, Sy, Syd, Sydel.**

SYING
Origen: Chino.
Significado: Estrella.
Onomástico: No tiene.

SYLVANA
Origen: Latino.
Significado: Bosque.
Onomástico: No tiene.
Variantes: **Silvana, Silvanna, Sylva.**

SYLVIA
Origen: Latino.
Significado: Bosque.
Onomástico: No tiene.
Variantes: **Silvia.**

SYNA
Origen: Griego.
Significado: Dos juntos.
Onomástico: No tiene.

SYREETA
Origen: Hindi.
Significado: Buenas costumbres.
Onomástico: No tiene.
Variantes: **Syrrita.**

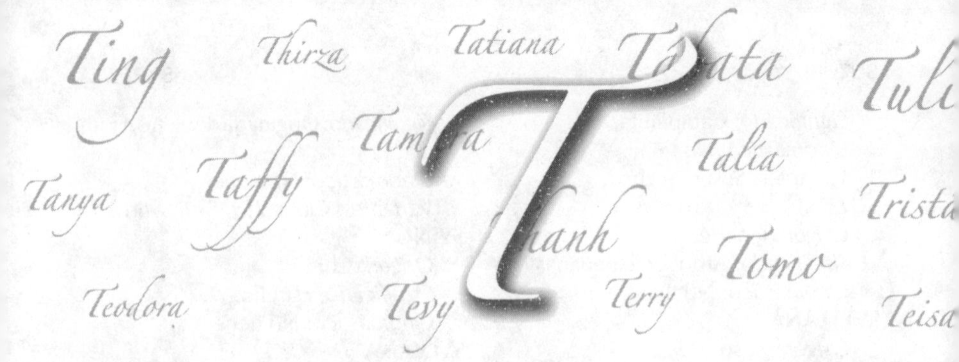

TÁBATA
Origen: Arameo.
Significado: Gacela.
Onomástico: No tiene.
Variantes: **TABATHIA, TABBATHA.**

TABIA
Origen: Swahili.
Significado: Talentosa.
Onomástico: No tiene.
Variantes: **TABEA.**

TABINA
Origen: Árabe.
Significado: Seguidora de Mohamed.
Onomástico: No tiene.

TABITA
Origen: Arameo.
Significado: Deriva de *kthitha*, gacela. Frágil como gacela.
Onomástico: 25 de octubre.

TABITHA
Origen: Griego y arameo.
Significado: Gacela.
Onomástico: No tiene.
Variantes: **TABATHA, TABBI, TABBITHA, TABIATHA, TABITHIA, TABTHA.**

TACEY
Origen: Inglés.
Significado: Calma.
Onomástico: No tiene.

TACIANA
Origen: Latino.
Significado: Que calla.
Onomástico: No tiene.

TÁCITA
Origen: Latino.
Significado: Silenciosa.
Onomástico: No tiene.

TAFFY
Origen: Galés.
Significado: Amada.
Onomástico: No tiene.
Variantes: **TAFFIA, TAFIA, TAFISA, TAFOYA.**

TAHIRA
Origen: Árabe.
Significado: Pura, virginal.
Onomástico: No tiene.
Variantes: **TAHIRAH.**

TAIS
Origen: Griego.
Significado: La que es bella.
Onomástico: No tiene.

TAJA
Origen: Hindi.
Significado: Corona.
Onomástico: No tiene.
Variantes: **TAIJA, TAJAH, TAHAI, TEJA.**

TAKA
Origen: Japonés.
Significado: Honorable.
Onomástico: No tiene.

TAKARA
Origen: Japonés.
Significado: Tesoro.
Onomástico: No tiene.
Variantes: **TAKARAH, TAKARIA, TAKARRA, TAKRA.**

TAKENYA
Origen: Hebreo.
Significado: Cuerno de animal.

Onomástico: No tiene.
Variantes: **TAKENIA.**

TAKI
Origen: Japonés.
Significado: Cascada.
Onomástico: No tiene.
Variantes: **TIKI.**

TAKIA
Origen: Árabe.
Significado: Adorada, devota.
Onomástico: No tiene.
Variantes: **TAKIYA, TAKKIA, TAKYA, TIKIA, TYKIA.**

TALÍA
Origen: Griego.
Significado: Deriva de *thalein*, florecer. Nombre de una de las Tres Gracias y de la musa de la comedia y la poesía jocosa. Mujer fecunda y floreciente.
Onomástico: 27 de julio y 1 de diciembre.
Variantes: **TAHLIA, TALEH, TALIAH, TALIATHA, TALIYAH, TALLIA, TALLYA.**

TALITHA
Origen: Arameo.
Significado: Mujer joven.
Onomástico: No tiene.

TALLIS
Origen: Francés.
Significado: Bosque.
Onomástico: No tiene.
Variantes: **TALICE, TALISA, TALISE, TALLYS.**

TAM
Origen: Vietnamita.
Significado: Corazón.
Onomástico: No tiene.

TAMAH
Origen: Griego.
Significado: Relámpago.
Onomástico: No tiene.

TAMAKA
Origen: Japonés.
Significado: Brazalete.
Onomástico: No tiene.
Variantes: **TAMAKI, TAMAKO, TIMAKA.**

TAMAR
Origen: Hebreo.
Significado: Forma corta de Tamara.
Onomástico: No tiene.
Variantes: **TAMER, TAMOR, TAMOUR.**

TAMARA
Origen: Hebreo.
Significado: Que da protección.
Onomástico: 1 de octubre.
Variantes: Catalán: **TÀMAR, TAMARA.** Asturiano: **TAMAR.**

TAMASSA
Origen: Hebreo.
Significado: Alternativa de Teresa.
Onomástico: No tiene.

TAMEKA
Origen: Arameo.
Significado: Gemela.
Onomástico: No tiene.
Variantes: **TAMECA, TAMECIA, TAMECKA, TEMEKA, TIMEKA, TOMEKA.**

TAMIKA
Origen: Japonés.
Significado: Gente.
Onomástico: No tiene.

TAMIKO
Origen: Japonés.
Significado: Niña de la gente.
Onomástico: No tiene.
Variantes: **TAMI, TAMIKA, TAMIQUA, TAMIYO, TAMIKKO.**

TAMMY
Origen: Inglés.
Significado: Gemela.
Onomástico: No tiene.
Variantes: **TAMLYN, TAMMEY, TAMMI, TAMY, TAMYA.**

TANA
Origen: Eslavo.
Significado: Alternativa de Tania.
Onomástico: No tiene.
Variantes: **TAINA, TANAH, TANARA, TANAZ, TANNA, TANNAH.**

TANDY
Origen: Inglés.
Significado: Equipo.
Onomástico: No tiene.
Variantes: **TANDA, TANDI, TANDIE, TANDRA, TANDRIA.**

TANEYA
Origen: Ruso.
Significado: Alternativa de Tania.

Onomástico: No tiene.
Variantes: **TANEA, TANEAH, TANEIA.**

TANI
Origen: Japonés y eslavo.
Significado: Valle. Eslavo: Hacia la gloria. Forma familiar de Tania.
Onomástico: No tiene.
Variantes: **TAHNI, TANEY, TANIE, TANY.**

TANIA
Origen: Ruso.
Significado: Forma familiar de Tatiana, de Taciana (patronímico de Tacio, rey de los sabinos). Reina de las hadas.
Onomástico: 12 de enero.
Variantes: Gallego y en la *Biblia*: **TATIANA.** Alemán: **TANJA.**

TANITH
Origen: Fenicio.
Significado: Diosa del amor.
Onomástico: No tiene.
Variantes: **TANITHA.**

TANNER
Origen: Inglés.
Significado: Líder de los trabajadores, curtidora.
Onomástico: No tiene.
Variantes: **TANNOR.**

TANSY
Origen: Griego y latino.
Significado: Inmortal. Latín: Tenaz, persistente.
Onomástico: No tiene.
Variantes: **TANCY, TANSEY, TANSHAY.**

TANYA
Origen: Ruso.
Significado: Reina de las hadas.
Onomástico: No tiene.
Variantes: **TANA, TANIA, TANAYA, TANIS, TANIYA, TANKA, TANNIS, TANNYA, TANOYA, TANY, TANYIA, THANYA.**

TAO
Origen: Chino.
Significado: Durazno.
Onomástico: No tiene.

TARA
Origen: Arameo, irlandés y árabe.
Significado: Carga. Irlandés: Colina de rocas. Árabe: Medida.
Onomástico: No tiene.
Variantes: **TAIRA, TAIRRA, TARAH, TARAI.**

TARANEH
Origen: Persa.
Significado: Melodía.
Onomástico: No tiene.

TAREE
Origen: Japonés.
Significado: Rama torcida o encorvada.
Onomástico: No tiene.
Variantes: **TAREA, TAREYA, TARI, TARIA.**

TARSICIA
Origen: Latino.
Significado: Oriunda de Tarso.
Onomástico: No tiene.

TÁRSILA
Origen: Griego.
Significado: Deriva de *thai-sos*, valor, atrevimiento.
Onomástico: 24 de diciembre.
Variantes: Catalán: **TÁRSILA.** Vasco: **TARTSILLE.**

TARSILIA
Origen: Griego.
Significado: La que teje mimbres.
Onomástico: No tiene.

TASARLA
Origen: Gitano.
Significado: Atardecer.
Onomástico: No tiene.

TASHA
Origen: Griego y ruso.
Significado: Nacida en el día de Navidad. Ruso: Forma familiar de Natasha.
Onomástico: No tiene.
Variantes: **TACHA, TACHIANA, TASHAE, TASHANA, TASHE, TASIA.**

TASSOS
Origen: Griego.
Significado: Alternativa de Teresa.
Onomástico: No tiene.

TASYA
Origen: Eslavo.
Significado: Resurrección.
Onomástico: No tiene.

TATIANA
Origen: Ruso.

Significado: Forma rusa del latín *taciana* (patronímico de Tacio, rey de los sabinos).
Onomástico: 12 de enero.
Variantes: **TATYANA.**

TATUM
Origen: Inglés.
Significado: Agradable.
Onomástico: No tiene.

TAURA
Origen: Latino.
Significado: Toro. Tauro signo del zodíaco.
Onomástico: No tiene.
Variantes: **TAURAE, TAURIA, TAURINA.**

TAVIA
Origen: Latino.
Significado: Forma corta de Octavia.
Onomástico: No tiene.
Variantes: **TAIVA, TAUVIA, TAVA, TAVAH.**

TAYLOR
Origen: Inglés.
Significado: Sastre.
Onomástico: No tiene.
Variantes: **TAILOR, TAIYLOR, TALOR, TALORA, TAYLA, TAYLAR, TAYLER, TEYLOR.**

TAYTE
Origen: Escandinavo.
Significado: Feliz.
Onomástico: No tiene.

TAZU
Origen: Japonés.
Significado: Cigüeña.
Onomástico: No tiene.
Variantes: **TAZ, TAZI, TAZIA.**

TEAL
Origen: Inglés.
Significado: Pato de río, azul verdoso.
Onomástico: No tiene.
Variantes: **TEALA, TEALIA, TEALISHA.**

TECA
Origen: Húngaro.
Significado: Alternativa de Teresa.
Onomástico: No tiene.
Variantes: **TECHA, TEKA, TICA, TIKA.**

TECLA
Origen: Griego.
Significado: Deriva de *Thiosleos*, gloria de Dios.
Onomástico: 23 de septiembre.
Variantes: Gallego: **TEGRA.** Francés: **THÈCLE.** Alemán: **THEKLA.**

TEDRA
Origen: Griego.
Significado: Forma corta de Teodora.
Onomástico: No tiene.
Variantes: **TEDDRA, TEDERA, TEIDRA.**

TEISA
Origen: Hebreo.
Significado: Mujer agradable.
Onomástico: No tiene.

TELMA
Origen: Latino.
Significado: Mujer amable.
Onomástico: No tiene.

TEMIRA
Origen: Hebreo.
Significado: Alta.
Onomástico: No tiene.
Variantes: **TEMORA, TIMORA.**

TEMIS
Origen: Griego.
Significado: La que establece el orden y la justicia. Hija de Urano, el cielo y Gea, la Tierra.
Onomástico: No tiene.

TEMPESTA
Origen: Francés.
Significado: Tormenta.
Onomástico: No tiene.
Variantes: **TEMPEST, TEMPESTE.**

TEODELINA
Origen: Alemán.
Significado: La que ama a la gente de su pueblo.
Onomástico: No tiene.
Variantes: **TEODOLINA, TEODOLINDA.**

TEODOMIRA
Origen: Alemán.
Significado: Célebre entre su pueblo.
Onomástico: No tiene.

TEODORA
Origen: Griego.
Significado: De *théos-doron*, don de Dios.

Onomástico: 28 de abril.
Variantes: **Dora, Tiadora, Teodosia, Teodota, Theodora, Theodosia.**

TEODOSIA
Origen: Griego.
Significado: De *théos-doron*, don de Dios.
Onomástico: 29 mayo.
Variantes: **Teodata.**

TEOFANÍA
Origen: Griego.
Significado: Manifestación de Dios.
Onomástico: No tiene.

TEÓFILA
Origen: Griego.
Significado: Deriva de *Teóphilos*, amiga de Dios.
Onomástico: 28 de diciembre.

TEOTELT
Origen: Náhuatl.
Significado Piedra divina.
Onomástico: No tiene.

TERA
Origen: Latino y japonés.
Significado: Tierra. Japonés: Flecha rápida.
Onomástico: No tiene.
Variantes: **Terah, Terai, Terrah.**

TERESA
Origen: Griego.
Significado: Mujer cazadora.
Onomástico: 15 de octubre.
Variantes: Vasco: **Terese, Tetxa.** Gallego: **Tareixa.** Asturiano: **Taresa.** Inglés: **Theresa.** Francés: **Tliérèse.**

TERI
Origen: Griego.
Significado: Campesina. Forma familiar de Teresa.
Onomástico: No tiene.
Variantes: **Terie.**

TERPSÍCORE
Origen: Griego.
Significado: Deriva de *terpsis-choros*, coro agradable. En la mitología, musa de la danza y del canto coral. Mujer que ama la danza.
Onomástico: No tiene.

TERRENE
Origen: Latino.
Significado: Dulce, tierna.
Onomástico: No tiene.
Variantes: **Tarena, Teran, Terena, Terencia, Terenia, Terentia, Terina, Terrina.**

TERRI
Origen: Griego.
Significado: Campesina.
Onomástico: No tiene.
Variantes: **Terria, Terrie.**

TERRY
Origen: Inglés.
Significado: Variante de Teresa.
Onomástico: 15 de octubre.

TERTIA
Origen: Latino.
Significado: Tercera.
Onomástico: No tiene.
Variantes: **Tercia, Tercina, Tersia.**

TESIA
Origen: Polaco.
Significado: Amada por Dios.
Onomástico: No tiene.

TESIRA
Origen: Griego.
Significado: La fundadora.
Onomástico: No tiene.

TESS
Origen: Griego.
Significado: Segar. Forma corta de Teresa.
Onomástico: No tiene.
Variantes: **Tes, Tese.**

TESSA
Origen: Inglés.
Significado: Variante de Teresa.
Onomástico: 15 de octubre.

TETIS
Origen: Griego.
Significado: La nodriza.
Onomástico: No tiene.

TETL
Origen: Náhuatl.
Significado: Piedra.
Onomástico: No tiene.

TETSU
Origen: Japonés.
Significado: Fuerte como el acero.

Onomástico: No tiene.

TEVY

Origen: Camboyano.
Significado: Ángel.
Onomástico: No tiene.
Variantes: **TEVA.**

THADDEA

Origen: Griego.
Significado: Mujer con coraje. Forma femenina de Tadeo.
Onomástico: No tiene.
Variantes: **THADA, THADEA.**

THAIS

Origen: Griego.
Significado: Puede derivar de *thais*, tocado para la cabeza.
Onomástico: 8 de octubre.

THALASSA

Origen: Griego.
Significado: Mar, océano.
Onomástico: No tiene.

THALÍA

Origen: Griego.
Significado: En la mitología, musa de la comedia.
Onomástico: No tiene.

THANA

Origen: Árabe.
Significado: Ocasión feliz.
Onomástico: No tiene.
Variantes: **THAINA, THANIA.**

THANH

Origen: Vietnamita.
Significado: Brillo azul.
Onomástico: No tiene.
Variantes: **THANYA.**

THAO

Origen: Vietnamita.
Significado: Respetada por sus padres.
Onomástico: No tiene.

THEA

Origen: Griego.
Significado: Diosa. Femenino de Theo.
Onomástico: No tiene.

THEKLA

Origen: Griego.
Significado: Fama divina.
Onomástico: No tiene.

THELMA

Origen: Griego.
Significado: Esperanza, buen futuro.
Onomástico: No tiene.
Variantes: **THELMALINA.**

THEODORA

Origen: Griego.
Significado: Regalo de Dios.
Onomástico: No tiene.
Variantes: **TEDDI, TEDRA, TEODORA, TEODORY, THEDA, THEDORSA, THEODORINA, THEODORIA.**

THEONE

Origen: Griego.
Significado: Regalo de Dios.
Onomástico: No tiene.
Variantes: **THEO.**

THEOPHANIA

Origen: Griego.
Significado: Apariencia de Dios.
Onomástico: No tiene.
Variantes: **THEO, THEOPHANIE.**

THEOPHILA

Origen: Griego.
Significado: Amada por Dios.
Onomástico: No tiene.
Variantes: **THEO, TEO, TEOFILA.**

THERA

Origen: Griego.
Significado: Salvaje.
Onomástico: No tiene.

THETIS

Origen: Griego.
Significado: Deshecha. Madre de Aquiles.
Onomástico: No tiene.

THI

Origen: Vietnamita.
Significado: Poema.
Onomástico: No tiene.
Variantes: **THIA, THY, THYA.**

THINA

Origen: Griego.
Significado: Sabia.
Onomástico: No tiene.
Variantes: **TINA.**

THIRZA

Origen: Hebreo.
Significado: Complaciente.

Onomástico: No tiene.
Variantes: **THIRSA, THIRZAH, THYRZA, TIRZA.**

THOMASINA
Origen: Hebreo.
Significado: Gemela.
Onomástico: No tiene.
Variantes: **THOMASA, THOMASIA, TOMASIN, TOMA, TOMASA, TOMINA.**

THORA
Origen: Escandinavo.
Significado: Relámpago. Forma femenina de Thor.
Onomástico: No tiene.
Variantes: **THORDIA, THORDIS, THORRI.**

THUY
Origen: Vietnamita.
Significado: Amable.
Onomástico: No tiene.

THYRA
Origen: Griego.
Significado: Portadora de escudo.
Onomástico: No tiene.

TIA
Origen: Griego.
Significado: Princesa.
Onomástico: No tiene.
Variantes: **TII, TIIA.**

TIANA
Origen: Griego.
Significado: Princesa.
Onomástico: No tiene.
Variantes: **TIAHNA, TIANAH.**

TIARA
Origen: Latino.
Significado: Coronada.
Onomástico: No tiene.
Variantes: **TIARI, TYARA.**

TIBERIA
Origen: Latino.
Significado: El río Tiber en Italia. Oriunda del Tiber.
Onomástico: No tiene.
Variantes: **TIB, TIBBIE.**

TIBURCIA
Origen: Latino.
Significado: Oriunda de Tívoli, Italia.
Onomástico: No tiene.

TICIANA
Origen: Latino.
Significado: Femenino de Tito. Valiente y arriesgada defensora.
Onomástico: No tiene.
Variantes: **TITA, TIZIANA.**

TIDA
Origen: Tailandés.
Significado: Hija.
Onomástico: No tiene.

TIERNEY
Origen: Irlandés.
Significado: Noble.
Onomástico: No tiene.
Variantes: **TIERNY.**

TIFFANY
Origen: Griego.
Significado: Proviene de *Theophania,* que deriva del latín y que significa Trinidad.
Onomástico: No tiene.

TILDA
Origen: Inglés.
Significado: Forma familiar de Matilda, y ésta del germánico *math-hild,* guerrero fuerte.
Onomástico: 14 de marzo.

TILLY
Origen: Inglés.
Significado: Variante de Matilde, y ésta del germánico *math-hild,* guerrero fuerte.
Onomástico: 14 de marzo.

TIMANDRA
Origen: Griego.
Significado: Hija del héroe.
Onomástico: No tiene.

TIMOTHEA
Origen: Inglés y griego.
Significado: Honorable a Dios. Forma femenina de Timoteo. Griego: La que honra y alaba a Dios.
Onomástico: No tiene.
Variantes: **THEA, TIMI, TIMOTEA.**

TINA
Origen: Español.
Significado: Forma familiar de Agustina, Martina, Cristina, Valentina, Cle-

mentina, etcétera.
Onomástico: No tiene.
Variantes: **Tinai, Tinia, Tinna, Tyna.**

TING
Origen: Chino.
Significado: Equilibrada, llena de gracia.
Onomástico: No tiene.

TIPHANIE
Origen: Latino.
Significado: Alternativa de Tiffany.
Onomástico: No tiene.
Variantes: **Tiphani, Tiphany.**

TIPONYA
Origen: Estadounidense.
Significado: Gran y honorable búho.
Onomástico: No tiene.

TIPPER
Origen: Irlandés.
Significado: Agua pura.
Onomástico: No tiene.

TIRA
Origen: Hindi.
Significado: Flecha.
Onomástico: No tiene.
Variantes: **Tirah, Tirena.**

TIRSA
Origen: Hebreo.
Significado: Delicia.
Onomástico: No tiene.

TIRTHA
Origen: Hindi.
Significado: Vado de río.
Onomástico: No tiene.

TIRZA
Origen: Hebreo.
Significado: Complaciente.
Onomástico: No tiene.
Variantes: **Thirza, Tirsa, Tirzah.**

TISA
Origen: Swahili.
Significado: Novena en nacer.
Onomástico: No tiene.
Variantes: **Tisah, Tysa.**

TISHA
Origen: Latino.
Significado: Gozo, alegría. Forma corta de Leticia.
Onomástico: No tiene.
Variantes: **Tieshia, Tish, Tishal, Tishia, Tyshia.**

TITA
Origen: Griego y español.
Significado: Gigante. Español: Diminutivo de los nombres con terminación tita.
Onomástico: No tiene.

TITANIA
Origen: Inglés.
Significado: Nombre que Shakespeare inventó para la reina de las hadas en su obra *El sueño de una noche de verano*.
Onomástico: No tiene.

TITL
Origen: Náhuatl.
Significado: Nuestro vientre.
Onomástico: No tiene.

TIVONA
Origen: Hebreo.
Significado: Amante natural.
Onomástico: No tiene.

TLALEOCHICHUÁLATL
Origen: Náhuatl.
Significado: Agua bendita.
Onomástico: No tiene.

TLALI
Origen: Náhuatl.
Significado: Tierra.
Onomástico: No tiene.

TLAYEQUITALI
Origen: Náhuatl.
Significado: Agradable.
Onomástico: No tiene.

TLAZOLTÉOTL
Origen: Náhuatl.
Significado: Diosa de la Tierra y del amor.
Onomástico: No tiene.

TOBI
Origen: Hebreo.
Significado: Dios es bueno. Forma femenina de Tobías.
Onomástico: No tiene.
Variantes: **Tobey, Tobie, Tobit, Toby, Tovi.**

TOKI
Origen: Japonés.

Significado: Esperanza.
Onomástico: No tiene.
Variantes: **Toko, Tokoya, Tokyo.**

TOLA
Origen: Polaco.
Significado: Sin precio.
Onomástico: No tiene.

TOMASA
Origen: Arameo.
Significado: Deriva de *thoma*, gemelo, mellizo.
Onomástico: 7 de marzo y 3 de julio.
Variantes: Vasco: **Tome, Tomasi.** Italiano: **Tommasa.**

TOMI
Origen: Japonés.
Significado: Rica, adinerada.
Onomástico: No tiene.
Variantes: **Tomie.**

TOMO
Origen: Japonés.
Significado: Inteligente.
Onomástico: No tiene.
Variantes: **Tomoko.**

TONI
Origen: Griego y latino.
Significado: Fluorescente. Latín: Digno de alabanza. Forma familiar de Antonia.
Onomástico: No tiene.
Variantes: **Toney, Tonia.**

TONYA
Origen: Eslavo.
Significado: Reina justa.
Onomástico: No tiene.
Variantes: **Tonia, Tonnya.**

TOPACIO
Origen: Latino.
Significado: Gema amarilla oro.
Onomástico: No tiene.
Variantes: **Topaz, Topaza.**

TOPSY
Origen: Inglés.
Significado: En la cima.
Onomástico: No tiene.
Variantes: **Topsie.**

TORA
Origen: Japonés.
Significado: Tigre.
Onomástico: No tiene.

TORI
Origen: Japonés.
Significado: Pájaro.
Onomástico: No tiene.
Variantes: **Toria, Torie, Torri.**

TORIBIA
Origen: Griego.
Significado: Que fabrica arcos.
Onomástico: No tiene.

TORY
Origen: Latino e inglés.
Significado: Forma familiar de Victoria. Inglés: Victoriosa.
Onomástico: No tiene.
Variantes: **Torey, Tori, Torry.**

TOSCANA
Origen: Latino.
Significado: La que nació en Etruria, Toscana.
Onomástico: No tiene.

TOSHI
Origen: Japonés.
Significado: Reflejo en el espejo.
Onomástico: No tiene.
Variantes: **Toshie, Toshiko, Toshikyo.**

TOVAH
Origen: Hebreo.
Significado: Dios, buena.
Onomástico: No tiene.
Variantes: **Tova, Tovia.**

TRACEY
Origen: Latino.
Significado: Guerrera.
Onomástico: No tiene.
Variantes: **Trace, Traci, Tracie, Tracy.**

TRÁNSITO
Origen: Latino.
Significado: La que transita a otra vida.
Onomástico: No tiene.

TRAVA
Origen: Checo y eslavo.
Significado: Plantitas de primavera. Eslavo: Pasto fresco.
Onomástico: No tiene.

TREVINA
Origen: Irlandés.

Significado: Prudente.
Onomástico: No tiene.
Variantes: **TREVA, TREVIA, TREVIN, TREVONA.**

TRICIA
Origen: Latino.
Significado: Variante de Patricia.
Onomástico: No tiene.

TRILBY
Origen: Inglés.
Significado: Sombrero suave.
Onomástico: No tiene.
Variantes: **TRIBI.**

TRINA
Origen: Griego.
Significado: Pura.
Onomástico: No tiene.
Variantes: **TRIANA, TRINIA, TRIND, TRINDA.**

TRINIDAD
Origen: Latino.
Significado: Nombre católico. Reunión de tres. Alusión a la Santísima Trinidad.
Onomástico: El domingo después del Domingo de Pentecostés.
Variantes: Vasco: **HIRUNE.** Gallego: **TRINDADE.** Asturiano: **TRINIDÁ.**

TRISHA
Origen: Latino.
Significado: Mujer de la nobleza. Fonema familiar de Patricia.
Onomástico: No tiene.

TRISTÁN
Origen: Latino.
Significado: Calva.
Onomástico: No tiene.
Variantes: **TRISTA, TRISTIÁN, TRISTIANA.**

TRISTANA
Origen: Latino.
Significado: Que lleva consigo la tristeza.
Onomástico: No tiene.

TRIX
Origen: Inglés.
Significado: Forma familiar de Beatrix (Beatriz).
Onomástico: No tiene.
Variantes: **TRIXIE.**

TROYA
Origen: Irlandés y latino.
Significado: Soldado parado. Latín: La que ofende.
Onomástico: No tiene.
Variantes: **TROIA, TROIANA, TROY.**

TRUDE
Origen: Escandinavo.
Significado: Princesa con lanza. Variante de Gertrudis.
Onomástico: No tiene.

TRUDY
Origen: Alemán.
Significado: Amada. Forma familiar de Gertrudis.
Onomástico: No tiene.
Variantes: **TRUDA, TRUDEY, TRUDI, TRUDIE.**

TRYNE
Origen: Alemán.
Significado: Pura.
Onomástico: No tiene.
Variantes: **TRINE.**

TRYPHENA
Origen: Latino.
Significado: Delicada.
Onomástico: No tiene.

TU
Origen: Chino.
Significado: Jade.
Onomástico: No tiene.

TULA
Origen: Hindi.
Significado: Nacida en el mes lunar de Capricornio. Variante de Gertrudis. Que levanta el ánimo.
Onomástico: No tiene.
Variantes: **TULAH, TULLA, TULLAH, TUULA.**

TULIA
Origen: Latino.
Significado: Femenino de Tulio. Recibe honra, elevada por Dios.
Onomástico: No tiene.

TULLIA
Origen: Irlandés.
Significado: Pacífica, tranquila.
Onomástico: No tiene.
Variantes: **TULLIAH.**

TULSI
Origen: Hindi.
Significado: Albahaca, hierba sagrada de la India.
Onomástico: No tiene.
Variantes: **Tulsia.**

TURQUESA
Origen: Francés.
Significado: Piedra semipreciosa color azul verde originaria de Turquía. Alusión a ese color.
Onomástico: No tiene.

TUYEN
Origen: Vietnamita.
Significado: Ángel.
Onomástico: No tiene.

TUYET
Origen: Vietnamita.
Significado: Nieve.
Onomástico: No tiene.

TYLER
Origen: Inglés.
Significado: Sastra.
Onomástico: No tiene.

TYNE
Origen: Inglés.
Significado: Río.
Onomástico: No tiene.
Variantes: **Tine, Tyna.**

TYRA
Origen: Escandinavo.
Significado: Guerrera. En la mitología, Tyr era el dios de las batallas.
Onomástico: No tiene.
Variantes: **Tyrah, Tyran.**

TZITZIN
Origen: Náhuatl.
Significado: Campana.
Onomástico: No tiene.

TZOPELETL
Origen: Náhuatl.
Significado: Agua dulce.
Onomástico: No tiene.

TZUNUNINHA
Origen: Maya.
Significado: Agua de gorriones.
Onomástico: No tiene.

U
Origen: Coreano.
Significado: Amable.
Onomástico: No tiene.

UBALDINA
Origen: Alemán.
Significado: Femenino de Ubaldo. Audaz, atrevida, inteligente. Mujer inteligente.
Onomástico: No tiene.

UDELE
Origen: Inglés.
Significado: Próspera.
Onomástico: No tiene.
Variantes: **Uda, Udella.**

ULA
Origen: Vasco, irlandés, español y escandinavo.
Significado: La Virgen María. Irlandés: Joya de mar. Español: Alternativa de Eulalia. Escandinavo: Rica, adinerada.
Onomástico: No tiene.
Variantes: **Uli, Ulla.**

ULANI
Origen: Polineso.
Significado: Alegría, gozo.
Onomástico: No tiene.
Variantes: **Ulana, Ulane.**

ULFAH
Origen: Árabe.
Significado: Familiar.
Onomástico: No tiene.

ULIMA
Origen: Árabe.
Significado: Astuta, sabia.
Onomástico: No tiene.
Variantes: **Ullima.**

ULLA
Origen: Celta.
Significado: Joya del mar.
Onomástico: No tiene.

ULRICA
Origen: Alemán.
Significado: Jefe de lobos, jefe de todo.
Onomástico: No tiene.
Variantes: **Ulka, Ullrica, Ullrika.**

ÚLTIMA
Origen: Latino.
Significado: La última, la más lejana.
Onomástico: No tiene.

ULULANI
Origen: Hawaiano.
Significado: Inspiración del cielo.
Onomástico: No tiene.

ULVA
Origen: Alemán.
Significado: Loba.
Onomástico: No tiene.

UMA
Origen: Hindi.
Significado: En la mitología, uno de los nombres de la diosa Shakti. Significa madre.
Onomástico: No tiene.

UMAY
Origen: Turco.
Significado: Esperanza.
Onomástico: No tiene.
Variantes: **Umai.**

UMBELINA
Origen: Alemán.
Significado: Deriva de *hund*, caudillo. Que protege con su sombra.
Onomástico: 12 de febrero.

UMEKO
Origen: Japonés.
Significado: Mujer paciente.
Onomástico: No tiene.

UMMIKA
Origen: Hindi.
Significado: Diosa.
Onomástico: No tiene.

UNA
Origen: Latino.
Significado: Una, unidad, la única.
Onomástico: No tiene.
Variantes: **UNNA, UNY.**

UNDINE
Origen: Latino.
Significado: Ola pequeña. Los undines o undinos eran los espíritus del agua.
Onomástico: No tiene.
Variantes: **UNDENE.**

UNIQUE
Origen: Latino.
Significado: La única.
Onomástico: No tiene.
Variantes: **UNIKA, UNIQUA, UNIQUIA.**

UNITY
Origen: Inglés.
Significado: Unidad.
Onomástico: No tiene.
Variantes: **UINITA, UNITA.**

UNN
Origen: Noruego.
Significado: Ella es la amada.
Onomástico: No tiene.

UNNA
Origen: Alemán.
Significado: Mujer.
Onomástico: No tiene.

URANIA
Origen: Griego.
Significado: Celestial. La musa de la astrología. Como el cielo.
Onomástico: No tiene.
Variantes: **URANYA.**

URBANA
Origen: Latino.
Significado: Habitante de ciudad.
Onomástico: No tiene.
Variantes: **URBANAH, URBANNA.**

URIA
Origen: Hebreo.
Significado: Luz de mi señor.
Onomástico: No tiene.

URIANA
Origen: Griego.
Significado: Lo desconocido.
Onomástico: No tiene.

URIT
Origen: Hebreo.
Significado: Brillo.
Onomástico: No tiene.
Variantes: **URICE.**

URSA
Origen: Griego.
Significado: Forma corta de Úrsula.
Onomástico: No tiene.
Variantes: **URSI.**

URRACA
Origen: Español.
Significado: Nombre frecuente en la Edad Media en España que se asimila a María. Alusión al ave del mismo nombre.
Onomástico: 15 de agosto.
Variantes: Vasco: **UNAKA.**

URSINA
Origen: Latino.
Significado: La pequeña osa.
Onomástico: No tiene.

ÚRSULA
Origen: Latino.
Significado: Deriva de *ursula*, osita.
Onomástico: 21 de octubre.
Variantes: Vasco: **URTSULE.** Francés: **URSULE.** Alemán: **URSEL.** Italiano: **ORSOLA.** Latín: **URSALA, URSULINA, URSY.**

URVI
Origen: Hindi.
Significado: La Tierra.
Onomástico: No tiene.

USHA
Origen: Hindi.
Significado: Sonriente.

Onomástico: No tiene.

USHI

Origen: Chino.
Significado: Signo zodiacal.
Onomástico: No tiene.

UTA

Origen: Alemán y japonés.
Significado: Rica, adinerada. Japonés: Poema.
Onomástico: No tiene.
Variantes: **Utako, Ute.**

UXUÉ

Origen: Vasco.
Significado: Advocación mariana que significa paloma. Nuestra Señora de Uxué.
Onomástico: 31 de diciembre.

UZURI

Origen: Swahili.
Significado: Belleza.
Onomástico: No tiene.

VAHE
Origen: Armenio.
Significado: Fuerza.
Onomástico: No tiene.

VAIL
Origen: Inglés.
Significado: Valle.
Onomástico: No tiene.
Variantes: **Vale, Vayle.**

VAL
Origen: Latino.
Significado: Forma corta de Valentina.
Onomástico: No tiene.
Variantes: **Valeria.**

VALA
Origen: Inglés.
Significado: Elegida.
Onomástico: No tiene.

VALBURGA
Origen: Alemán.
Significado: La que defiende en el campo la batalla.
Onomástico: No tiene.

VALDA
Origen: Alemán.
Significado: Dirigente famosa. Forma femenina de Valdo.
Onomástico: No tiene.
Variantes: **Valida, Velda.**

VALDRADA
Origen: Alemán.
Significado: La que da consejos.
Onomástico: No tiene.

VALENCIA
Origen: Español.
Significado: Fuerte. Región al Este de España.
Onomástico: No tiene.
Variantes: **Valecia, Valenzia.**

VALENTINA
Origen: Latino.
Significado: Procede de *valens*, valiente, fuerte, robusto. De sangre vigorosa.
Onomástico: 25 de julio.
Variantes: Vasco: **Balen, Balene.**

VALERIA
Origen: Latino.
Significado: Deriva del verbo *valeu*, valer, ser eficaz.
Onomástico: 9 de diciembre.
Variantes: **Valerie.**

VALERIANA
Origen: Latino.
Significado: Del nombre *Valerianus*, fuerte y sano.
Onomástico: 15 de septiembre.
Variantes: Vasco: **Balen, Balene.**

VALESKA
Origen: Eslavo.
Significado: Gloriosa, jefa.
Onomástico: No tiene.
Variantes: **Valesca, Valeshia, Valezka.**

VALMA
Origen: Finlandés.
Significado: Leal defensora.
Onomástico: No tiene.

VALONIA
Origen: Latino.
Significado: Valle de sombras.
Onomástico: No tiene.

Variantes: **VALLON, VALONA.**

VALQUIRIA

Origen: Escandinavo.

Significado: La que envía al sacrificio. En la mitología nórdica, divinidad que acompaña a los guerreros en el combate y designaba quién iba a morir.

Onomástico: No tiene.

Variantes: **WALKIRIA.**

VALVANERA

Origen: Latino.

Significado: Nombre de advocación mariana en honor de la Virgen de Valvanera.

Onomástico: Segundo domingo de septiembre.

VANDA

Origen: Alemán.

Significado: Protectora de los extranjeros.

Onomástico: No tiene.

Variantes: **WANDA.**

VANESA

Origen: Inglés.

Significado: Mariposa de colores.

Onomástico: 1 de noviembre.

Variantes: **VANESSA.**

VANIA

Origen: Ruso.

Significado: Ana.

Onomástico: No tiene.

Variantes: **VANINA, VANJA, VANKA, VANNIA.**

VANINA

Origen: Italiano.

Significado: Forma reducida de Giovannina. Variante de Juana. Llena de gracia.

Onomástico: No tiene.

VANITY

Origen: Inglés.

Significado: Vanidad.

Onomástico: No tiene.

Variantes: **VANITI.**

VANNA

Origen: Camboyano.

Significado: Oro.

Onomástico: No tiene.

Variantes: **VANA, VANNAH.**

VANORA

Origen: Galés.

Significado: Ola blanca.

Onomástico: No tiene.

Variantes: **VANNORA.**

VANYA

Origen: Ruso.

Significado: Regalo bondadoso de Dios.

Onomástico: No tiene.

VARDA

Origen: Hebreo.

Significado: Rosa.

Onomástico: No tiene.

Variantes: **VADIT, VARDIA, VARDINA.**

VARVARA

Origen: Latino.

Significado: Extranjera.

Onomástico: No tiene.

Variantes: **VARA, VAVKA.**

VASHTI

Origen: Persa.

Significado: Querida. Mujer de Ahasuerus, rey de Persia.

Onomástico: No tiene.

VEDA

Origen: Hindi.

Significado: Nombre de origen sánscrito que significa sabia. Los Vedas son los escritos sagrados del hinduismo.

Onomástico: No tiene.

VEGA

Origen: Latino.

Significado: Advocación mariana. Nuestra Señora de la Vega, patrona de Benavente (Zamora), Vegas de Pas (Cantabria) y Haro (La Rioja).

Onomástico: Segundo lunes después del Domingo de Pascua y 8 de septiembre.

VELANIA

Origen: Latino.

Significado: En la mitología, esposa del dios Jano.

Onomástico: No tiene.

VELIA

Origen: Latino.

Significado: Lugar elevado.
Onomástico: No tiene.

VELIKA
Origen: Eslavo.
Significado: Grandiosa.
Onomástico: No tiene.

VELMA
Origen: Alemán.
Significado: Variante de Guillermina.
Onomástico: No tiene.

VELVET
Origen: Inglés.
Significado: Terciopelo.
Onomástico: No tiene.

VENANCIA
Origen: Latino.
Significado: De *Venantium*, y éste de *venator*, cazador.
Onomástico: 18 de mayo.
Variantes: **VENANCE, VEANTIUS, VENANZIA.**

VENECIA
Origen: Latino.
Significado: Mujer de Venecia.
Onomástico: No tiene.
Variantes: **VENETIA, VENEZIA.**

VENERANDA
Origen: Latino.
Significado: Deriva de *venerandus*, digna de veneración.
Onomástico: 14 de noviembre.

VENTURA
Origen: Latino.
Significado: La que tiene felicidad y dicha.
Onomástico: No tiene.

VENUS
Origen: Latino.
Significado: Era el nombre latino de Afrodita, diosa de la belleza y el amor.
Onomástico: No tiene.

VERA
Origen: Latino.
Significado: De *vera*, verdadera, sincera.
Onomástico: 1 de agosto.

VERBENA
Origen: Latino.
Significado: Plantas sagradas que incluyen olivo, laurel y mirra. Mujer que goza de salud.
Onomástico: No tiene.
Variantes: **VERBINA.**

VERDA
Origen: Latino.
Significado: Joven, fresca.
Onomástico: No tiene.
Variantes: **VERDI, VIRIDIANA, VIRIDIS.**

VERDAD
Origen: Español.
Significado: Verdadera.
Onomástico: No tiene.

VEREDIGNA
Origen: Latino.
Significado: La que tiene grandes méritos por su dignidad.
Onomástico: No tiene.

VERENA
Origen: Latino.
Significado: De *venerabilis*, venerable.
Onomástico: 1 de septiembre.

VERENICE
Origen: Griego.
Significado: Proviene de *bere-niké*, portadora de la victoria. Variante de Berenice.
Onomástico: 4 de febrero y l0 de julio.

VERIDIANA
Origen: Latino.
Significado: De *vera*, verdadera, sincera, que dice la verdad.
Onomástico: 1 de febrero.

VERITY
Origen: Inglés.
Significado: Verdad.
Onomástico: No tiene.

VERNA
Origen: Latino.
Significado: Tiempo de primavera. Nacida en primavera.
Onomástico: No tiene.
Variantes: **VERASHA, VERLA, VERNIA, VIRNA.**

VERNICE
Origen: Griego.
Significado: Proviene de *bere-niké*,

portadora de la victoria. Variante de Berenice.
Onomástico: 29 de junio y 4 de octubre.

VERÓNICA
Origen: Griego.
Significado: Deriva de *vera-ellcon,* verdadera imagen. Es una variante de Berenice, que proviene del griego *hereniled,* portadora de la victoria.
Onomástico: 4 de febrero y 10 de julio.
Variantes: **BERONIKE, VÉRONIQUE, VERONIKA.**

VESNA
Origen: Eslavo.
Significado: Primavera.
Onomástico: No tiene.

VESPERA
Origen: Latino.
Significado: Estrella del atardecer.
Onomástico: No tiene.

VESTA
Origen: Griego.
Significado: Con presencia obtiene la victoria.
Onomástico: No tiene.
Variantes: **VEST, VESTERIA.**

VEVILA
Origen: Celta.
Significado: Mujer con voz melodiosa.
Onomástico: No tiene.

VEVINA
Origen: Hebreo.
Significado: Dama dulce.
Onomástico: No tiene.

VI
Origen: Francés.
Significado: Forma familiar de Viola, Violeta, Silvia.
Onomástico: No tiene.
Variantes: **VYE.**

VIANCA
Origen: Español.
Significado: Alternativa de Bianca.
Onomástico: No tiene.
Variantes: **VIANICA.**

VICENTA
Origen: Latino.
Significado: Deriva de *vicens,* vencedor.
Onomástico: 25 de mayo y 4 de junio.
Variantes: Vasco: **BINGENE.**

VICKY
Origen: Latino.
Significado: Forma familiar de Victoria, Virginia.
Onomástico: No tiene.
Variantes: **VICKIE, VIKY, VICKI.**

VICTORIA
Origen: Latino.
Significado: Deriva de Víctor, vencedor.
Variantes: Vasco: **BITTORE, GARAIZT, GARAIÑE.** Gallego: **VITORIA.** Francés: **VICTOIRE.** Inglés: **VICKY.** Alemán: **VIKTORIA.** Italiano: **VITTORIA.**

VICTORIANA
Origen: Latino.
Significado: De *vincere,* vencer.
Onomástico: 19 de septiembre.

VIDONIA
Origen: Portugués.
Significado: Ramita de viñedo.
Onomástico: No tiene.
Variantes: **VEDONIA.**

VIENNA
Origen: Latino.
Significado: Capital de Austria.
Onomástico: No tiene.
Variantes: **VENA, VENNA, VINA.**

VILANA
Origen: Latino.
Significado: Diminutivo de villa, habitante de un pequeño sitio o pueblo.
Onomástico: 29 de enero.
Variantes: **VILANNA.**

VILMA
Origen: Alemán.
Significado: Deriva de *will-helm,* yelmo voluntarioso, por extensión, protector decidido. Variante de Guillermina.
Onomástico: 10 de enero y 6 de abril.

Variantes: Catalán: **Guilleuma.** Vasco: **Gullelme.**

VINA

Origen: Hindi, español e inglés.
Significado: Instrumento musical tocado por la diosa de la sabiduría. Español: Viñedo. Inglés: Forma familiar de Alvina.
Onomástico: No tiene.
Variantes: **Viña, Vinesha, Vinia, Vinna, Vyna.**

VIOLA

Origen: Latino.
Significado: De *viola*, violeta.
Onomástico: 3 de mayo.

VIOLANTE

Origen: Alemán.
Significado: Deriva de *wioland*, riqueza, abundancia.
Onomástico: 28 de diciembre.
Variantes: Catalán: **Violant.**

VIOLETA

Origen: Latino.
Significado: Deriva de *viola*, violeta. Variante de Viola.
Onomástico: 4 de agosto.
Variantes: **Violet, Violette, Violetta.**

VIRGILIA

Origen: Latino.
Significado: Quien maneja la cuerda. Forma femenina de Virgilio.
Onomástico: No tiene.
Variantes: **Virgillia.**

VIRGINIA

Origen: Latino.
Significado: Nombre de la gens romana Virginia, que a su vez deriva del latín *virgo*, virgen.
Onomástico: 21 de mayo, 14 de agosto y 15 de diciembre.
Variantes: Gallego y asturiano: **Virxinia.** Francés: **Virginie.**

VIRIDIANA

Origen: Latino.
Significado: De *viridis*, fresco, juvenil.
Onomástico: 13 de febrero.
Variantes: **Viridienne, Verdiana.**

VIRIDIS

Origen: Latino.
Significado: Verde.
Onomástico: No tiene.
Variantes: **Virdis, Virida, Viridia, Viridiana.**

VIRTUD

Origen: Latino.
Significado: Virtuosa.
Onomástico: No tiene.

VIRTUDES

Origen: Latino.
Significado: De *virtus, virtutis*; virtud, ventaja, mérito, perfección de la moral.
Onomástico: 15 de agosto.
Variantes: Vasco: **Kemen.** Asturiano: **Virtú, Virtues.**

VISIA

Origen: Latino.
Significado: De *vicionis*, visión, representación de una idea.
Onomástico: 12 de abril.

VITA

Origen: Latino.
Significado: Vida.
Onomástico: No tiene.
Variantes: **Veta, Vitaliana, Vital, Vitka.**

VITALIA

Origen: Latino.
Significado: La que está llena de vida.
Onomástico: No tiene.
Variantes: **Vitalina.**

VITORIA

Origen: Español.
Significado: Alternativa de Victoria.
Onomástico: No tiene.
Variantes: **Vittoria.**

VIV

Origen: Inglés.
Significado: Alternativa de Vivien.
Onomástico: No tiene.

VIVALDA

Origen: Latino.
Significado: De *vivar*, vivaz, inteligente, de larga vida.
Onomástico: 11 de mayo.

VIVECA

Origen: Inglés.

Significado: Variante de Viviana. Deriva del latín *vividus*, vivo, animado, fogoso.
Onomástico: 28 de agosto.

VIVEKA
Origen: Alemán.
Significado: Pequeña mujer.
Onomástico: No tiene.

VIVI
Origen: Latino.
Significado: Forma familiar de Viviana, Silvia.
Onomástico: No tiene.

VIVIANA
Origen: Latino.
Significado: Deriva de *vividus*, vivo, animado, fogoso.
Onomástico: 28 de agosto.
Variantes: Catalán, gallego y asturiano: **Viviana.** Vasco: **Bibiñe.** Inglés: **Vivien.** Francés: **Vivienne.** Italiano: **Viviana, Vivian, Bibiana, Viv, Vivienne, Vivina.**

VOLSILA
Origen: Griego.
Significado: Alternativa de Úrsula.
Onomástico: No tiene.

VONDRA
Origen: Checo.
Significado: Mujer que ama mucho.
Onomástico: No tiene.
Variantes: **Vonda, Vondrea.**

WADD
Origen: Árabe.
Significado: Amada.
Onomástico: No tiene.

WADIA
Origen: Árabe.
Significado: Apacible, dócil.
Onomástico: No tiene.

WAFA
Origen: Árabe.
Significado: Lealtad.
Onomástico: No tiene.

WAHEEDA
Origen: Árabe.
Significado: Una y única.
Onomástico: No tiene.

WAKANA
Origen: Japonés.
Significado: Planta.
Onomástico: No tiene.

WALAD
Origen: Árabe.
Significado: Recién nacida.
Onomástico: No tiene.
Variantes: **Walidah.**

WALDA
Origen: Alemán.
Significado: Poderosa, famosa. Forma femenina de Waldo.
Onomástico: No tiene.
Variantes: **Walidina, Walida, Wallda, Welda.**

WALERIA
Origen: Polaco.
Significado: Valeria.
Onomástico: No tiene.
Variantes: **Wala.**

WALKIRIA
Origen: Escandinavo.
Significado: La divinidad que elige a las victimas del sacrificio.
Onomástico: No tiene.

WALLIS
Origen: Inglés.
Significado: Proveniente de Gales. Forma femenina de Wallace.
Onomástico: No tiene.
Variantes: **Wallie, Wally.**

WALQUIRIA
Origen: Noruego.
Significado: La que elige las víctimas del sacrificio.
Onomástico: 1 de noviembre.

WAN
Origen: Chino.
Significado: Llena de gracia, suave.
Onomástico: No tiene.

WANANI
Origen: Hawaiano.
Significado: Agua hermosa.
Onomástico: No tiene.

WANDA
Origen: Alemán.
Significado: Bandera, insignia.
Onomástico: 1 de noviembre.

WANIKA
Origen: Hawaiano.
Significado: Juanita.
Onomástico: No tiene.

WARDA
Origen: Alemán.
Significado: Guardián.
Onomástico: No tiene.
Variantes: **Wardah, Wardia.**

WASHI
Origen: Japonés.
Significado: Águila.
Onomástico: No tiene.

WASIFA
Origen: Árabe.
Significado: Dama de honor.
Onomástico: No tiene.

WASSEMAH
Origen: Árabe.
Significado: Bella.
Onomástico: No tiene.

WATTAN
Origen: Japonés.
Significado: Patria.
Onomástico: No tiene.

WAVA
Origen: Eslavo.
Significado: Bárbara.
Onomástico: No tiene.

WEHILANI
Origen: Hawaiano.
Significado: Adorno celestial.
Onomástico: No tiene.

WEI
Origen: Chino.
Significado: Valiosa.
Onomástico: No tiene.

WENDA
Origen: Alemán.
Significado: Justa.
Onomástico: No tiene.
Variantes: **Wendi, Wendy.**

WENDY
Origen: Galés.
Significado: La de blancas pestañas.
Onomástico: 14 de octubre.
Variantes: Inglés: **Gwendolen, Gwendolyn.** Francés: **Gwendaline, Gwendoline.** Italiano: **Guendalina.**

WEREBURGA
Origen: Alemán.
Significado: La protectora de la guardia.
Onomástico: No tiene.

WERONIKA
Origen: Polaco.
Significado: Alternativa de Verónica.
Onomástico: No tiene.

WHITNEY
Origen: Inglés.
Significado: Isla blanca.
Onomástico: No tiene.

WHOOPI
Origen: Inglés.
Significado: Feliz, exaltada.
Onomástico: No tiene.
Variantes: **Whoopie, Whoopy.**

WILDA
Origen: Alemán.
Significado: Guardiana.
Onomástico: No tiene.
Variantes: **Vilma, Wylma.**

WILHELMINA
Origen: Alemán.
Significado: Guardiana.
Onomástico: No tiene.
Variantes: **Willa.**

WILLOW
Origen: Inglés.
Significado: Sauce.
Onomástico: No tiene.

WILMA
Origen: Alemán.
Significado: Deriva de *will-helm*, yelmo voluntarioso, por extensión, protector decidido.
Onomástico: 10 de enero y 6 de abril.
Variantes: Catalán: **Guilleuma, Guillerma.** Vasco: **Gullelme.**

WILONA
Origen: Inglés.
Significado: Deseada.
Onomástico: No tiene.
Variantes: **Willona.**

WINDA
Origen: Swahili.
Significado: Cazadora.
Onomástico: No tiene.

WING
Origen: Chino.
Significado: Gloria.
Onomástico: No tiene.

WINIFREDA
Origen: Alemán.
Significado: La que es amiga de la paz.
Onomástico: No tiene.
Variantes: **Winired, Winireda.**

WINOLA
Origen: Alemán.
Significado: Amiga encantadora.
Onomástico: No tiene.
Variantes: **Wynola.**

WINONA
Origen: Estadounidense.
Significado: Nombre con que los indios Dakota denominan a la hija mayor.
Onomástico: No tiene.
Variantes: **Wynona.**

WIRA
Origen: Polaco.
Significado: Elvira.
Onomástico: No tiene.
Variantes: **Wiria.**

WISAL
Origen: Árabe.
Significado: Contacto de amor.
Onomástico: No tiene.

WISAM
Origen: Árabe.
Significado: Medalla del mérito.
Onomástico: No tiene.

WISIA
Origen: Polaco.
Significado: Victoria.
Onomástico: No tiene.

WITBURGA
Origen: Alemán.
Significado: La que protege los bosques.
Onomástico: No tiene.

WREN
Origen: Inglés.
Significado: Reyezuelo (un ave).
Onomástico: No tiene.

WULFILDE
Origen: Alemán.
Significado: La que lucha con lobos.
Onomástico: No tiene.

WYNNE
Origen: Galés.
Significado: De complexión clara.
Onomástico: No tiene.

XALLI
Origen: Náhuatl.
Significado: Arena.
Onomástico: No tiene.

XALOME
Origen: Vasco.
Significado: Variante de Salomé.
Onomástico: No tiene.

XALPICCILLI
Origen: Náhuatl.
Significado: Arena menuda.
Onomástico: No tiene.

XANDRA
Origen: Griego y español.
Significado: Alternativa de Sandra. Español: Forma corta de Alexandra.
Onomástico: No tiene.
Variantes: **XANDER, XANDRIA.**

XANDY
Origen: Griego.
Significado: Variante de Alejandra.
Onomástico: No tiene.

XANTHE
Origen: Griego.
Significado: Amarilla, rubia.
Onomástico: No tiene.
Variantes: **XANNE, XANTHA, XANTHIA.**

XAVIERA
Origen: Vasco y árabe.
Significado: Dueña de una nueva casa. Árabe: Brillo. Fonema femenino de Xavier.
Onomástico: No tiene.
Variantes: **XAVIA, JAVIERA, XAVIERE.**

XENA
Origen: Griego.
Significado: Alternativa de Xenia.
Onomástico: No tiene.

XENIA
Origen: Griego.
Significado: De *xénos*, huésped. Podría interpretarse como hospitalaria.
Onomástico: 24 de enero.

XESCA
Origen: Catalán.
Significado: Variante de Francisca.
Onomástico: 9 de marzo.

XIADANI
Origen: Zapoteca.
Significado: Flor que llegó.
Onomástico: No tiene.

XIANA
Origen: Griego.
Significado: Nombre gallego que deriva del latín *iulianus*, perteneciente a la gens Julia.
Onomástico: 19 de junio.
Variantes: Catalán: **JULIANA.** Vasco: **JULENE, YULENE.** Asturiano: **XIANA.** Inglés: **JULIANA.** Francés: **JULIENNE.** Alemán: **JULIANE.** Italiano: **GIULIANA, GILLIAN.**

XIANG
Origen: Chino.
Significado: Fragancia.
Onomástico: No tiene.

XILDA
Origen: Griego.
Significado: Variante gallega de Gilda.
Onomástico: No tiene.

XIMENA
Origen: Vasco.
Significado: Variante de Jimena, que procede de *ciz-mendi*, fiera de montaña. Que ha escuchado al señor.
Onomástico: 5 de enero.
Variantes: Catalán: **Eiximena.** Francés: **Chimène.**

XING
Origen: Chino.
Significado: Estrella.
Onomástico: No tiene.

XIOMARA
Origen: Alemán.
Significado: Bosque glorioso o bosque legendario.
Onomástico: No tiene.

XI-WANG
Origen: Chino.
Significado: Esperanza.
Onomástico: No tiene.

XIU MEI
Origen: Chino.
Significado: Ciruela hermosa.
Onomástico: No tiene.

XOCHIQUETZAL
Origen: Náhuatl.
Significado: Diosa de las flores.
Onomástico: No tiene.

XÓCHITL
Origen: Náhuatl.
Significado: Flor.
Onomástico: No tiene.

XUAN
Origen: Vietnamita.
Significado: Primavera.
Onomástico: No tiene.

XUE
Origen: Chino.
Significado: Nieve.
Onomástico: No tiene.

XYLIA
Origen: Griego.
Significado: Silvia.
Onomástico: No tiene.
Variantes: **Xylon, Xylona.**

YACHNE
Origen: Hebreo.
Significado: Hospitalaria.
Onomástico: No tiene.

YADIRA
Origen: Hebreo.
Significado: Amiga.
Onomástico: No tiene.

YAEL
Origen: Hebreo.
Significado: El poder de Dios.
Onomástico: No tiene.

YAFFA
Origen: Hebreo.
Significado: Hermosa, bonita.
Onomástico: No tiene.

YAHAIRA
Origen: Hebreo.
Significado: Preciosa.
Onomástico: No tiene.
Variantes: **Yahara, Yahayra, Yahira.**

YAKIRA
Origen: Hebreo.
Significado: Preciosa, querida.
Onomástico: No tiene.

YALENA
Origen: Ruso.
Significado: Alternativa de Helena.
Onomástico: No tiene.

YAMA
Origen: Japonés.
Significado: Montaña.
Onomástico: No tiene.

YAMILA
Origen: Árabe.
Significado: De Jamal, belleza.
Onomástico: No tiene.

YAMINAH
Origen: Árabe.
Significado: Recta, propia.
Onomástico: No tiene.
Variantes: **Yamina, Yamini, Yemina, Yeminah.**

YAMUNA
Origen: Hindi.
Significado: Río sagrado.
Onomástico: No tiene.

YANABA
Origen: Navajo.
Significado: Valiente.
Onomástico: No tiene.

YANET
Origen: Inglés.
Significado: Variante de Janet.
Onomástico: No tiene.

YANG
Origen: Chino.
Significado: Sol.
Onomástico: No tiene.

YANI
Origen: Náhuatl.
Significado: Peregrina.
Onomástico: No tiene.

YANNI
Origen: Hebreo.
Significado: Regalo de Dios.
Onomástico: No tiene.

YARINA
Origen: Eslavo.
Significado: Alternativa de Irene.

Onomástico: No tiene.
Variantes: **YARYNA.**

YARKONA
Origen: Hebreo.
Significado: Verde.
Onomástico: No tiene.

YARMILLA
Origen: Eslavo.
Significado: Marcahanta.
Onomástico: No tiene.

YASHIRA
Origen: Afgano.
Significado: Serena, tranquila.
Onomástico: No tiene.

YASMÍN
Origen: Persa.
Significado: Flor de jazmín.
Onomástico: No tiene.
Variantes: **YASHMINE, YASIMAN, YASMA, YASMAIN, YASMINDA, YASMON, YAZMIN.**

YASMINA
Origen: Árabe.
Significado: Derivado de *yasaman*, significa jazmín.
Onomástico: No tiene.
Variantes: Vasco: **LASMINA.** Inglés, francés y Alemán: **JASMINA.**

YASU
Origen: Japonés.
Significado: Calmada.
Onomástico: No tiene.
Variantes: **YASUKO, YASUYO.**

YEHUDIT
Origen: Hebreo.
Significado: Alternativa de Judith.
Onomástico: No tiene.
Variantes: **YUDIT, YUDITA, YUTA.**

YEI
Origen: Japonés.
Significado: Floreciente.
Onomástico: No tiene.

YEIRA
Origen: Hebreo.
Significado: Luz.
Onomástico: No tiene.

YELENA
Origen: Portugués.
Significado: Luz.
Onomástico: No tiene.

YELITZA
Origen: Latino.
Significado: Amor.
Onomástico: No tiene.

YEMENA
Origen: Árabe.
Significado: Originaria de Yemen.
Onomástico: No tiene.
Variantes: **YEMINA.**

YEMINA
Origen: Latino.
Significado: Melliza.
Onomástico: No tiene.

YEN
Origen: Chino.
Significado: Deseo.
Onomástico: No tiene.
Variantes: **YENI, YENIH, YENNY.**

YENAY
Origen: Chino.
Significado: La que ama.
Onomástico: No tiene.

YEO
Origen: Hebreo.
Significado: Agradable, dulce, apacible.
Onomástico: No tiene.

YESENIA
Origen: Árabe.
Significado: Flor.
Onomástico: No tiene.
Variantes: **YECENIA, YESISIA, YESSENIA.**

YÉSICA
Origen: Hebreo.
Significado: En gracia de Dios.
Onomástico: No tiene.

YESMINA
Origen: Hebreo.
Significado: Mano derecha, fuerza.
Onomástico: No tiene.

YEVA
Origen: Ucraniano.
Significado: Eva.
Onomástico: No tiene.

YEXALEN
Origen: Inca.
Significado: Estrella.
Onomástico: No tiene.

YI
Origen: Chino.
Significado: Feliz.
Onomástico: No tiene.

YIN
Origen: Chino.
Significado: Plata.
Onomástico: No tiene.

YNEZ
Origen: Español.
Significado: Alternativa de Inés.
Onomástico: No tiene.
Variantes: **YNÉS.**

YOANA
Origen: Vasco.
Significado: Variante de Juana.
Onomástico: No tiene.

YOCASTA
Origen: Griego.
Significado: En la mitología, madre de Edipo. Violeta.
Onomástico: No tiene.
Variantes: Catalán: **IOCASTA, JOCASTA.**

YOCONDA
Origen: Italiano.
Significado: Alegre y jovial.
Onomástico: No tiene.

YOI
Origen: Japonés.
Significado: Nacida por la tarde.
Onomástico: No tiene.

YOKO
Origen: Japonés.
Significado: Buena mujer.
Onomástico: No tiene.

YOLANDA
Origen: Griego.
Significado: Deriva de *ion-laos*, tierra de violetas.
Onomástico: 17 y 28 de diciembre.
Variantes: Catalán y gallego: **BLANDA.** Inglés y alemán: **JOLANDA.** Francés: **YOLANDE.**

YOLOTL
Origen: Náhuatl.
Significado: Corazón.
Onomástico: No tiene.

YOLOTZIN
Origen: Náhuatl.
Significado: Corazoncito.
Onomástico: No tiene.

YON
Origen: Birmano y coreano.
Significado: Conejo. Coreano: Flor de loto.
Onomástico: No tiene.
Variantes: **YONA, YONNA.**

YONAH
Origen: Hebreo.
Significado: Paloma.
Onomástico: No tiene.
Variantes: **YONINA.**

YOLE
Origen: Griego.
Significado: Bella como la violeta.
Onomástico: No tiene.

YONE
Origen: Japonés.
Significado: Rica.
Onomástico: No tiene.

YONINAH
Origen: Hebreo.
Significado: Paloma pequeña.
Onomástico: No tiene.

YORDANA
Origen: Vasco.
Significado: Descendiente.
Onomástico: No tiene.

YORI
Origen: Japonés.
Significado: Fiable.
Onomástico: No tiene.
Variantes: **YORIKO, YORIYO.**

YOSHI
Origen: Japonés.
Significado: Buena, respetable.
Onomástico: No tiene.

YOSHE
Origen: Japonés.
Significado: Bella.
Onomástico: No tiene.

YOVANNA
Origen: Hebreo.
Significado: Deriva de *Yehohanan*, Dios es misericordioso.
Onomástico: 30 de mayo y 24 de junio.

YOVELA
Origen: Hebreo.
Significado: Corazón alegre, recogido.
Onomástico: No tiene.

YSEULT
Origen: Alemán e irlandés.
Significado: Cubo de hielo. Irlandés: De piel blanca.
Onomástico: No tiene.
Variantes: **Ysolt.**

YUANA
Origen: Español.
Significado: Juana.
Onomástico: No tiene.
Variantes: **Yuan.**

YUDIT
Origen: Hebreo.
Significado: Variante de Judith.
Onomástico: No tiene.

YUKI
Origen: Japonés.
Significado: Nieve.
Onomástico: No tiene.

YULIA
Origen: Ruso.
Significado: Variante de Julia.
Onomástico: No tiene.
Variantes: **Yula, Yulenka.**

YUM
Origen: Ruso.
Significado: Alternativa de Georgina, del griego *georgos*, agricultor.
Onomástico: 15 de febrero.

YURI
Origen: Japonés.
Significado: Lirio.
Onomástico: No tiene.
Variantes: **Yuriko.**

YVETTE
Origen: Francés.
Significado: Joven.
Onomástico: No tiene.
Variantes: **Yvet, Yvett.**

YVONNE
Origen: Francés.
Significado: Joven cazadora.
Onomástico: No tiene.

ZABA
Origen: Hebreo.
Significado: La que ofrece un sacrificio a Dios.
Onomástico: No tiene.

ZABRINA
Origen: Estadounidense.
Significado: Alternativa de Sabrina.
Onomástico: No tiene.
Variantes: **ZABRINIA, ZABRINNA.**

ZACARY
Origen: Hebreo.
Significado: Dios recordó. Forma femenina de Zacarías.
Onomástico: No tiene.
Variantes: **ZACARI.**

ZACNITÉ
Origen: Maya.
Significado: Flor blanca.
Onomástico: No tiene.

ZADA
Origen: Árabe.
Significado: Afortunada, próspera.
Onomástico: No tiene.
Variantes: **ZAIDA, ZAYDA.**

ZAFINA
Origen: Árabe.
Significado: Victoria.
Onomástico: No tiene.

ZAFIRAH
Origen: Árabe.
Significado: Victoriosa, triunfadora.
Onomástico: No tiene.

ZAHAR
Origen: Hebreo.
Significado: Atardecer.
Onomástico: No tiene.

ZAHARA
Origen: Swahili.
Significado: Flor.
Onomástico: No tiene.

ZAHAVAH
Origen: Hebreo.
Significado: Oro.
Onomástico: No tiene.

ZAHIRA
Origen: Árabe.
Significado: La que ha florecido.
Onomástico: No tiene.

ZAHRAH
Origen: Swahili y árabe.
Significado: Flor, Árabe: Blanca.
Onomástico: No tiene.

ZAIDA
Origen: Árabe.
Significado: La que crece.
Onomástico: 23 de julio.

ZAIRA
Origen: Árabe.
Significado: Florecida.
Onomástico: No tiene.
Variantes: Gallego y asturiano: **ZAIDA.** Francés: **ZAÍRE.**

ZAKIA
Origen: Swahili y árabe.
Significado: Inteligente. Árabe: Casta.
Onomástico: No tiene.

ZALIKA
Origen: Swahili.
Significado: Nacida para reinar.
Onomástico: No tiene.

ZALPAH
Origen: Hebreo.
Significado: Digna. En la *Biblia* es la esposa de Jacob.
Onomástico: No tiene.
Variantes: **ZILPHA.**

ZANDRA
Origen: Griego.
Significado: Alternativa de Sandra.
Onomástico: No tiene.
Variantes: **ZANDRIA, ZONDRA.**

ZARA
Origen: Hebreo.
Significado: Alternativa de Sara.
Onomástico: No tiene.
Variantes: **ZAIRA, ZARAH, ZARI.**

ZARAH
Origen: Swahili y árabe.
Significado: Flor. Árabe: Blanca.
Onomástico: No tiene.
Variantes: **ZAHARA, ZAHRIA.**

ZARIFA
Origen: Árabe.
Significado: Victoriosa, triunfadora.
Onomástico: No tiene.

ZARINA
Origen: Ruso.
Significado: Emperatriz.
Onomástico: No tiene.

ZAWATI
Origen: Swahili.
Significado: Regalo.
Onomástico: No tiene.

ZAYIT
Origen: Hebreo.
Significado: Olivo.
Onomástico: No tiene.

ZAYNAH
Origen: Árabe.
Significado: Mujer hermosa.
Onomástico: No tiene.

ZAZIL-HA
Origen: Maya.
Significado: Agua transparente.
Onomástico: No tiene.

ZEA
Origen: Latino.
Significado: Semilla.
Onomástico: No tiene.

ZEBINA
Origen: Griego.
Significado: Jabalina, dardo del cazador.
Onomástico: 13 de noviembre.

ZEHAVA
Origen: Hebreo.
Significado: Dorada.
Onomástico: No tiene.

ZELDA
Origen: Hebreo.
Significado: Canosa.
Onomástico: No tiene.
Variantes: **ZELLA, ZELLDA.**

ZELENE
Origen: Inglés.
Significado: Brillo del Sol.
Onomástico: No tiene.
Variantes: **ZELENA, ZELINE.**

ZELIA
Origen: Español.
Significado: Brillo del Sol.
Onomástico: No tiene.
Variantes: **ZELINA.**

ZELMA
Origen: Hebreo.
Significado: Variante de Selma.
Onomástico: No tiene.

ZELMIRA
Origen: Hebreo.
Significado: Variante de Celmira.
Onomástico: No tiene.

ZEMIRAH
Origen: Hebreo.
Significado: Canción de gozo.
Onomástico: No tiene.
Variantes: **ZEMIRA.**

ZENA
Origen: Etíope y persa.
Significado: Nueva. Persa: Mujer.
Onomástico: No tiene.
Variantes: **ZANAH, ZEIN.**

ZENAIDA
Origen: Griego.
Significado: La hija de Zeus.
Onomástico: 11 de octubre.
Variantes: **ZENAIDE.**

ZENDA
Origen: Persa.

Significado: Sagrada, femenina.
Onomástico: No tiene.

ZENOBIA
Origen: Griego.
Significado: Nombre compuesto de *koinos*, común, y *bios*, vida; o sea, vida en común. Justicia del señor.
Onomástico: 30 de octubre.
Variantes: Francés: **Zénobie.**

ZEPHIR
Origen: Griego.
Significado: Viento del Oeste.
Onomástico: No tiene.
Variantes: **Zephra, Zephira.**

ZERA
Origen: Hebreo.
Significado: Semillas.
Onomástico: No tiene.
Variantes: **Zerah, Zeriah.**

ZERDALI
Origen: Turco.
Significado: Chabacano.
Onomástico: No tiene.

ZERLINA
Origen: Latino.
Significado: Hermoso atardecer.
Onomástico: No tiene.
Variantes: **Zerlinda.**

ZERRIN
Origen: Turco.
Significado: Oro.
Onomástico: No tiene.

ZETA
Origen: Inglés.
Significado: Rosa.
Onomástico: No tiene.
Variantes: **Zetta.**

ZETTA
Origen: Portugués.
Significado: Rosa.
Onomástico: No tiene.

ZHEN
Origen: Chino.
Significado: Casta.
Onomástico: No tiene.

ZIA
Origen: Latino y árabe.
Significado: Grano. Árabe: Luz.
Onomástico: No tiene.
Variantes: **Zea.**

ZIGANA
Origen: Húngaro.
Significado: Gitana.
Onomástico: No tiene.

ZILLA
Origen: Hebreo.
Significado: Sombra.
Onomástico: No tiene.
Variantes: **Zila.**

ZIMRA
Origen: Hebreo.
Significado: Canción como premio.
Onomástico: No tiene.

ZINA
Origen: Hebreo.
Significado: Opulencia.
Onomástico: No tiene.

ZINIA
Origen: Inglés y latino.
Significado: De la flor brillante. Latín: Flor.
Onomástico: No tiene.
Variantes: **Zinnia.**

ZITA
Origen: Persa.
Significado: Doncella, soltera. Virgen.
Onomástico: No tiene.

ZIVA
Origen: Hebreo.
Significado: Esplendor.
Onomástico: No tiene.

ZIZI
Origen: Húngaro.
Significado: Dedicada a Dios.
Onomástico: No tiene.
Variantes: **Sissi.**

ZOE
Origen: Griego.
Significado: Vida.
Onomástico: No tiene.
Variantes: **Zoi, Zoé, Zoey, Zoila.**

ZOHAR
Origen: Hebreo.
Significado: Brillante, llena de luz.
Onomástico: No tiene.

ZOHRA
Origen: Hebreo.

Significado: Flor.
Onomástico: No tiene.

ZOHREH
Origen: Persa.
Significado: Feliz.
Onomástico: No tiene.
Variantes: **Zahreh.**

ZOILA
Origen: Griego.
Significado: Viva. Llena de vida.
Onomástico: 27 de Junio.
Variantes: **Zoila.**

ZOLA
Origen: Italiano.
Significado: Pedazo de tierra.
Onomástico: No tiene.

ZONA
Origen: Latino.
Significado: Circunferencia.
Onomástico: No tiene.

ZORA
Origen: Eslavo.
Significado: Aurora, atardecer.
Onomástico: No tiene.
Variantes: **Zorah.**

ZORAIDA
Origen: Árabe.
Significado: Mujer elegante, cautivadora, graciosa. Mujer locuaz.
Onomástico: 24 de julio.

ZORINA
Origen: Eslavo.
Significado: Oro.
Onomástico: No tiene.
Variantes: **Zorana, Zori, Zorna.**

ZÓSIMA
Origen: Griego.
Significado: Vital, vigorosa.
Onomástico: 15 de Julio.

ZSA-ZSA
Origen: Húngaro.
Significado: Variante de Susana.
Onomástico: No tiene.

ZUDORA
Origen: Sánscrito.
Significado: Trabajadora.
Onomástico: No tiene.

ZULA
Origen: Africano.
Significado: Brillante.
Onomástico: No tiene.

ZULEIKA
Origen: Árabe.
Significado: Brillante, bella, hermosa.
Onomástico: No tiene.
Variantes: **Zul, Zuleica.**

ZULEMA
Origen: Árabe.
Significado: Sana, pacífica. Mujer saludable.
Onomástico: 1 de Noviembre.
Variantes: **Zulima.**

ZULMA
Origen: Árabe.
Significado: Mujer sana, vigorosa.
Onomástico: No tiene.
Variantes: **Zulima, Zulmara.**

ZURAFA
Origen: Árabe.
Significado: Adorable.
Onomástico: No tiene.
Variantes: **Ziraf.**

ZURI
Origen: Vasco.
Significado: Blanca, de piel clara.
Onomástico: No tiene.
Variantes: **Zuria, Zury.**

ZUWENA
Origen: Swahili.
Significado: Mujer buena.
Onomástico: No tiene.

ZUZANNY
Origen: Hebreo.
Significado: Lirio.
Onomástico: No tiene.
Variantes: **Susana.**

ZYTKA
Origen: Polaco.
Significado: Rosa.
Onomástico: No tiene.

Índice alfabético

Nombres de origen árabe

Nombres de origen arameo

Nombres de origen araucano

Nombres de origen armenio

Nombres de origen asirio

Nombres de origen australiano

Nombres de origen birmano

Nombres de origen camboyano

Nombres de origen catalán

Nombres de origen celta

Nombres de origen checo

Nombres de origen escocés

Nombres de origen eslavo

Nombres de origen español

Nombres de origen esquimal

Nombres de origen estadounidense

Nombres de origen etíope

Nombres de origen etrusco

Nombres de origen fenicio

Nombres de origen filipino

Nombres de origen francés

Nombres de origen galés

Nombres de origen gallego

Nombres de origen gitano

Nombres de origen griego

Nombres de origen guaraní

Nombres de origen hawaiano

Nombres de origen hebreo

Nombres de origen hindi

Nombres de origen húngaro

Nombres de origen inca

Nombres de origen inglés

Nombres de origen iraquí

Nombres de origen irlandés

Nombres de origen italiano

Nombres de origen japonés

Nombres de origen latino

Nombres de origen maorí

Nombres de origen mauritano

Nombres de origen maya

Nombres de origen náhuatl

Nombres de origen navajo

Nombres de origen nigeriano

Nombres de origen noruego

Nombres de origen pakistaní

Nombres de origen persa

Nombres de origen polaco

Nombres de origen polinesio

Nombres de origen portugués

Nombres de origen purépecha

Nombres de origen ruso

Nombres de origen sánscrito

Nombres de origen somalí

Nombres de origen sueco

Nombres de origen swahili

Nombres de origen tailandés

Nombres de origen tehuelche

Nombres de origen tibetano

Nombres de origen tupí

Nombres de origen turco

Nombres de origen ucraniano

Nombres de origen vasco

Nombres de origen vietnamita

Nombres de origen yoruba

Nombres de origen yugoslavo

Nombres de origen zapoteca

La publicación de esta obra la realizó
Editorial Trillas, S. A. de C. V.

División Administrativa, Av. Río Churubusco 385,
Col. Pedro María Anaya, C.P. 03340, México, D. F.
Tel. 56 88 42 33, FAX 56 04 13 64

División Comercial, Calz. de la Viga 1132, C.P. 09439
México, D. F., Tel. 56 33 09 95, FAX 56 33 08 70

Se terminó de imprimir el 12 de abril del 2007,
en los talleres de Colores Impresos.
Se encuadernó en Encuadernaciones y Acabados Gráficos.

AO 75 RASS